Franz Kafka

Le Procès

Traduction d'Alexandre Vialatte
Présentation de Claude David

Gallimard

PRÉFACE

On raconte que c'est grâce aux éditions clandestines du samizdat — et donc, sans nom d'auteur — que fut introduite en Union soviétique la traduction du Procès. Les lecteurs pensèrent, dit-on, qu'il s'agissait de l'œuvre de quelque dissident, car ils découvraient, dès le premier chapitre, une scène familière : l'arrestation au petit matin, sans que l'inculpé se sût coupable d'aucun crime, les policiers sanglés dans leur uniforme, d'ailleurs plus gouailleurs qu'impérieux ou cruels, eux-mêmes prisonniers du régime qu'ils servaient, l'acceptation immédiate d'un destin apparemment absurde, etc. Kafka ne pouvait espérer une plus belle consécration posthume.

Et pourtant, les lecteurs russes se trompaient. Le projet de Kafka n'était pas de dénoncer un pouvoir tyrannique ni de condamner une justice mal faite. Un des chapitres, il est vrai, celui qui est intitulé « Premier interrogatoire » met en scène une sorte de réunion politique — une première leçon, ensuite biffée, parlait même d'une réunion socialiste — : on y trouve des clans et des partis, Joseph K. harangue l'auditoire, incrimine le « système », se grise de sa propre éloquence. Mais à la fin de l'audience, il est le premier convaincu qu'il a perdu son temps et peut-être déjà dilapidé une chance. L'injustice dont il est victime n'est pas de celles dont on vient à bout par des discours ni qu'on corrige par des réformes.

Le lecteur du roman a bientôt compris qu'il ne s'agit pas là *d'un procès ordinaire. Joseph K., après son arrestation, est laissé en liberté : non en liberté provisoire, mais en liberté définitive — et il est aussitôt évident que cette liberté est le plus redoutable instrument dont dispose le tribunal. On apprend vite qu'il n'existe qu'une seule peine, qui est la mort ; mais nous savons bien que c'est ainsi que tout s'achève — et le livre veut dire seulement qu'il n'y a aucune chance pour que le procès trouve son terme avant la fin de la vie. Le court dernier chapitre, où l'on voit les bourreaux aiguiser leurs couteaux, est manifestement la conclusion postiche d'un roman qui ne peut pas finir.*

Joseph K. ne s'est rendu coupable d'aucun délit qui aurait pu rendre nécessaire l'intervention de la justice. Dans la première ébauche du roman, qu'il consigne dans son Journal, Kafka imagine un employé de commerce qui prend dans la caisse de son patron une somme d'argent, dont il n'a d'ailleurs aucun besoin. Mais Kafka renonce aussitôt à cette affabulation, qui aurait évidemment affaibli son propos.

Joseph K. n'est passible d'aucun procès criminel ou correctionnel. Mais il n'a pas davantage commis une faute de nature morale. Le roman, il est vrai, n'est pas détachable de certains événements dans lesquels Kafka s'était éprouvé coupable. Quelques semaines seulement avant qu'il n'en commence la rédaction, il venait en effet de rompre ses fiançailles avec Felice Bauer. L'affaire durait depuis deux ans, deux années au cours desquelles Kafka avait accablé Felice d'une correspondance fiévreuse, dans laquelle à la fois il mendiait de l'amour et mettait en garde contre tout attachement envers lui. Felice, après d'interminables hésitations et sans doute un peu par lassitude ou par pitié, avait fini par accepter de l'épouser. Les fiançailles avaient été célébrées à Berlin, où Felice vivait. À peine la cérémonie avait-elle eu lieu que Kafka regrettait cette décision, qu'au fond de lui-même il n'avait jamais souhaitée. Au début de juillet 1914, une rencontre eut lieu à l'Askanischer Hof, un hôtel de Berlin. Il y avait là Kafka et Felice, accompagnés l'un et l'autre de quelques amis ou parents. À l'issue de ce conciliabule, les fiançailles, conclues quelque six semaines plus tôt, avaient été rompues. Kafka devait désormais parler du « tribunal de l'Askanischer Hof ». Il confessa plus d'une fois son remords envers Felice Bauer ; il l'avait inutilement persécutée, il lui avait dévoilé les détours d'une névrose qu'elle était incapable de comprendre ; il avait abusé de sa patience, il lui avait dérobé deux années de sa vie.

Felice Bauer figure dans Le Procès ; *c'est elle, sans nul doute, que représentent les initiales transparentes de Fräulein Bürstner, la voisine de Joseph K. à la pension de Mme Grubach. Nous sommes même tenté de penser qu'avec le personnage, à vrai dire peu convaincant, de Mlle Montag, qui apparaît au second chapitre, Kafka assouvit quelque secrète rancune envers Grete Bloch, une amie de Felice, qui avait tenu un rôle ambigu au cours des relations amoureuses avec Felice, puis grandement contribué au désastre de l'Askanischer Hof. Mais Fräulein Bürstner a, dans l'économie du roman, une fonction qui n'est en rien comparable à celle de Felice Bauer. On ne la voit qu'au premier chapitre, puis elle réapparaît tout à la fin, au moment où l'on conduit Joseph K. à son supplice ; encore n'est-il pas tout à fait sûr que ce soit elle qu'il aperçoit à un tournant de rue et il ne cherche pas à le vérifier. Fräulein Bürstner, dans le roman, n'est plus un acteur du drame, elle n'est plus qu'un témoin. Joseph K. ne lui a jamais adressé la parole avant le commencement de son procès ; et, au soir de son arrestation, il se contente de lui raconter, malgré qu'elle en ait, le déroulement d'événements auxquels elle est étrangère. Dans le roman, Fräulein Bürstner n'a plus qu'un rôle tout à fait extérieur ; Joseph K. n'éprouve donc aucun remords envers elle ; tout au plus — mais est-ce si criminel ? — peut-il regretter de ne pas avoir entretenu avec elle des relations plus étroites. Au contraire de Kafka, Joseph K. n'a commis aucune faute morale. Il importe, pour conserver au récit toute sa vigueur, de n'oublier jamais que Joseph K. est entièrement innocent le jour où on lui notifie son arrestation.*

La rédaction du Procès *ne va pas mettre un terme aux relations entre Kafka et Felice Bauer. La correspondance reprendra entre eux, selon un rythme, il est vrai, moins déraisonnable ; mais le drame va durer trois années encore ; il aboutira à des secondes fiançailles, qui seront, elles aussi, rompues. Pourtant Kafka, qui avait coutume de donner lecture à Felice des récits qu'il venait d'écrire, ne lui parlera jamais du* Procès. *Ce livre — le premier que plus tard Max Brod allait publier — était sans doute considéré par lui comme un témoignage intime et secret. Felice Bauer, en tout cas, en devait être tenue à l'écart.*

Il est assez facile de faire le portrait de Joseph K. C'est un fonctionnaire ponctuel, apprécié de ses supérieurs, mais non exempt de petites ambitions ; il est jaloux du fondé de pouvoir de sa banque ; pour être assis à la table des gens importants, il accepte d'en subir les quolibets. Sa vie amoureuse est pauvre ; il se contente, une fois par semaine, de rendre visite à une serveuse de taverne prénommée Elsa ; elle tient si peu de place dans sa vie qu'il est prêt à tout moment à nier son existence. Il a une vieille mère, qu'il aide à vivre, mais voilà bien une année entière qu'il ne lui a pas rendu visite. On dirait que Kafka souligne à plaisir la médiocrité de son personnage, auquel seul son procès va conférer une sorte d'importance ou de dignité. Mais la plupart de ces traits anecdotiques ou réalistes figurent dans des chapitres inachevés ; on est tenté de penser que Kafka ne les aurait pas conservés s'il avait achevé son œuvre et l'avait publiée. Dans le vrai corps du récit, Joseph K. est délibérément abstrait. La psychologie ne compte plus dans le roman nouveau dont Kafka invente ici la structure. Pas plus que la morale, puisque Joseph K., qui, dans sa pauvre existence, n'a commis aucune faute et n'a avec ses semblables que des relations évasives, n'est jamais appelé au cours de l'histoire à choisir entre deux routes. C'est à un autre niveau — le plus général et le plus abstrait — que se placent les questions que le roman soulève.

Par quelques rares notations temporelles parsemées dans le récit, on comprend que l'histoire dure un an : du printemps au printemps, du trentième au trente et unième anniversaire de Joseph K. Durée symbolique et abstraite, elle aussi, car l'action dans ce roman est presque absente. Sans doute peut-on dire que le héros s'enfonce chaque jour davantage dans son procès, dont d'abord il nie la réalité, pour ensuite s'identifier à lui peu à peu. Mais cette évolution intérieure ne se traduit guère en événements. Chaque chapitre est à peu près indépendant des autres, comme si le roman ne se composait que d'une série de variations sur le thème de l'homme en procès. Kafka rédigeait chacun de ces chapitres dans des liasses séparées les unes des autres. Aussi a-t-on pu contester l'ordre qu'avait choisi Max Brod lorsqu'il édita le roman [1]. On reviendra sur cette question ; ne retenons pour l'instant que l'indigence volontaire de l'intrigue.

Le Procès est un roman sans héros et sans progrès. C'est évidemment aussi un roman sans décor ; les seuls paysages qu'il admet sont imaginaires. C'est également un roman sans passé : le récit ne revient jamais sur les événements qui ont précédé l'arrestation de Joseph K. ; celle-ci est un commencement absolu, l'unique sujet du livre. Il est difficile d'imaginer une simplification plus radicale, un dénuement plus grand. Kafka renonce à tous les agréments ordinaires du récit ; il fixe obstinément l'attention du lecteur sur une situation scandaleusement opaque, qui conservera jusqu'à la fin la même opacité. Le narrateur, qui entièrement s'efface, ne l'aide pas à comprendre ; il n'explique pas l'inexplicable. Le lecteur partage le sort de Joseph K. ; il est affecté de la même cécité. Ce qui, à la rigueur, peut piquer parfois sa curiosité, c'est l'aspect énigmatique du récit ; mais l'énigme est à peine un artifice de l'auteur, c'est la forme naturelle de l'opacité. En 1914, quand Kafka écrit Le Procès, aucun écrivain sans doute n'a pratiqué encore une pareille ascèse littéraire. Kafka s'interdit les ruses, les sous-entendus, les allusions, les citations larvées dont s'accompagne volontiers le récit romanesque. Seul Flaubert peut-être s'était

---

1. Dans la présente édition, le chapitre intitulé « L'Amie de Mlle Bürstner » qui, dans l'édition de Max Brod, portait le numéro 4, figure, pour respecter la cohérence chronologique, en deuxième position.

montré aussi sévère envers lui-même ; *Kafka le considérait
comme son modèle et désespérait d'ailleurs de pouvoir jamais
l'imiter.*

*Un jour, à son réveil, à l'instant le plus scabreux de la
journée, où l'on n'a pas retrouvé encore les assurances qui
permettent de vivre, Joseph K. ne se reconnaît plus. Comme
Gregor Samsa dans* La Métamorphose *deux années plus tôt
était soudain changé en cancrelat, de même Joseph K. cesse tout
à coup d'être lui-même. Il s'interroge sur le sens de ce qu'il fait,
il ne comprend plus autrui ni le monde. Quand il se rend au lieu
de l'interrogatoire (c'est-à-dire à la première porte où il frappe,
puisque son procès ne le quitte pas un instant), il se sent coupé de
cette vie colorée qu'il voit autour de lui, de ces familles
joyeusement groupées aux fenêtres, de ce linge qu'on fait sécher,
de ces enfants heureux. L'innocent Joseph K. s'éprouve soudain
coupable, coupable d'exister. La faute est dans l'existence
même, et cette faute-là n'est pas réparable. Quand Joseph K.,
au cours de l'histoire, s'entendra dire un jour que son cas n'est
pas grave, puisqu'il est innocent, il haussera les épaules : qu'il
faut d'ignorance et de légèreté pour ne pas comprendre
qu'innocence et faute, loin de s'exclure, peuvent se rejoindre et se
confondre !*

*On parlera de névrose et l'on n'aura pas tort. Kafka,
d'ailleurs, ne le cache pas. Les autres accusés que Joseph K.
rencontre, entassés dans les greffes de justice ou, comme le
négociant Block, tapi dans le salon d'attente de son avocat, sont
aveulis et ignobles ; on est saisi de dégoût ou de malaise quand
on les voit. Le lecteur qui refuse l'invitation de l'auteur pourra
ne lire dans le roman que le tableau clinique d'une névrose.
Mais pourquoi ne pas accepter de le suivre là où il veut nous
mener ? Pourquoi ne pas faire de la névrose le point de départ
d'une interrogation sur la vie et sur le monde ? Si Joseph K.
n'est pas Kafka, ils ont au moins tous deux en commun la même
expérience négative, le même trajet de souffrance. Et le livre est
bien nommé* Le Procès, *car ce qui est ici en jeu n'est rien
d'autre que la justification. Est-il justifié que je vive ? Quelle fin*

*est proposée à ma vie ? Et si ma propre vie n'a pas de sens, la vie
des autres, qui ne connaissent pas mes angoisses et mes doutes,
a-t-elle plus de sens que la mienne ? Ma souffrance ne me donne-
t-elle pas, en échange, un peu plus de lucidité qu'au commun des
hommes ? Ce sont les questions que se pose Joseph K. ou celles
du moins que sous-entend son histoire.*

*Au cours de son procès, il va croiser bien des gens. Pourtant,
on ne lui parlera jamais ni de délit ni de faute. Il sera en
revanche beaucoup question de la rencontre entre l'homme et la
femme. Les thèmes érotiques traversent l'œuvre de bout en bout.
Il y a d'abord l'entrevue nocturne avec Mlle Bürstner, à la fin
de laquelle — par amour ou par haine, on ne sait — il se
précipite sur elle « comme un animal assoiffé qui se jette à coups
de langue sur une source d'eau fraîche » et il l'embrasse dans le
cou, « là où est le gosier ». Quand il tient ensuite ses propos à la
fois naïfs et insipides devant la foule, lors de son premier
interrogatoire, il aperçoit sur la table du juge le code de justice :
il est plein de dessins obscènes. Et les longs discours qu'il tient
devant le public sont soudain interrompus par une rumeur au
fond de la salle : c'est une femme à demi dévêtue, une
blanchisseuse qu'il avait remarquée déjà lorsqu'il était entré,
qu'un homme est en train de lutiner. Joseph K. s'irrite que le
sérieux de sa plaidoirie soit troublé pour un motif aussi futile ;
mais l'auditoire cesse de l'écouter ; il n'est pas sûr que le sérieux
ne soit pas du côté de cette scène amoureuse plutôt que dans les
phrases creuses que débite Joseph K. pour se masquer à lui-même
la réalité de son procès. La semaine suivante, il retrouve la même
blanchisseuse dans la salle d'audience, vide ce jour-là. C'est
l'épouse d'un huissier de justice, une femme apparemment de
petite vertu, courtisée par les juges d'instruction, soumise aux
instances de l'étudiant Bertold, celui-là même qu'on avait
aperçu lors du premier interrogatoire. Elle gémit de cette
servitude du sexe, elle voudrait que Joseph K. pût l'en délivrer.
Cependant, dès que Bertold réapparaît, elle se jette sur lui avec
frénésie : l'esclavage du sexe, s'il est détesté, est apparemment
en même temps adoré. Bertold emporte la jeune femme dans ses*

bras et Joseph K. reste seul, frustré de la rencontre amoureuse
qu'il attendait. La femme venait de lui faire entendre qu'elle
pouvait beaucoup auprès des juges et Joseph K. sait qu'elle dit
vrai : la clef de son procès est entre les mains des femmes ; peut-
être — le roman ne le dit pas, mais il n'est pas téméraire de le
supposer — peut-être même ne l'a-t-on inculpé que parce
qu'aucune femme n'était à son côté pour prendre sa défense. Les
thèmes érotiques cependant continuent. Leni, la servante de
l'avocat, l'entraîne avec elle dans la pièce voisine. Elle est
amoureuse de tous les accusés ; elle aime les angoissés, elle se
complaît dans la névrose. On suppose qu'elle raconte ensuite ses
nuits avec ses amants de rencontre à Me Huld, probablement
impuissant. Elle-même penche d'ailleurs vers le malsain et le
morbide : elle a les doigts palmés et exhibe volontiers cette petite
monstruosité auprès de ceux qu'elle cherche à séduire. À ce
moment déjà de son procès, les aventures amoureuses qui
s'offrent à Joseph K. ont pris les couleurs du vice. Et c'est le vice
qu'il trouvera encore chez le peintre Titorelli. L'escalier qui
mène chez celui-ci est encombré de gamines mûries avant l'âge,
qui le harcèlent, le provoquent et probablement partagent ses
nuits. Sans cette toile de fond d'érotisme, sans ce tissu de désir,
d'inhibition et d'échec, l'histoire risque de perdre son sens : c'est
dans ces eaux troubles que se joue le procès.

Mais c'en est la partie secrète. Le drame qui se déroule au
grand jour use d'un autre langage. Dans une famille respecta-
ble, on ne peut tolérer la honte d'un procès. Dès qu'il a appris la
nouvelle, un oncle de province est accouru : il est plein de bonne
volonté, mais affairé, impulsif, confus, l'incarnation même du
péché d'impatience ; ses bonnes intentions ne vont faire qu'accélérer le désastre. Il emmène son neveu chez un de ses amis, un
vieil avocat qui porte le nom dérisoire de Huld : Huld est un
vocable hors d'usage qui, dans le langage noble de la littérature,
signifiait la grâce — une grâce que le pauvre avocat, malade et
usé, est bien incapable d'obtenir pour aucun de ses clients. Un
conciliabule a lieu dans la pénombre du logis, auquel prend
part, en même temps que Huld et que l'oncle de province, un chef

de bureau influent dont on espère l'appui. Joseph K. les laisse seuls et va rejoindre dans la pièce voisine l'inquiétante Leni. Son destin désormais se joue hors de lui ; la société l'a repris en main. On va mettre en œuvre toutes les relations que l'on possède ; on connaît des juges bien placés, qui accéléreront la procédure ou obtiendront un acquittement. Qui sont ces personnages dont on parle toujours et qu'on ne voit jamais ? S'agit-il de fonctionnaires réels, auxquels on envoie des requêtes, ou d'êtres surnaturels à qui l'on adresse des prières ? Le narrateur a maintenu à dessein l'équivoque sur ce point ; car le panthéon de ces gens-là ressemble à s'y méprendre à leur société : il se compose de hiérarchies infinies, dont on n'aperçoit jamais que les membres les plus subalternes ; la puissance qu'on leur prête est proportionnelle à leur distance — plus ils sont inaccessibles et plus on les croit efficaces. C'est du moins ce qu'on dit ou ce qu'on feint de croire : car, en dépit des promesses et des attentes, le procès n'avance pas d'un pas — il s'enlise au contraire comme font tous les procès, puisque d'instance en instance, la décision est remise et qu'il en sera ainsi jusqu'à la mort.

Joseph K. à la fin perd patience — il cesse d'écouter les propos lénifiants des bien-pensants — et, comme on lui a parlé d'un certain Titorelli, un peintre qui, dit-on, est de bon conseil pour ceux qui se trouvent dans l'embarras, il décide d'aller le trouver. Titorelli habite une mansarde misérable dans un quartier perdu. Les toiles qu'il peint sont médiocres et lugubres ; toutes représentent le même paysage désert. Titorelli, artiste famélique, profite de l'occasion pour en vendre trois exemplaires à son visiteur. Car il est, à sa manière, aussi vénal que l'avocat ; lui aussi vend ses conseils et son entremise. Seulement Titorelli ne croit ni à Dieu ni au diable. Il a entendu parler, il est vrai, de procès qui se sont bien terminés — les histoires, probablement, que l'on prête aux saints —, mais les exemples en sont si rares et si incertains que mieux vaut n'en pas tenir compte. Comme le Mal n'est pas évitable, autant vaut s'en accommoder et vivre avec lui. Titorelli connaît pour cela plusieurs recettes, qu'il communique à Joseph K. : toutes procèdent d'une sagesse pratique et d'une totale absence de scrupules.

Dans la minuscule mansarde de Titorelli, Joseph K. cependant ne se sent pas à son aise. Il a l'impression d'y étouffer tout autant que dans l'atmosphère torpide des greffes de justice : aux deux endroits, la chaleur du trop-humain le mène au bord de la pâmoison. Entre les conventions vides de la bonne société et le sordide dévergondage de Titorelli, il ne parvient pas à choisir : ni les unes ni l'autre ne peuvent le satisfaire. Dans son premier roman, L'Amérique ou L'Oublié, Kafka avait raconté déjà l'histoire d'un jeune garçon constamment ballotté entre l'ordre et le désordre, entre le confort et l'anarchie : rejeté par ses parents et embarqué de force pour New York, Karl Rossmann trouvait d'abord asile chez un oncle milliardaire ; il était recueilli plus tard par une amie maternelle, une tendre jeune fille lui offrait son amour ; dans aucun de ces lieux cependant, il ne parvenait à rester ; un goût de l'indépendance et de l'aventure avait vite fait de l'en chasser. Il tombait alors dans la compagnie de deux chenapans, dont il devenait peu à peu le valet ou l'esclave : autre extrémité, aussi odieuse et inacceptable. Un schéma un peu analogue se retrouve dans Le Procès : son inculpation déjà avait arraché Joseph K. à l'évidence quotidienne et à la convention sociale, un peu comme son changement en vermine avait jeté Gregor Samsa en dehors de toutes les normes. Joseph K. est contraint par son procès à tout remettre en question, lui-même et le monde ; mais ni les douteuses apparences de la bonne société ni la veulerie de Titorelli ne lui conviennent. Entre les deux, il refuse de choisir.

Aussitôt après l'abandon du Procès, *Kafka va rédiger* La Colonie pénitentiaire. *Ce récit, à son tour, oppose deux mondes : celui de l'ancien Commandant, qui administrait autrefois l'île du bagne, et celui de son successeur. Jadis régnaient la foi et la rigueur, des mœurs si cruelles que personne aujourd'hui ne les admettrait. Le nouveau Commandant, qui détient maintenant le pouvoir, a introduit des pratiques humanitaires ; on est plus indulgent avec les coupables ; on est plus compatissant, mais on ne croit plus à rien — et à la cruauté d'autrefois ont succédé la veulerie et les appétits brutaux. La structure du* Procès *est un peu semblable : il y a d'un côté, avec Titorelli, la « modernité » sceptique, prête à tous les accommodements et toutes les lâchetés. L'autre camp, toutefois, est ici plus caractérisé par le mensonge que par la cruauté : des croyances d'autrefois il ne reste plus que l'apparence ; tout y est creux et faux. C'est un monde malade et mourant : Huld est cardiaque et ne s'éloigne pas volontiers de sa table de médicaments ; un lumignon de gaz éclaire pauvrement un lugubre logement, où le vice d'ailleurs s'est installé aussi victorieusement que dans l'antre de Titorelli. Les deux hommes qui s'offrent à secourir les inculpés, l'avocat et le bohème, le bien-pensant et l'agnostique, finissent par se ressembler ; menteurs et vénaux l'un et l'autre, trompeurs par vocation.*

Ordre et désordre, dévots et impies sont ainsi renvoyés dos à dos. Mais le roman se trouve de la sorte engagé dans une impasse : le procès a cessé d'être celui de Joseph K. pour devenir le procès du monde et il n'existe plus de normes selon lesquelles juger. C'est à cet endroit que le récit prend un détour inattendu : on oublie les mauvais conseillers ; comme au début, Joseph K. est à nouveau seul en cause, face à un arbitre incontestable. Le hasard — ou quelque secrète action de la Providence — le mène un jour dans la cathédrale de la ville, face à un prêtre qui, du haut de la chaire, l'interpelle et lui parle le langage de la vérité — car il existe une vérité, même si les tribulations du monde risquent le plus souvent de la faire oublier. Le prêtre enveloppe cette vérité dans un apologue ou une parabole, l'histoire du Gardien de la Porte, le seul passage du livre (avec le chapitre marginal intitulé « Un rêve ») que Kafka ait laissé imprimer de son vivant. On peut contester ce procédé narratif : l'affabulation romanesque semble avoir épuisé son pouvoir ; pour mener son propos plus avant, Kafka est obligé de changer de manière ; les images qu'il avait conçues au début ne suffisent plus pour l'accompagner au bout de sa pensée. Mais c'est pour de tout autres raisons que ce moment de l'histoire a été parfois discuté ;

c'est à cet endroit qu'on a voulu mettre en question l'ordre des chapitres. Certains, en effet, n'ont pas admis que Le Procès *s'achève par des considérations religieuses ; une certaine idée préconçue de Kafka — fort enracinée, il est vrai, et qui ne cesse de réapparaître — s'y opposait. Max Brod a fait raison de ces critiques par l'étude du manuscrit. Mais la structure même du roman suffisait, à vrai dire, à les réfuter : la rencontre avec le prêtre est introduite avec une telle solennité qu'elle ne peut être dans l'histoire le simple épisode que certains ont voulu en faire. Ceux-là essayaient de considérer Titorelli comme la figure « positive » du livre, celle par laquelle Kafka exprimait son idéal de vie. Si l'ordre des chapitres a cessé depuis longtemps d'être remis en question, l'interprétation « anarchisante » qui fait de Titorelli le découvreur du vrai chemin continue à hanter quelques esprits. En le comprenant ainsi, on détruit, bien sûr, l'équilibre du roman et on le banalise car, dans le projet de Kafka, aucune route ne devait être la bonne ; le roman était comme l'illustration de l'aphorisme fameux : « Il y a bien un but, mais il n'existe aucun chemin qui y mène. » Mais que n'aurait-on pas fait pour nier la dimension religieuse, pourtant contenue déjà dans la métaphore du Jugement, qui supporte l'ensemble du livre ? Comme Titorelli toutefois était par trop cynique et misérable dans ses apparitions, on a eu recours à un chapitre marginal, celui qui est intitulé « La Maison ». Dans ce chapitre, en effet, Joseph K. espère, avec l'aide de Titorelli, pouvoir parvenir à la « percée », qui rompra enfin le réseau d'angoisse et de contradictions où il est enfermé. Il n'a pas conçu, pour autant, une meilleure opinion sur le peintre, et cependant, il semble compter sur lui. Seulement, ce chapitre est resté inachevé et les derniers paragraphes en ont même été biffés : il s'agit, en effet, dans ce fragment, d'un rêve d'évasion ; Joseph K. poursuit ce rêve dans un demi-sommeil. Or, tout ce qui appartient au domaine onirique, qui tient souvent une telle place chez Kafka, a été, dans* Le Procès, *strictement éliminé ; le narrateur s'était manifestement engagé ici dans une impasse et il n'a pas persévéré. Titorelli, l'homme des expédients et des compromis, ne peut apporter aucune solution.*

Et le récit mène inévitablement vers la confrontation avec l'aumônier des prisons et vers l'apologue dans lequel l'homme de la campagne galvaude sa vie à rester assis devant la porte de la Loi. Les propos du prêtre (apparemment un prêtre catholique, mais la doctrine qu'il expose n'a rien qui rappelle le catholicisme), ses propos donc ne sont pas faits pour offrir une consolation ou un espoir ; ils vont laisser Joseph K. encore plus démuni et, si possible, plus désespéré encore. Tout n'est pourtant pas négatif dans l'histoire qu'il raconte : derrière la porte de la Loi ne règnent ni le néant ni le chaos ; on aperçoit en bas un rayon de lumière ; la Loi est bonne et on souhaite d'y pénétrer. On apprend à la fin que la porte était prévue pour un seul et qu'elle va être fermée à jamais, puisque l'homme de la campagne n'a pas su en faire usage ; la Loi est donc bienveillante, elle a prévu le sort de chacun, à chacun elle a réservé un sens. Le gardien qui a été placé sur le seuil tourne le dos à la Loi, il est esclave de la fonction qu'on lui a confiée ; l'homme de la campagne, en revanche, a les yeux fixés sur la Loi et il est libre. Seulement, ce gardien fait peur ; on ne dit pas qu'il ait jamais proféré de menaces et pourtant l'homme de la campagne n'ose pas le braver ; et l'on dit que, derrière ce premier gardien, il y en a une infinité d'autres qui sont encore plus effrayants. L'homme de la campagne ne pénètre donc pas dans la Loi ; il gaspille son temps en vaines supplications ; il meurt sur le seuil de la porte sans avoir rien compris, sans même avoir vécu. La Loi est lointaine et l'homme a peur. Aussi tout s'achève-t-il dans la négation. « Le mensonge », dit Joseph K., « est donc l'ordre du monde », puisque le monde est condamné à ne jamais connaître la Loi. « K. termina sur cette observation », dit le texte du roman, « mais ce n'était pas son jugement définitif ». Le dialogue, en effet, ne peut pas cesser, car ce dialogue est la vie même. Certains commentateurs ont cependant estimé que Joseph K. n'aurait pas dû s'arrêter à l'interdit du gardien ; il aurait dû forcer ce barrage-là et les barrages suivants ; il ne lui aurait fallu pour cela qu'une foi mieux assurée. Qui nous dit cependant *que cette foi manquait à Kafka ? Il existe des textes, de trois ans postérieurs au* Procès, *il est vrai, dans lesquels est décrit l'accès au Saint des Saints ; il faut, pour cela, se dépouiller de tous ses vêtements, se dépouiller de soi-même et de ce qu'il y a en nous de plus intime, pour parvenir enfin à nous fondre dans le feu qui est au centre de tout. Il y a eu un moment chez Kafka cette tentation mystique. Mais il est vrai qu'au niveau du* Procès, *elle n'a pas encore pris forme.*

Le roman cependant s'est engagé désormais dans des directions très divergentes. Comment maintenant le continuer ? On ne peut imaginer quels développements Kafka aurait pu introduire encore dans son récit avant la scène de la cathédrale. Mais il est certain qu'après ce chapitre, tout retour à Titorelli ou à l'avocat Huld eût été dérisoire. Le prêtre, en racontant la parabole de la Porte, n'avait bien entendu formulé aucun verdict : le procès de Joseph K. ne pouvait évidemment s'achever ni sur un acquittement ni sur une damnation, puisque l'inculpé n'était coupable que d'exister. Il fallait conclure cependant : d'où le chapitre intitulé « Fin » qui raconte la mort. Une mort qui n'est, bien sûr, ni un rachat ni une promesse ; une mort aussi lamentable qu'avait été la vie de Joseph K. Les derniers mots du livre ne laissent plus de place à l'espoir ni au sens : car le sens existe bien, mais il ne nous reste que la honte de n'être jamais parvenu à l'atteindre.

Claude David

Le Procès

La présente édition reproduit la traduction d'Alexandre Vialatte avec les rectifications apportées par Claude David dans l'édition de la Bibliothèque de la Pléiade. Pour nous conformer au jugement du Tribunal de Paris, en date du 25 septembre 1974, nous faisant loi de reproduire textuellement les traductions de M. Alexandre Vialatte, nous avons rejeté lesdites rectifications en notes placées en fin de volume et appelées par des chiffres. Nous n'introduisons dans le texte, entre crochets, que les mots ou phrases qui y manquaient.

CHAPITRE PREMIER

ARRESTATION DE JOSEPH K.
CONVERSATION
AVEC MME GRUBACH
PUIS AVEC MLLE BÜRSTNER

On avait sûrement calomnié Joseph K., car, sans
avoir rien fait de mal, il fut arrêté un matin. La
cuisinière de sa logeuse, Mme Grubach, qui lui
apportait tous les jours son déjeuner à huit heures, ne
se présenta pas ce matin-là. Ce n'était jamais arrivé.
K. attendit encore un instant, regarda du fond de son
oreiller la vieille femme qui habitait en face de chez
lui et qui l'observait avec une curiosité surprenante,
puis [1], affamé et étonné tout à la fois, il sonna la bonne.
À ce moment on frappa à la porte et un homme entra
qu'il n'avait encore jamais vu dans la maison. Ce
personnage était svelte, mais solidement bâti, il
portait un habit noir et collant [qui ressemblait à un
vêtement de voyage], pourvu d'une ceinture et de
toutes sortes de plis, de poches, de boucles et de boutons qui donnaient à ce vêtement une apparence
particulièrement pratique sans qu'on pût cependant

bien comprendre à quoi tout cela pouvait servir.

« Qui êtes-vous ? » demanda K. en se dressant sur son séant.

Mais l'homme passa sur la question, comme s'il était tout naturel qu'on le prît quand il venait, et se contenta de demander de son côté :

« Vous avez sonné ?

— Anna doit me porter le déjeuner », dit K., essayant d'abord muettement de découvrir[2] par déduction qui pouvait être ce monsieur. Mais l'autre ne s'attarda pas à se laisser examiner ; il se retourna vers la porte et l'entrouvrit pour dire à quelqu'un qui devait se trouver juste derrière :

« Il veut qu'Anna lui apporte le déjeuner ! »

Un petit rire suivit dans la pièce voisine ; à en juger d'après le bruit, il pouvait se faire qu'il y eût là plusieurs personnes. Bien que l'étranger n'eût pu apprendre de ce rire rien qu'il ne sût auparavant, il déclara « C'est impossible » à K. sur un ton de commandement.

« Voilà qui est fort, répondit K. en sautant à bas de son lit pour enfiler son pantalon. Je voudrais bien voir qui sont ces gens de la pièce à côté, et comment Mme Grubach m'expliquera qu'elle puisse tolérer qu'on vienne me déranger de la sorte. »

L'idée lui vint bien aussitôt qu'il n'eût pas dû parler ainsi à haute voix, car il avait l'air, en le faisant, de reconnaître en quelque sorte un droit de regard à l'étranger, mais il n'y attacha pas d'importance sur le moment. L'autre l'avait pourtant compris comme il n'aurait justement pas fallu, car il lui dit :

« N'aimeriez-vous pas mieux rester ici[3] ?

— Je ne veux ni rester ni vous entendre m'adresser la parole tant que vous ne vous serez pas présenté.

— Je le faisais dans une bonne intention », dit l'étranger ; et il ouvrit spontanément la porte.

La pièce voisine, où K. entra plus lentement qu'il ne voulait, présentait au premier abord à peu près le même aspect que la veille. C'était le salon de Mme Grubach ; peut-être y avait-il dans cette pièce encombrée de meubles, de dentelles, de porcelaines et de photographies, un peu plus d'espace que d'ordinaire, mais on ne s'en rendait pas compte en entrant, et d'autant moins que la principale modification consistait dans la présence d'un homme assis près de la fenêtre ouverte et armé d'un livre dont il détacha son regard en voyant entrer Joseph K.

« Vous auriez dû rester dans votre chambre, Franz ne vous l'a-t-il donc pas dit ?

— Vous, je voudrais bien savoir ce que vous voulez », dit K. quittant des yeux sa nouvelle connaissance pour regarder sur le pas de la porte celui qu'on venait d'appeler Franz, et revenir ensuite à l'autre.

Par la fenêtre on voyait la vieille femme qui était restée postée à la sienne — juste en face maintenant — avec une curiosité vraiment sénile, pour ne rien perdre de ce qui allait se passer.

« Il faut[1] tout de même, dit K., que Mme Grubach... »

Et il fit un mouvement, comme pour s'arracher aux deux hommes qui se tenaient pourtant loin de lui, et voulut continuer son chemin.

« Non, dit celui qui était près de la fenêtre en jetant son livre sur une petite table et en se levant, vous n'avez pas le droit de sortir, vous êtes arrêté.

— Ça m'en a tout l'air, dit K. Et pourquoi donc ? demanda-t-il ensuite.

— Nous ne sommes pas ici pour vous le dire. Retournez dans votre chambre et attendez. La procédure est engagée, vous apprendrez tout au moment voulu. Je dépasse ma mission en vous parlant si gentiment. Mais j'espère que personne ne m'a entendu en dehors de Franz qui vous traite lui-même sur un pied d'amitié contraire à tous les règlements. Si vous continuez à avoir par la suite autant de chance qu'avec vos gardiens, vous pouvez avoir bon espoir. »

K. voulut s'asseoir, mais il s'aperçut alors qu'il n'y avait plus aucun siège dans la pièce, excepté la chaise près de la fenêtre.

« Vous reconnaîtrez plus tard, dit Franz, combien nous vous avons dit vrai », et il s'avança sur lui suivi de son compagnon.

K. fut énormément surpris, surtout par le dernier, qui lui tapa à plusieurs reprises sur l'épaule. Tous deux regardèrent sa chemise de nuit et déclarèrent qu'il lui faudrait en mettre une [5] bien plus mauvaise, mais qu'ils veilleraient avec grand soin sur cette chemise comme aussi sur tout le reste de son linge, et qu'ils le lui rendraient au cas où son affaire finirait bien.

« Il vaut beaucoup mieux, lui dirent-ils, nous confier vos objets à garder, car au dépôt il se produit souvent des fraudes et d'ailleurs on y revend tout, au bout d'un temps déterminé, sans s'inquiéter de savoir si le procès est fini. Or on ne sait jamais, surtout ces derniers temps, combien ce genre d'affaires peut durer. Au bout du compte le dépôt vous rendrait bien le produit de la vente, mais d'abord ce ne serait pas grand-chose, car ce n'est pas la grandeur de l'offre qui décide du prix, mais celle du pot-de-vin, et puis l'expérience montre trop que ces sommes diminuent toujours avec les années en passant de main en main. »

K. fit à peine attention à ces discours ; il n'accordait pas grande importance au droit qu'il pouvait encore posséder sur son linge ; il lui semblait beaucoup plus urgent de se faire éclaircir sa situation ; mais, en présence de ces gens, il ne pouvait même pas réfléchir ; le ventre du second inspecteur — ce ne pouvaient être

évidemment que des inspecteurs — s'aplatissait à
chaque instant sur lui de la façon la plus cordiale, mais
lorsqu'il levait [6] les yeux, il découvrait une tête sèche et
osseuse, armée d'un grand nez déjeté, qui n'allait pas
sur ce gros corps et qui se concertait comme une
personne à part avec le second inspecteur. Quels
hommes [7] étaient-ce donc là ? De quoi parlaient-ils ? À
quel service appartenaient-ils ? K. vivait pourtant dans
un État constitutionnel. La paix [8] régnait partout ! Les
lois étaient respectées ! Qui osait là lui tomber dessus
dans sa maison ? Il avait toujours tendance à prendre
les choses légèrement, à ne croire au pire que quand il
arrivait et à ne pas s'armer de précautions pour
l'avenir, même alors que tout menaçait ; mais, dans le
cas qui se présentait, cette attitude lui sembla dépla-
cée ; sans doute cette scène n'était-elle qu'une plaisanterie [9], une grossière plaisanterie, que ses collègues de
la banque avaient organisée à son intention pour des
raisons qu'il ignorait — peut-être parce que c'était le
jour de son trentième anniversaire —, c'était possible,
évidemment ; peut-être n'aurait-il qu'à éclater de rire
pour que ses gardiens en fissent autant ; peut-être bien
ces fameux inspecteurs n'étaient-ils que les commis-
sionnaires du coin ; en tout cas ils leur ressemblaient ;
et cependant, depuis l'instant où il avait aperçu Franz,
K. était décidé à ne pas abandonner le moindre atout
qu'il pût avoir contre ces gens. Si l'on disait plus tard
qu'il n'avait pas compris la plaisanterie, tant pis, ce
n'était pas un gros danger ; sans être de ces gens à qui
l'expérience profite toujours, il se rappelait avoir été
puni par les événements de s'être sciemment conduit
avec imprudence dans certains cas, au contraire de ses
amis. Cela [10] ne se reproduirait pas, tout au moins cette
fois-ci. S'il s'agissait d'une comédie, il allait la jouer lui
aussi.

Pour le moment [11], il était encore libre.

« Permettez », dit-il, et, se glissant entre les gardiens, il entra vivement dans sa chambre.

« Il semble raisonnable », entendit-il dire derrière lui.

Aussitôt chez lui, il ouvrit brutalement les tiroirs de son secrétaire ; tout s'y trouvait dans le plus grand ordre ; mais l'émotion l'empêcha de découvrir immédiatement les pièces d'identité qu'il cherchait. Il finit par mettre la main sur un permis de bicyclette, et il allait déjà le présenter au gardien quand, se ravisant, il l'estima insuffisant et continua à chercher jusqu'à ce qu'il eût trouvé un extrait de naissance. Lorsqu'il revint dans la pièce voisine, la porte d'en face s'en ouvrait et Mme Grubach s'apprêtait à entrer. On n'aperçut d'ailleurs cette dame qu'un instant [12], car, à peine l'eut-elle reconnu qu'elle s'excusa, visiblement gênée, disparut et referma la porte avec les plus grandes précautions.

« Entrez donc ! »

C'était tout ce que K. avait eu le temps de lui dire. Il restait là, planté avec ses papiers à la main au milieu de cette pièce, à regarder la porte qui ne se rouvrait pas ; un appel des gardiens le réveilla en sursaut ; ils étaient attablés devant la fenêtre ouverte, en train de manger son déjeuner.

« Pourquoi n'est-elle pas entrée ? demanda-t-il.

— Elle n'en a pas le droit, dit le plus grand des deux gardiens. Vous savez bien que vous êtes arrêté.

— Pourquoi serais-je donc arrêté ? Et de cette façon, pour comble ?

— Voilà donc que vous recommencez ! dit l'inspecteur en plongeant une tartine beurrée dans le petit pot de miel. Nous ne répondons pas à de pareilles questions.

— Vous serez bien obligés d'y répondre, dit K. Voici mes papiers d'identité ; maintenant, montrez-

moi les vôtres et faites-moi voir, surtout, votre mandat
d'arrêt.

— Mon Dieu, mon Dieu ! dit le gardien, que vous
êtes long à entendre raison ! On dirait que vous ne
cherchez qu'à nous irriter inutilement, nous qui,
pourtant, sommes sans doute en ce moment les gens
qui vous veulent le plus de bien.

— Puisqu'on vous le dit », expliqua Franz, et, au
lieu de porter à la bouche la tasse de café qu'il tenait à
la main, il jeta à K. un long regard peut-être très
significatif mais auquel K. ne comprit rien.

Il s'ensuivit un long dialogue de regards [13], malgré
K. qui finit pourtant par exhiber ses papiers et par
dire :

« Voici mes pièces d'identité.

— Que voulez-vous que nous en fassions ? s'écria
alors le grand gardien. Vous vous conduisez pis qu'un
enfant. Que voulez-vous donc ? Vous figurez-vous que
vous amènerez plus vite la fin de ce sacré procès en
discutant [14] avec nous, les gardiens, sur votre mandat
d'arrestation et sur vos papiers d'identité ? Nous ne
sommes que des employés subalternes ; nous nous
connaissons à peine en papiers d'identité et nous
n'avons pas autre chose à faire qu'à vous garder dix
heures par jour et à toucher notre salaire pour ce
travail. C'est tout ; cela ne nous empêche pas de savoir
que les autorités qui nous emploient enquêtent très
minutieusement sur les motifs de l'arrestation avant de
délivrer le mandat. Il n'y a aucune erreur là-dedans.
Les autorités que nous représentons — encore ne les
connais-je que par les grades inférieurs — ne sont pas
de celles qui recherchent les délits de la population,
mais de celles qui, comme la loi le dit, sont " attirées ",
sont mises en jeu par le délit et doivent alors nous
expédier, nous autres gardiens. Voilà la loi, où y
aurait-il là une erreur ?

« — Je ne connais pas cette loi, dit K.

— Vous vous en mordrez les doigts, dit le gardien [15].

— Elle n'existe certainement que dans votre tête », répondit K.

Il aurait voulu trouver un moyen de se glisser dans la pensée de ses gardiens, de la retourner en sa faveur ou de la pénétrer complètement. Mais le gardien éluda toute explication en déclarant :

« Vous verrez bien quand vous la sentirez passer ! »

Franz s'en mêla :

« Tu vois ça, Willem, dit-il, il reconnaît qu'il ignore la loi, et il affirme en même temps qu'il n'est pas coupable !

— Tu as parfaitement raison, dit l'autre, il n'y a rien à lui faire comprendre. »

K. ne répondit plus.

« Devrais-je, pensait-il, me laisser inquiéter par les bavardages de ces subalternes, puisqu'ils reconnaissent eux-mêmes qu'ils ne sont pas autre chose ? En tout cas, ils parlent de sujets qu'ils ignorent complètement. Leur assurance ne peut s'expliquer que par leur bêtise. Quelques mots avec un fonctionnaire de mon niveau m'éclaireront beaucoup mieux la situation que les plus longs discours de ces deux bonshommes. »

Il fit [16] un instant les cent pas dans l'espace libre de la pièce et vit la vieille femme d'en face qui avait traîné jusqu'à la fenêtre un vieillard plus vieux qu'elle encore qu'elle tenait par la taille.

K. sentit la nécessité de mettre fin à cette comédie :

« Conduisez-moi, dit-il, à votre supérieur.

— Quand il le demandera, pas avant, dit le gardien que l'autre avait appelé Willem. Et maintenant je vous conseille, ajouta-t-il, de retourner dans votre chambre et d'y attendre tranquillement ce qu'on décidera de vous. Ne vous épuisez pas en soucis superflus, c'est un conseil que nous vous donnons ; ramassez vos forces plutôt, car vous en aurez grand besoin. Vous ne nous avez pas traités comme notre présence le méritait [17], vous avez oublié que, quels que nous soyons, nous représentons, au moins maintenant, en face de vous, des hommes libres, et ce n'est pas une mince supériorité. Cependant nous sommes prêts, si vous avez de l'argent, à vous faire apporter un petit déjeuner du café d'en face. »

K. ne répondit pas à cette proposition ; il resta là un moment sans rien dire. Peut-être s'il essayait d'ouvrir la porte de la pièce voisine, ou même celle du vestibule, les deux gardiens ne l'en empêcheraient-ils pas ? Peut-être fallait-il pousser les choses au pire ? Il se pouvait que ce fût la clef de la situation.

Mais peut-être aussi les gardiens lui mettraient-ils la main dessus s'il essayait : alors adieu la supériorité qu'il conservait tout de même sur eux à certains égards ! Aussi préféra-t-il attendre la solution moins incertaine que le cours naturel des choses amènerait nécessairement ; il revint donc dans sa chambre sans ajouter un seul mot.

Là, il se jeta [18] sur son lit et prit sur la table de toilette une belle pomme qu'il avait mise de côté la veille pour son petit déjeuner. Il ne lui en restait pas d'autre, mais celle-ci, comme il s'en convainquit au premier coup de dent, valait beaucoup mieux que le breuvage que la faveur de ses gardiens aurait pu lui faire venir de quelque sale café de nuit. Il se sentait [19] dispos et confiant ; à sa banque évidemment il ratait sa matinée, mais, étant donné le poste relativement supérieur qu'il occupait, on l'excuserait facilement. Devrait-il invoquer sa véritable excuse ? Il songeait à le faire. Si on ne voulait pas le croire, ce qui était assez naturel, il pourrait prendre comme témoins Mme Grubach ou les deux vieillards qui venaient maintenant de

se mettre en marche pour se poster à la fenêtre en face
de sa chambre. En se plaçant au point de vue de ses
gardiens, K. restait étonné qu'on le renvoyât et qu'on
le laissât seul dans sa chambre où il avait tant de
facilités de se tuer. Mais, en même temps [20], il se
demandait, en se plaçant à son propre point de vue,
quelle raison il pourrait bien avoir de le faire. Ce ne
pouvait tout de même pas être parce que ces deux
hommes mangeaient son déjeuner dans la pièce voisine ! Il eût été si insensé de se suicider que, même s'il
avait voulu le faire, il l'aurait trouvé si stupide qu'il n'y
serait jamais parvenu. Si ces gardiens n'avaient pas été
des gens aussi visiblement bornés, on eût pu penser
que c'était pour la même raison qu'ils ne voyaient pas
de danger à le laisser seul. Ils pouvaient bien le
regarder, si cela leur faisait plaisir ! Ils le verraient
aller chercher un bon vieux schnaps qu'il conservait au
fond de son petit placard, vider un verre pour remplacer son déjeuner et un second pour se donner du
courage, mais par prudence seulement, pour prévoir
l'improbable cas où ce courage serait nécessaire.

À ce moment il eut un tel sursaut d'effroi en
s'entendant appeler de la pièce voisine que le verre en
choqua ses dents.

« Le brigadier vous fait demander », lui disait-on.

Ce n'était que le cri qui l'avait effrayé, ce cri sec
comme un ordre militaire dont il n'eût jamais cru
capable le gardien Franz. Quant à l'ordre lui-même, il
lui faisait plaisir ; il répondit « enfin ! » sur un ton de
soulagement, ferma à clef le petit placard et se hâta
d'aller dans la pièce voisine. Il trouva là les deux
inspecteurs qui le chassèrent et le renvoyèrent [21] immédiatement dans sa chambre comme si ç'eût été tout
naturel.

« En voilà des idées, criaient-ils, vous voulez vous
présenter en chemise devant le brigadier ? Il vous ferait

passer à tabac, et nous aussi par la même occasion.

— Laissez-moi donc tranquille, mille diables, s'écria K.[22] repoussé déjà jusqu'à son armoire ; quand on vient me surprendre au lit, on ne peut tout de même pas s'attendre à me trouver en tenue de bal !

— Nous n'y pouvons rien, dirent les inspecteurs qui devenaient presque tristes chaque fois que K. criait, ce qui le désorientait ou le ramenait un peu à la raison.

— Ridicules cérémonies[23] », grommela-t-il encore, mais il prenait déjà une veste sur le dossier de sa chaise ; il la tint un instant suspendue des deux mains comme pour la soumettre au jugement des inspecteurs. Ils secouèrent la tête.

« Il faut une veste noire », dirent-ils.

Là-dessus, K. jeta sa veste sur le sol et dit, sans savoir lui-même comment il l'entendait :

« Ce n'est pourtant pas le grand débat ! »

Les inspecteurs se mirent à sourire, mais maintinrent :

« Il faut[24] une veste noire.

— Si cela doit accélérer les choses, je le veux bien », déclara K., et il ouvrit lui-même l'armoire, chercha longtemps parmi tous les habits, choisit son plus beau costume noir, une jaquette dont la coupe cintrée avait presque fait sensation parmi ses connaissances, sortit aussi une chemise propre et commença à s'habiller soigneusement. Il pensait même, dans son for intérieur, qu'il avait accéléré les choses en faisant oublier aux inspecteurs de l'obliger à prendre un bain. Il les observa pour savoir s'ils n'allaient pas lui rappeler d'avoir à le faire, mais ils n'y songèrent naturellement pas ; en revanche Willem n'oublia pas d'envoyer Franz au brigadier pour annoncer que K. s'habillait.

Quand il fut complètement vêtu, il dut traverser la pièce voisine avec Willem sur les talons pour se rendre dans la chambre suivante dont la porte était déjà

ouverte à deux battants. Cette chambre, comme K. le
savait bien, était occupée depuis peu de temps par une
demoiselle Bürstner, dactylographe, qui se rendait de
grand matin à son travail pour ne revenir que très tard
et avec laquelle K. n'avait guère échangé que des
bonjours au passage. La table [25] de nuit qui se trouvait
primitivement au chevet du lit avait été poussée
jusqu'au milieu de la chambre pour servir de bureau au brigadier qui se tenait assis derrière. Il avait
croisé les jambes et posé un bras sur le dossier de la
chaise.

Dans un coin de la chambre, trois jeunes gens
regardaient les photographies de Mlle Bürstner ; elles
étaient accrochées au mur sur une petite natte. Une
blouse blanche pendait à la poignée de la fenêtre
ouverte. En face, les deux vieillards étaient revenus
voir ; ils se tenaient couchés sur l'appui, mais leur
groupe s'était accru ; il y avait maintenant derrière eux
un homme qui les dépassait de tout son buste ; sa
chemise s'ouvrait sur sa poitrine et il tiraillait sa
moustache rousse [26].

« Joseph K. ? » demanda le brigadier, peut-être
simplement pour attirer sur soi les regards distraits de
l'inculpé.

K. inclina la tête.

« Vous êtes sans doute fort surpris des événements
de ce matin ? demanda le brigadier en déplaçant des
deux mains les quelques objets qui se trouvaient sur la
petite table de nuit — la bougie, les allumettes, le livre
et la boîte à ouvrage — comme si [27] c'étaient des objets
dont il eût besoin pour le débat.

— Certainement, dit K. tout heureux de se trouver
en face d'un homme raisonnable et de pouvoir parler
de son affaire avec lui ; certainement, je suis surpris,
mais je ne dirai pas très surpris.

— Pas très surpris ? demanda le brigadier en replaçant la bougie au milieu de la petite table et en groupant les autres choses tout autour.

— Vous vous méprenez peut-être sur le sens de mes paroles, se hâta d'expliquer K. Je veux dire... — mais il s'interrompit ici pour chercher un siège. Je puis m'asseoir, n'est-ce pas ? demanda-t-il.

— Ce n'est pas l'usage, répondit le brigadier.

— Je veux dire, répéta K. sans plus s'interrompre, que tout en étant très surpris, il y a trente ans que je suis au monde et qu'ayant dû faire mon chemin tout seul je suis un peu immunisé contre les surprises et que je ne les prends plus au tragique, surtout celle d'aujourd'hui.

— Pourquoi surtout celle d'aujourd'hui ?

— Je ne veux pas dire que je considère cette histoire comme une plaisanterie ; l'appareil qu'on a employé me paraît trop important pour cela. Si c'était une farce, il faudrait que tous les gens de la pension en fussent, et vous aussi ; cela dépasserait les limites d'une plaisanterie. Je ne veux donc pas dire que c'en soit une.

— Fort juste, dit le brigadier en comptant les allumettes de la boîte.

— Mais, d'autre part, continua K. en s'adressant à tout le monde — il aurait même beaucoup aimé que les trois amateurs de photographie se retournassent pour écouter aussi —, mais d'autre part l'affaire ne saurait avoir non plus beaucoup d'importance. Je le déduis du fait que je suis accusé sans pouvoir arriver à trouver la moindre faute qu'on puisse me reprocher. Mais, ce n'est encore que secondaire. La question essentielle est de savoir par qui je suis accusé ? Quelle est l'autorité qui dirige le procès ? Êtes-vous fonctionnaires ? Nul de vous ne porte d'uniforme, à moins qu'on ne veuille nommer uniforme ce vêtement — et il montrait celui de Franz — qui est plutôt un simple costume de voyage. Voilà les points que je vous demande d'éclaircir ; je suis persuadé qu'au bout de l'explication nous pourrons prendre l'un de l'autre le plus amical congé. »

Le brigadier reposa [28] la boîte d'allumettes sur la table.

« Vous faites, dit-il, une profonde erreur. Ces messieurs que voici et moi, nous ne jouons dans votre affaire qu'un rôle purement accessoire. Nous ne savons même presque rien d'elle. Nous porterions les uniformes les plus en règle que votre affaire n'en serait pas moins mauvaise d'un iota. Je ne puis [29] pas dire, non plus, que vous soyez accusé, ou plutôt je ne sais pas si vous l'êtes. Vous êtes arrêté, c'est exact, je n'en sais pas davantage. Si les inspecteurs vous ont dit autre chose, ce n'était que du bavardage. Mais, bien que je ne réponde pas à vos questions, je puis tout de même vous conseiller de penser un peu moins à nous et de vous surveiller un peu plus. Et puis, ne faites pas tant d'histoires avec votre innocence [30], cela gâche l'impression plutôt bonne que vous produisez par ailleurs. Ayez aussi plus de retenue dans vos discours ; quand vous n'auriez dit que quelques mots, votre attitude aurait suffi à faire comprendre presque tout ce que vous avez expliqué tout à l'heure... et qui ne parle d'ailleurs pas en votre faveur. »

K. regarda le brigadier avec de grands yeux. Cet homme, qui était peut-être son cadet, lui faisait ici la leçon comme à un écolier. On le punissait par une semonce de sa franchise ? Et on ne lui apprenait rien, ni du motif ni de l'autorité qui déterminait son arrestation !

Pris d'une certaine [31] irritation, il se mit à faire les cent pas avec impatience, ce dont personne ne l'empêcha ; il rentra ses manchettes, tâta son plastron, lissa ses cheveux, dit « cela n'a pas l'ombre de sens commun » en passant devant les trois messieurs — ce

qui les fit retourner et provoqua de leur part un regard
plein de prévenance mais aussi de gravité — et revint
finalement faire halte devant la table du brigadier.

« M. Hasterer, le procureur, est un bon ami à moi,
dit-il, puis-je lui téléphoner ?

— Certainement, dit le brigadier, mais je ne vois
pas bien à quoi cela peut rimer, à moins que vous
n'ayez à lui parler de quelque affaire privée.

— À quoi cela rimerait ? s'écria K. plus désorienté
qu'irrité. Qui êtes-vous donc ? Vous voudriez que ma
conversation téléphonique rime à quelque chose, et
vous agissez, vous, sans rime ni raison ? N'est-ce pas à
en être pétrifié ? Pour commencer, on me tombe
dessus, puis on fait cercle autour de moi, on me fait
faire de la haute école ! À quoi rimerait-il [32] de
téléphoner à un procureur quand on prétend que je
suis arrêté ? C'est bon, je ne téléphonerai pas.

— Mais si, lui dit le brigadier en montrant de la
main le vestibule où se trouvait le téléphone, télépho-
nez, je vous en prie.

— Non, je ne veux plus », déclara K. en se dirigeant
vers la croisée.

De l'autre côté, les trois curieux se tenaient toujours
à leur fenêtre ; ils ne semblèrent troublés dans leur
contemplation que lorsque K. vint les regarder. Les
deux vieux voulaient s'en aller, mais l'homme qui se
tenait derrière eux les rassura.

« Nous avons de fameux spectateurs ! s'écria K. à
haute voix en se tournant vers le brigadier et en les
montrant de l'index. Disparaissez ! » leur cria-t-il.

Ils reculèrent aussitôt de quelques pas ; les deux
vieux allèrent même se cacher derrière l'homme, qui
les couvrit de son large corps et dut, à en juger au
mouvement de sa bouche, dire quelque chose que
l'éloignement empêcha de comprendre. Mais ils ne
disparurent pas complètement ; ils semblaient attendre

l'instant où ils pourraient revenir à la fenêtre sans être vus.

« Quels malotrus ! » dit K. en se retournant.

Il lui sembla, en jetant un regard sur le brigadier, que ce policier l'approuvait. Mais il était fort possible aussi que le brigadier n'eût pas entendu, car il avait posé sa main à plat sur la table et semblait comparer les longueurs de ses doigts. Les deux inspecteurs étaient assis sur une malle recouverte d'un tapis et se frottaient les genoux. Les trois jeunes gens s'étaient campés les mains sur les hanches et regardaient un peu partout d'un air désœuvré. Il régnait un calme aussi grand que dans un bureau oublié.

« Messieurs, dit K. — et il lui sembla un moment qu'il portait tous ces gens sur ses épaules —, à en juger d'après votre attitude mon affaire a l'air terminée. Je suis d'avis que le mieux est de ne pas réfléchir au bien ou au mal-fondé de votre procédé et de mettre gentiment fin à [33] cette histoire en nous serrant réciproquement la main. Si vous êtes du même avis, voilà. »

Et il s'avança vers la table du brigadier, la main tendue.

Le brigadier releva les sourcils, mordit ses lèvres et regarda la main de K. qui pensait toujours que l'autre allait la saisir. Mais le brigadier se leva, prit un chapeau melon posé sur le lit de Mlle Bürstner et le mit des deux mains avec circonspection comme on s'y prend pour essayer une coiffure neuve.

« Les choses vous paraissent bien simples, disait-il en même temps à K. Nous devrions, à votre avis, mettre gentiment fin à cette affaire ? Mais non, voyons, ce n'est pas possible [34] ! Ce qui ne veut pas dire non plus que vous deviez désespérer. Pourquoi désespéreriez-vous ? Vous n'êtes qu'arrêté, rien de plus. C'est ce dont j'avais à vous informer ; j'ai vu comment vous le preniez, cela suffit pour aujourd'hui, et nous pouvons

nous séparer, provisoirement bien entendu. Vous
voulez sans doute aller maintenant à la banque?

— À la banque? demanda K., je croyais que j'étais
arrêté. »

K. parlait sur un ton assez hautain, car[35], bien que
sa poignée de main eût été refusée, il se sentait de plus
en plus indépendant de tous ces gens-là, surtout depuis
que le brigadier s'était levé. Il jouait avec eux. Il avait
l'intention de les suivre jusqu'à la porte de la maison
s'ils s'en allaient, et de leur offrir de l'appréhender.
Aussi répéta-t-il :

« Comment puis-je donc aller à la banque, puisque
je suis arrêté?

— C'est bien ça, dit le brigadier, qui était déjà près
de la porte, vous ne m'avez pas bien compris! Vous
êtes arrêté, certainement, mais cela ne vous empêche
pas de vaquer à votre métier. Personne ne vous
interdira de mener votre existence ordinaire.

— Cette détention n'a donc rien de bien terrible, dit
alors K. en se rapprochant du brigadier.

— J'ai toujours[36] été de cet avis, répondit l'autre.

— Il semble que dans ces conditions la notification
de l'arrestation n'était même pas nécessaire », ajouta
K. en approchant encore plus près.

Les autres arrivaient à leur tour. Ils formaient
maintenant près de la porte un groupe étroitement
serré.

« C'était mon devoir, dit le brigadier.

— Un devoir stupide, dit K. impitoyablement.

— Cela se peut, répondit le brigadier, mais nous
n'avons pas de temps à perdre à de tels débats! Je
pensais que vous vouliez aller à votre banque. Puisque
vous faites attention aux moindres mots, j'ajoute que je
ne vous y oblige [pas], j'avais seulement cru que vous
le désiriez et, pour vous faciliter votre rentrée, pour
qu'elle passe[37] aussi inaperçue que possible, j'avais

amené ces trois messieurs, qui sont vos collègues, en les priant de se tenir à votre disposition.

— Comment ? » s'écria K. en regardant avec étonnement les trois comparses en question.

Ces jeunes gens insignifiants et anémiques, que son souvenir n'enregistrait encore que groupés autour [38] des photos de Mlle Bürstner, étaient effectivement des employés de sa banque, non pas des collègues, c'était trop dire — il y avait déjà là une lacune dans l'omniscience du brigadier — mais c'étaient bien en vérité des employés subalternes de la banque. Comment cela avait-il pu lui échapper ? Avait-il fallu que son attention fût accaparée par le brigadier et les inspecteurs pour qu'il ne reconnût pas ces trois jeunes gens ! Il y avait là le raide Rabensteiner qui agitait toujours ses mains, le blond Kullich aux orbites creuses, et Kaminer qui, affligé d'un tic nerveux, souriait toujours intolérablement.

« Bonjour [39], messieurs, dit K. au bout d'un instant en tendant la main aux trois jeunes gens qui s'inclinaient correctement. Je ne vous avais pas reconnus. Nous allons au travail, n'est-ce pas ? »

Les messieurs approuvèrent de la tête en riant et avec beaucoup de zèle, comme s'ils [40] n'avaient pas attendu autre chose depuis le début ; mais lorsque K. s'aperçut qu'il avait oublié son chapeau dans sa chambre, ils coururent tous l'un après l'autre le chercher, ce qui témoignait tout de même d'un certain embarras. K. resta là à les regarder par les deux portes ouvertes ; le dernier parti avait été naturellement l'indifférent Rabensteiner, qui avait adopté un petit trot élégant, mais de pure forme. Ce fut [41] Kaminer qui rapporta le chapeau, et tandis qu'il le remettait à K., K. était obligé de se dire expressément comme à la banque, pour arriver à se contenir, que le sourire de Kaminer n'était pas intentionnel et que Kaminer ne

pouvait même jamais sourire intentionnellement.
Dans le vestibule, Mme Grubach ouvrit la porte à tout
le monde ; elle n'avait pas l'air de se rendre compte de
sa faute ; les yeux de K. furent attirés, comme toujours,
par le lien de son tablier qui coupait son ventre
puissant jusqu'à une profondeur vraiment superflue.
En bas, ayant regardé sa montre, il décida de prendre
une auto pour ne pas augmenter inutilement son
retard. Kaminer courut[42] au coin chercher une voiture ; les deux autres s'évertuaient visiblement à
distraire K. lorsque Kullich montra soudain le portail
de la maison d'en face, où venait d'apparaître le grand
homme à barbe blonde ; un peu gêné dans le premier
instant de se montrer dans toute sa longueur, cet
homme eut un brusque recul et s'appuya[43] contre le
mur. Les vieux devaient se trouver encore dans
l'escalier. K. en voulut à Kullich d'attirer ainsi son
attention sur cet individu qu'il avait déjà aperçu et à
l'apparition duquel il s'était même attendu.

« Ne regardez donc pas », fit-il sans s'inquiéter de ce
qu'une telle observation pouvait avoir de surprenant
avec de libres citoyens.

Mais il n'eut pas besoin de s'expliquer, car l'auto
venait d'arriver, tout le monde prit place et on fila. Il
s'aperçut alors qu'il n'avait pas remarqué le départ du
brigadier et des inspecteurs ; le brigadier lui avait
masqué les employés ; maintenant, c'étaient les
employés qui lui cachaient le brigadier. Il avait
manqué de présence d'esprit et résolut de mieux
s'observer à cet égard. Pourtant, il ne put s'empêcher
de se retourner encore une fois et de se pencher sur
l'arrière de l'auto pour essayer d'apercevoir le départ
de ses visiteurs. Mais il se rassit sur-le-champ, sans
avoir même tenté de les chercher des yeux, et se
rencogna commodément dans la voiture. Malgré les
apparences, il aurait eu bien besoin d'être encouragé

en ce moment, mais [44] ces messieurs semblaient fatigués : Rabensteiner regardait à droite, Kullisch à gauche, et seul Kaminer restait disponible avec son immuable ricanement au sujet duquel la pitié interdisait [45] malheureusement toute espèce de plaisanterie.

*

Au début de cette année-là, K., qui restait en général jusqu'à neuf heures au bureau, avait coutume, en en sortant, de faire d'abord une petite promenade, soit seul, soit avec des collègues, puis de finir la soirée au café, où il restait jusqu'à onze heures ordinairement à une table réservée en compagnie de messieurs âgés. Mais il y avait des exceptions à ce programme : le directeur de la banque, qui appréciait beaucoup son travail et son sérieux, l'invitait parfois à venir se promener en auto ou à dîner dans sa villa. De plus, K. se rendait une fois par semaine chez une jeune fille du nom d'Elsa, qui était serveuse toute la nuit dans un café et ne recevait le jour ses visites que de son lit.

Mais ce soir-là — le temps avait passé très vite grâce à un travail assidu et à une foule de félicitations d'anniversaire aussi flatteuses qu'amicales — K. décida [46] de rentrer chez lui immédiatement.

Il n'avait cessé d'y penser pendant toutes les menues pauses de son travail ; il lui semblait, sans trop savoir pourquoi, que les événements du matin dussent avoir causé un grand trouble dans toute la maison de Mme Grubach, et que sa présence fût nécessaire [47] pour ramener l'ordre. Une fois cet ordre ramené, toute trace disparaîtrait des incidents de la matinée et l'existence reprendrait son cours normal. Des trois employés de la banque, il n'y avait rien à redouter ; ils avaient replongé dans l'océan du personnel [48] et rien ne semblait modifié dans leur attitude. K. les avait

convoqués à plusieurs reprises, isolément ou simulta-
nément, pour les observer. Chaque fois il avait pu les
lâcher satisfait.

Lorsque, à neuf heures et demie du soir, il se
retrouva devant sa maison, il découvrit sous la porte
cochère un jeune garçon qui se tenait là, les jambes
écartées, en train de fumer tranquillement sa pipe.

« Qui êtes-vous ? demanda K. aussitôt en rapprochant son visage du garçon, car on n'y voyait pas bien
clair dans la pénombre du passage.

— Je suis le fils du concierge, monsieur, répondit le
garçon qui s'effaça en retirant sa pipe de sa bouche.

— Le fils du concierge ? demanda K. en frappant
impatiemment le sol du bout de sa canne.

— Monsieur désire-t-il quelque chose ? Dois-je aller
chercher mon père ?

— Non, non, dit K. avec une note d'indulgence
dans la voix, comme si le jeune homme avait fait
quelque chose de mal qu'il voulût bien lui pardonner.
C'est bon », ajouta-t-il en repartant ; mais avant de
prendre l'escalier il se retourna encore une fois.

Il aurait pu aller droit dans sa chambre, mais,
comme il voulait parler à Mme Grubach, il frappa
d'abord à sa porte. Mme Grubach était assise, en train
de raccommoder, près d'une table sur laquelle s'amon-
celaient de vieux bas. K. s'excusa distraitement de
venir si tard, mais Mme Grubach fut très aimable, elle
ne voulut pas écouter ses excuses ; il savait bien,
déclara-t-elle, qu'elle était toujours là pour lui et qu'il
était son locataire préféré. K. fit des yeux le tour de la
pièce ; elle avait complètement repris son ancien
aspect : la vaisselle du déjeuner qui se trouvait le
matin sur la petite table près de la fenêtre avait déjà
disparu. « Les mains des femmes, pensa-t-il, avancent
beaucoup sans faire de bruit » ; il eût peut-être brisé
cette vaisselle sur place, mais il n'aurait certainement

pas pu l'emporter. Il regarda [49] Mme Grubach avec
une certaine reconnaissance.

« Pourquoi êtes-vous encore à travailler si tard ? »
demanda-t-il.

Ils étaient maintenant assis tous deux à la table, et
K. plongeait de temps en temps ses mains dans le
paquet de bas.

« Il y a tant de travail ! fit-elle. Dans la journée
j'appartiens à mes locataires ; si je veux mettre mes
affaires en ordre, il ne me reste que le soir.

— J'ai dû vous donner aujourd'hui un gros travail
supplémentaire, lui dit-il.

— Et en quoi donc ? demanda-t-elle en s'animant ;
le bas qu'elle ravaudait resta dans son giron.

— Je veux [50] parler des hommes qui sont venus ce
matin.

— Ah ! les hommes de ce matin ! dit-elle en reprenant son air paisible, mais non, je n'ai pas eu grand
mal. »

K. la regarda en silence reprendre son bas à
raccommoder... « Elle a l'air, pensait-il, d'être étonnée
de me voir aborder ce sujet ; on dirait même qu'elle
m'en blâme ; il n'en est que plus urgent de parler. Il
n'y a qu'avec une vieille femme que je puisse le faire. »

« Si, dit-il au bout d'un moment ; cette histoire vous
a certainement donné du travail, mais cela ne se
reproduira plus !

— Mais non, cela ne peut pas se reproduire, dit-elle
à son tour en souriant à K. d'un air presque mélanco-
lique.

— Le pensez-vous sérieusement ? demanda K.

— Oui, dit-elle plus bas, mais il ne faut surtout pas
prendre la chose trop au tragique. Il s'en passe
tellement dans le monde ! Puisque vous me parlez avec
tant de confiance, monsieur K., je peux bien vous
avouer que j'ai écouté un peu derrière la porte et que

les deux inspecteurs m'ont fait quelques confidences. Il
s'agit de votre bonheur, et c'est une question qui me
tient vraiment à cœur, peut-être plus qu'il ne convient,
car je ne suis que votre propriétaire. J'ai donc entendu
quelques petites choses, mais rien de bien grave, on ne
peut pas dire. Je sais bien que vous êtes arrêté, mais ce
n'est pas comme on arrête les voleurs. Quand on est
arrêté comme un voleur, c'est grave, tandis que votre
arrestation... elle me fait l'impression de quelque chose
de savant — excusez-moi si je dis des bêtises — elle me
fait l'impression de quelque chose de savant que je ne
comprends pas, c'est vrai, mais qu'on n'est pas non
plus obligé de comprendre.

— Ce n'est pas bête du tout, ce que vous dites là,
madame Grubach, répondit K. Je suis du moins de
votre avis en grande partie, mais je vais encore plus
loin que vous ; ce n'est pas seulement quelque chose de
savant, c'est un néant ridicule. J'ai été victime[51] d'une
agression, voilà le fait. Si je m'étais levé à mon réveil,
sans me laisser déconcerter par l'absence d'Anna, et si
j'étais allé vous trouver sans m'occuper de qui pouvait
me barrer le chemin, si j'avais déjeuné pour une fois
dans la cuisine et si je m'étais fait apporter par vous
mes habits de ma chambre, bref si je m'étais conduit
raisonnablement, il ne serait rien arrivé, tout aurait été
étouffé dans l'œuf. Mais on est si peu préparé ! À la
banque, par exemple, je serais toujours prêt, il ne
pourrait rien se passer de ce genre ; j'ai un boy à moi
sous la main, j'ai le téléphone pour la ville et le
téléphone pour la banque. Il y a[52] toujours des gens
qui viennent, des clients ou des employés, et puis
surtout je me trouve toujours en plein travail, j'ai donc
toute ma présence d'esprit ; j'aurais un véritable plaisir
à me retrouver placé là-bas en face d'une pareille
histoire. Enfin, passons, c'est une chose finie et je ne
voulais même pas en parler ; je voulais seulement

savoir votre opinion, l'opinion d'une femme raisonnable, et je suis heureux de voir que nous sommes d'accord. Maintenant, tendez-moi la main; il me faut une poignée de main pour me confirmer cet accord. »

« Me tendra-t-elle la main ? pensait-il; le brigadier ne l'a pas fait. » Il prit un regard scrutateur pour observer Mme Grubach. Comme il s'était levé, elle se leva aussi, un peu gênée, car elle n'avait pas compris tout ce que K. lui avait expliqué. Et cette gêne lui fit dire une chose qu'elle n'aurait pas voulu et qui venait au mauvais moment :

« Ne le prenez pas si fort, monsieur K. [53] »

Elle avait des larmes dans la voix et elle en oublia la poignée de main.

« Je ne le prends pas fort, que je sache », dit K. soudain lassé, en se rendant compte[54] de l'inutilité des encouragements de cette femme.

À la porte, il demanda encore :

« Mlle Bürstner est-elle là ?

— Non, dit Mme Grubach en souriant avec une sympathie en retard, tandis qu'elle donnait ce sec renseignement : Elle est au théâtre. Lui vouliez-vous quelque chose[55] ? Dois-je lui faire la commission ?

— Je ne voulais lui dire que quelques mots.

— Je ne sais malheureusement pas quand elle reviendra; quand elle est au théâtre elle ne revient en général qu'assez tard.

— C'est sans importance, dit K., qui se dirigeait déjà vers la porte, la tête baissée, pour s'en aller; je voulais simplement m'excuser auprès d'elle de lui avoir emprunté sa chambre ce matin.

— Ce n'est pas nécessaire, monsieur K., vous avez trop d'égards, la demoiselle n'en sait rien[56], elle avait quitté la maison de très bonne heure, et tout est de nouveau en place, voyez vous-même. »

Et elle alla ouvrir la porte de la chambre de Mlle Bürstner.

« Merci, je vous crois sur parole », dit K. en allant voir quand même.

La lune éclairait paisiblement la pièce obscure. Autant qu'on pût s'en rendre compte, tout était vraiment à sa place ; la blouse ne pendait plus à la poignée de la fenêtre, les oreillers du lit semblaient extrêmement hauts ; ils étaient baignés en partie par la lumière de la lune.

« La demoiselle revient souvent très tard, dit K. en regardant Mme Grubach comme si elle en était responsable.

— C'est la jeunesse, dit Mme Grubach sur un ton d'excuse.

— Certainement, certainement, dit K., mais cela peut aller trop loin.

— Eh oui ! dit Mme Grubach, comme vous avez raison, monsieur ! Et c'est peut-être même le cas ! Je ne veux pas dire de mal de Mlle Bürstner, c'est une brave petite, bien gentille, bien aimable, bien convenable, et ponctuelle et travailleuse ; j'apprécie beaucoup tout cela ; mais il y a une chose de vraie, elle devrait être plus fière, elle devrait avoir plus de retenue ; je l'ai déjà vue deux fois ce mois-ci dans des petites rues, et chaque fois avec quelqu'un de différent ; cela me fait beaucoup de peine. Je ne le raconte[57] qu'à vous, monsieur K. Mais je ne pourrai pas éviter de lui en parler à elle-même. Ce n'est d'ailleurs pas la seule chose qui me la fasse suspecter.

— Vous faites complètement fausse route, dit K., furieux et presque incapable de dissimuler sa colère ; d'ailleurs, vous vous êtes visiblement méprise sur le sens de ma réflexion au sujet de cette demoiselle. Je ne voulais pas dire ce que vous avez pensé ; je vous conseille même franchement de ne pas lui parler du tout ; je la connais très bien : il n'y a rien de vrai dans ce que vous disiez. Mais peut-être vais-je trop loin, je ne veux vous empêcher de rien faire, dites-lui ce que vous voudrez.

— Mais, monsieur K., dit Mme Grubach, en le suivant jusqu'à la porte qu'il avait déjà ouverte, je n'ai pas du tout l'intention de parler encore à la demoiselle ; il faut d'abord naturellement que je l'observe davantage ; il n'y a qu'à vous que j'aie confié ce que je savais. Après tout, c'est dans l'intérêt de tous les pensionnaires si l'on veut tenir leur pension propre ! Est-ce que je cherche à faire autre chose ?

— Propre ! jeta encore K. par l'entrebâillement de la porte ; si vous voulez tenir la pension propre, il vous faut commencer par me donner congé... »

Puis il referma brutalement ; on frappa encore légèrement, mais il ne s'en inquiéta pas.

Pourtant [58], comme il n'avait aucune envie de dormir, il décida de ne pas se coucher ; cela lui fournirait en même temps l'occasion de constater l'heure à laquelle rentrerait Mlle Bürstner. Peut-être pourrait-il alors échanger encore quelques mots avec elle, si déplacé que ce pût être. Tout en regardant par la fenêtre, il pensa même un moment dans sa fatigue à punir Mme Grubach en décidant Mlle Bürstner à donner congé avec lui, mais l'exagération de ce procédé lui apparut aussitôt et il se soupçonna [59] de chercher à quitter l'appartement à cause des événements du matin. Rien n'eût été plus fou, ni surtout plus inutile et plus méprisable.

Quand il fut las de regarder la rue vide, il se coucha sur le canapé après avoir entrouvert la porte du vestibule pour pouvoir identifier du premier coup ceux qui rentreraient. Il resta là à fumer un cigare jusque vers onze heures. Puis, n'y tenant plus, il alla se promener un peu dans le vestibule comme s'il pouvait

hâter par là l'arrivée de Mlle Bürstner. Il n'avait pas
grand besoin d'elle et ne pouvait même pas se la
rappeler très bien, mais il avait décidé de lui parler et il
s'impatientait de voir qu'elle dérangeait par son retard
la régularité de sa journée[60]. C'était aussi la faute de
Mlle Bürstner s'il n'avait pas dîné ce soir-là et s'il
n'était pas allé voir Elsa dans la journée comme il se
l'était promis. À vrai dire, pour rattraper le dîner et la
visite, il n'aurait qu'à se rendre au café où Elsa était
employée. C'était ce qu'il ferait dès qu'il aurait parlé à
Mlle Bürstner.

Onze heures et demie étaient déjà passées quand il
entendit un pas dans l'escalier. Tout absorbé par ses
pensées il allait et venait dans le vestibule aussi
bruyamment que dans sa propre chambre ; en entendant monter il se trouva surpris et se réfugia derrière
sa porte ; c'était bien Mlle Bürstner qui revenait. En
refermant la porte d'entrée elle jeta avec un frisson un
châle de soie sur ses frêles épaules. Elle menaçait à
chaque instant de retourner dans sa chambre où K. ne
pourrait naturellement plus la voir après minuit[61] ; il
fallait donc qu'il lui parlât immédiatement. Malheureusement il avait oublié de faire de la lumière chez
lui ; s'il sortait de cette pièce obscure il aurait l'air de
vouloir sauter comme un brigand sur la jeune fille et
lui ferait certainement grand-peur. Ne sachant que
faire, comme il n'y avait plus de temps à perdre, il
appela à voix basse par l'entrebâillement de la porte :
« Mademoiselle Bürstner. »

On eût dit d'une prière plutôt que d'un appel.

« Y a-t-il quelqu'un ici ? demanda Mlle Bürstner en
regardant autour d'elle avec des yeux ronds de surprise.

— C'est moi, dit K.[62] en s'avançant.

— Ah ! Monsieur K., dit en souriant Mlle Bürstner ; bonsoir, monsieur, et elle lui tendit la main.

— J'avais quelques mots à vous dire, voulez-vous me permettre de le faire maintenant ?

— Maintenant ? demanda Mlle Bürstner. Faut-il absolument que ce soit maintenant ? N'est-ce pas un peu étrange, dites ?

— Je vous attends déjà depuis deux heures.

— Ma foi, comme j'étais au théâtre je ne pouvais pas m'en douter.

— Les raisons que j'ai de vous parler ne se sont présentées qu'aujourd'hui.

— Mon Dieu, je ne vois pas en principe d'obstacle à ce que vous veniez me parler, mais je suis horriblement fatiguée. Passez donc un instant chez moi. Il ne faut pas causer ici, nous réveillerions tout le monde et ce serait encore plus désagréable pour moi que pour les gens. Attendez là et éteignez dans le vestibule dès que j'aurai allumé chez moi. »

K. fit comme on le lui avait dit ; il attendit même un peu plus ; finalement, Mlle Bürstner l'appela à voix basse de sa chambre :

« Asseyez-vous », lui dit-elle en lui indiquant le divan.

Pour son compte elle resta debout, adossée au montant du lit malgré la lassitude dont elle avait parlé ; elle n'avait même pas enlevé son petit chapeau qui était orné d'une grande profusion de fleurs.

« Que me vouliez-vous donc ? dit-elle. Je suis vraiment curieuse de l'apprendre. »

Elle croisa légèrement les jambes.

« Vous direz peut-être, commença K., que l'affaire ne pressait pas tant qu'il en fallût parler maintenant, mais...

— Je n'écoute jamais les circonlocutions, dit Mlle Bürstner[63].

— Voilà qui facilite ma tâche, déclara K. Votre chambre a donc été un peu dérangée ce matin, et par ma faute en quelque sorte : ce sont des étrangers qui l'ont fait malgré moi, et pourtant à cause de moi comme je vous l'ai déjà dit : c'est de quoi je voulais vous prier de m'excuser.

— Ma chambre ? demanda Mlle Bürstner en scrutant le visage de K. au lieu d'examiner la pièce.

— Je n'y peux rien », dit K.

Ils se regardèrent tous deux dans les yeux pour la première fois.

« La façon dont la chose s'est passée ne mérite pas un mot en elle-même.

— Et c'est pourtant le point le plus intéressant, dit Mlle Bürstner.

— Non, dit K.

— S'il en est ainsi, répondit Mlle Bürstner, je ne veux pas forcer vos confidences, admettons que la chose n'a rien d'intéressant, je ne soulève pas d'objection. Quant à l'excuse que vous me demandez, je vous l'accorde bien volontiers, et d'autant plus facilement que je ne peux pas trouver trace de désordre. »

Elle posa les mains à plat sur ses hanches et fit une ronde autour de la pièce [64]. Parvenue à la petite natte à laquelle étaient accrochées les photographies, elle s'arrêta.

« Voyez pourtant ! s'écria-t-elle, mes photographies ont été vraiment dérangées ! Voilà qui n'est pas gentil ! Quelqu'un s'est donc vraiment introduit dans ma chambre ? »

K. fit oui de la tête tout en maudissant dans son for intérieur l'employé Kaminer qui ne pouvait jamais maîtriser sa stupide bougeotte.

« Il est étrange, dit Mlle Bürstner, que je sois obligée de vous défendre une chose que vous devriez vous interdire de vous-même et que je me voie contrainte de vous dire de ne pas pénétrer chez moi en mon absence !

— Je vous ai pourtant expliqué, mademoiselle, dit
K. en allant voir aussi, que ce n'était pas moi qui avais
touché à vos photos ; mais puisque vous n'y croyez pas
je suis bien forcé de vous avouer que la commission
d'enquête a amené avec elle trois employés de la
banque dont l'un a dû se permettre de déranger ces
portraits ; je le ferai renvoyer à la première occasion.

« Oui, mademoiselle, il est venu ici une commission
d'enquête, ajouta-t-il en voyant que la jeune fille
ouvrait des yeux interrogateurs.

— Pour vous ? demanda-t-elle.

— Mais oui, répondit K.

— Non ! s'écria la demoiselle en riant.

— Si, dit K., vous me croyez donc innocent ?

— Innocent ? dit la demoiselle. Je ne voudrais pas
prononcer un jugement qui est peut-être gros de
conséquences, et puis je ne vous connais pas ; il me
semble pourtant que, pour mettre tout de suite une
commission d'enquête sur les talons de quelqu'un, il
faudrait qu'on eût affaire à un sérieux criminel, et
comme vous êtes en liberté — car votre calme me
permet de croire que vous ne venez pas de vous
échapper de prison — vous n'avez sûrement pas
commis un bien grand crime.

— La commission d'enquête, dit K., peut fort bien
avoir reconnu que je suis innocent ou tout au moins
beaucoup moins coupable qu'on ne le pensait ?

— Certainement, cela se peut, dit Mlle Bürstner
soudain très attentive.

— Voyez-vous, dit K., vous n'avez pas grande
expérience des choses de la justice.

— Non, en effet, dit Mlle Bürstner, et je l'ai souvent
regretté, car je voudrais tout savoir, les histoires de
justice m'intéressent énormément. La justice a une
étrange puissance de séduction, ne trouvez-vous pas ?
D'ailleurs, je vais certainement en apprendre beau-

coup plus long à ce sujet, car je dois entrer le mois prochain dans une étude d'avocat.

— C'est une excellente chose, dit K. Vous pourrez peut-être m'aider un peu dans mon procès.

— Pourquoi pas ? dit Mlle Bürstner. J'aime bien utiliser ce que je sais.

— J'en parle sérieusement, dit K., ou tout au moins avec le demi-sérieux que vous y mettez vous-même. L'affaire est trop peu importante pour que j'aie recours à un avocat, mais un conseil ne pourrait pas me faire de mal.

— Si je dois jouer ce rôle de conseillère, déclara Mlle Bürstner, il faut tout de même que je sache de quoi il s'agit.

— C'est bien là le *hic*, dit K., je ne le sais pas moi-même.

— Vous vous êtes donc moqué de moi ? dit Mlle Bürstner terriblement déçue ; vous auriez pu choisir alors un autre moment. »

Et elle s'éloigna[65] des photographies devant lesquelles ils étaient si longtemps restés l'un près de l'autre.

« Mais, mademoiselle, dit K., je ne plaisante pas du tout. Quand je pense que vous ne voulez pas me croire... Je vous ai déjà dit ce que je sais, et même plus que je n'en sais, car il ne s'agissait peut-être même pas d'une commission d'enquête, je lui ai donné ce nom parce que je n'en connais pas d'autre. On n'a fait d'enquête sur rien ; j'ai été simplement arrêté, mais par toute une commission. »

Mlle Bürstner qui s'était assise sur le divan se mit à rire de nouveau.

« Comment cela s'est-il donc passé ? demanda-t-elle.

— Une chose effroyable », dit K.

Mais il n'y pensait pas du tout ; il était tout ému du tableau qu'offrait[66] Mlle Bürstner qui, le coude sur un coussin, soutenait sa tête d'une main et promenait lentement l'autre sur sa hanche.

« C'est bien trop général, dit-elle.

— Qu'est-ce qui est trop général ? » demanda K.

Puis il se souvint et demanda :

« Faut-il vous montrer comment les choses se sont passées ? »

Il voulait se remuer un peu, mais sans partir [67].

« Je suis déjà bien fatiguée, dit Mlle Bürstner.

— Vous êtes revenue si tard ! répondit K.

— Voilà maintenant que vous me faites des reproches, répliqua Mlle Bürstner ; après tout vous avez raison, je n'aurais pas dû vous laisser entrer : d'ailleurs, ce n'était pas nécessaire, l'événement l'a bien prouvé.

— C'était nécessaire, dit K., vous allez le comprendre vous-même. Puis-je éloigner la table de nuit de votre lit ?

— Quelle mouche vous pique ! dit Mlle Bürstner ; jamais de la vie !

— Alors, je ne puis rien vous montrer, dit K. en sursautant comme si [68] on venait de lui causer un tort irréparable.

— Si c'est pour les besoins de votre explication, poussez tout de même la table de nuit, dit Mlle Bürstner, qui ajouta au bout d'un moment d'une voix plus faible : je suis si fatiguée ce soir que je vous en passe plus qu'il ne sied. »

K. poussa le petit meuble jusqu'au milieu de la chambre et s'assit derrière.

« Il faut que vous vous représentiez exactement la position des acteurs ; c'est une chose très intéressante. Moi je représente le brigadier, là-bas deux inspecteurs sont assis sur le bahut et les trois jeunes gens se tiennent debout en face des photographies. À l'espagnolette de la fenêtre une blouse blanche que je ne mentionne que pour mémoire ; et alors maintenant ça commence. Ah ! j'allais m'oublier, moi qui représente pourtant le personnage le plus important ! Je me tiens donc debout, ici, en face de la table de nuit. Le brigadier est assis le plus confortablement du monde, les jambes croisées, le bras pendant comme ça derrière le dossier de sa chaise..., un gros pignouf, pour dire son nom. Et alors ça commence réellement. Le brigadier appelle comme s'il avait à me réveiller[69], il pousse un véritable cri, il faut malheureusement pour vous le faire comprendre que je me mette à crier moi aussi ; ce n'est d'ailleurs que mon nom qu'il crie de cette façon. »

Mlle Bürstner, qui écoutait en riant, mit bien son index sur sa bouche pour empêcher K. de crier, mais il était déjà trop tard ; K. était trop bien entré dans la peau de son personnage ; il cria lentement : « Joseph K. », moins fort d'ailleurs qu'il n'avait menacé de le faire, mais suffisamment cependant pour que le cri une fois lancé semblât ne se répandre que petit à petit dans la chambre.

On entendit alors frapper à la porte de la pièce voisine à petits coups secs et réguliers. Mlle Bürstner pâlit et porta la main à son cœur.

L'effroi de K. avait été d'autant plus grand qu'il était resté encore un instant incapable de penser à autre chose qu'aux événements du matin et à la jeune fille à laquelle ces événements l'avaient amené. À peine s'était-il ressaisi que Mlle Bürstner bondit vers lui et lui prit[70] la main :

« Ne craignez rien, chuchota-t-il, ne craignez rien, j'arrangerai tout. Mais qui cela peut-il bien être ? Il n'y a ici que le salon et personne n'y couche.

— Mais si, lui souffla Mlle Bürstner dans l'oreille, depuis hier il y a le neveu de Mme Grubach, un capitaine, qui y couche, parce qu'elle n'a pas d'autre pièce libre. Je l'avais oublié moi aussi. Pourquoi a-t-il

fallu que vous poussiez un tel cri ? Ah ! mon Dieu, que
je suis malheureuse !

— Vous n'en avez aucun motif », dit K. en
l'embrassant sur le front, tandis qu'elle se laissait
retomber dans les coussins. Mais elle se dressa d'un
bond :

« Filez, filez ; partez ! mais partez donc ! Que voulez-
vous ? Il écoute à la porte, il entend tout ; comme vous
me tourmentez !

— Je ne partirai pas, dit K., avant de vous voir un
peu rassurée. Venez dans l'autre coin, il ne pourra pas
nous entendre. »

Elle s'y laissa conduire.

« C'est peut-être un incident ennuyeux pour vous
mais vous ne courez aucun danger. Vous savez bien
que Mme Grubach, dont tout dépend dans cette
histoire — surtout puisque le capitaine est son neveu
— a un véritable culte pour moi et qu'elle croit tout ce
que je dis comme parole d'évangile. D'ailleurs, je la
tiens dans ma main, car elle m'a emprunté une assez
grosse somme. Je prendrai sur moi de lui présenter
l'explication que vous voudrez pour peu qu'elle soit
conforme au but, et je m'engage à amener Mme Grubach non pas seulement à faire semblant d'y ajouter foi
pour le public, mais à la croire réellement ; rien ne
vous oblige à m'épargner : si vous voulez qu'on dise
que je vous ai assaillie, c'est ce que [71] je dirai à
Mme Grubach, et elle le croira sans m'ôter sa
confiance, tant cette femme m'est attachée. »

Mlle Bürstner, légèrement effondrée sur son siège,
regardait muettement le sol.

« Pourquoi Mme Grubach ne croirait-elle pas,
ajouta K., que je vous ai assaillie ? »

Il voyait devant lui les cheveux de la jeune fille, des
cheveux bas, bouffants et fermes, à reflets [72] rougeâtres
et partagés par une raie. Il pensait que Mlle Bürstner

allait tourner les yeux vers lui, mais elle lui dit sans changer de position :

« Excusez-moi, j'ai été effrayée par la soudaineté du bruit beaucoup plus que par les conséquences [73] que pourrait avoir la présence du capitaine ; il y a eu un tel silence après votre cri ! Et c'est dans ce silence qu'on s'est mis tout à coup à frapper à la porte ; c'est cela qui m'a tant fait peur, d'autant plus que j'étais tout près ; on a frappé presque à côté de moi. Je vous remercie de vos propositions, mais je ne les accepte pas, c'est à moi de répondre de ce qui se passe dans ma chambre, et personne n'a à m'en demander compte ; je suis surprise que vous ne vous aperceviez pas de ce qu'il y a de blessant dans vos propositions, malgré l'excellence de vos intentions que je me plais à reconnaître ; mais maintenant [74] allez-vous-en, laissez-moi seule, j'en ai plus besoin que jamais. Les trois minutes que vous m'aviez demandées se sont transformées en une demi-heure et même plus. »

K. la prit d'abord par la main, puis par le poignet.

« Vous ne m'en voulez pas ? » dit-il.

Elle dégagea doucement sa main et répondit :

« Non, non, je n'en veux jamais à personne. »

Il la reprit par le poignet. Cette fois-ci elle le laissa faire et le ramena jusqu'à la sortie. Il était fermement décidé à partir. Mais, parvenu devant la porte, il eut un recul comme s'il ne s'était pas attendu à la trouver là ; Mlle Bürstner profita de cet instant pour se libérer, ouvrir et se glisser dans le vestibule d'où elle lui chuchota :

« Allons, venez maintenant, je vous en prie. Voyez — et elle montrait la porte du capitaine sous laquelle passait un rayon — il a allumé et il s'amuse à nous écouter faire.

— Je viens, je viens », dit K. en sortant rapidement.

Il l'attrapa et la baisa sur la bouche [75], puis sur tout

le visage, comme un animal assoiffé qui se jette à coups
de langue sur la source qu'il a fini par découvrir. Pour
terminer il l'embrassa encore dans le cou, à l'endroit
du gosier sur lequel il attarda longtemps ses lèvres. Il
fut interrompu par un bruit qui venait de la chambre
du capitaine.

« Maintenant, je m'en vais », dit-il.

Il voulait appeler encore Mlle Bürstner par son
prénom, mais il l'ignorait. Elle lui adressa un signe de
tête fatigué, lui laissa sa main à baiser, déjà tournée
pour repartir comme si elle ignorait tout cela, et
regagna sa chambre le dos voûté.

K. ne tarda pas à se coucher ; le sommeil le visita
vite ; avant d'y succomber il réfléchit [76] encore un peu à
sa conduite ; il en était satisfait mais s'étonnait de ne
pas l'être davantage ; il redoutait sérieusement la
présence du capitaine pour Mlle Bürstner [77].

CHAPITRE II

L'AMIE DE MLLE BÜRSTNER

Les jours suivants, il fut impossible à K. d'échanger
le moindre mot avec Mlle Bürstner ; il essaya de
l'approcher des plus diverses façons, mais elle s'entendit toujours à l'empêcher de réussir ; il essaya de
revenir chez lui aussitôt sorti du bureau et de rester
sans lumière dans sa chambre à observer le vestibule
du fond de son canapé. Si la bonne, croyant la
chambre vide, en fermait la porte au passage, il se
levait au bout d'un moment et la rouvrait. Le matin, il

se levait une heure plus tôt que de coutume pour tenter
de rencontrer Mlle Bürstner seule quand elle se
rendait au travail. Mais nulle de ses tentatives ne
réussissait. Il écrivit alors deux lettres à la jeune fille,
l'une à son bureau et l'autre à son adresse privée; dans
ces missives, il cherchait à justifier une fois de plus sa
conduite, s'offrait à toutes satisfactions, promettait [1] de
ne jamais dépasser les limites que Mlle Bürstner lui
imposerait et ne lui demandait que de lui offrir un
entretien, ajoutant qu'il ne pouvait parler à Mme Grubach tant qu'il ne l'aurait pas vue elle-même; il lui
disait, pour terminer, qu'il attendrait chez lui tout le
dimanche suivant un signe d'elle qui lui permît
d'espérer le succès de sa demande ou lui expliquât tout
au moins les raisons de son insuccès, raisons inimaginables puisqu'il lui promettait de faire tout ce qu'elle
voudrait. Les lettres [2] ne lui revinrent pas, mais il n'eut
aucune réponse. En revanche, le dimanche suivant, il
put voir se produire un signe d'une suffisante netteté.
Dès le matin, par le trou de la serrure, il aperçut dans
le vestibule un mouvement particulier qui ne tarda [3]
pas à s'expliquer. Une jeune fille qui donnait des
leçons de français — c'était d'ailleurs une Allemande,
et elle s'appelait Montag —, être fragile, pâle et
légèrement boiteux, qui avait habité jusque-là dans
une chambre à part, déménageait pour venir loger
avec Mlle Bürstner; elle rôda pendant des heures dans
le vestibule; il lui restait toujours quelque livre oublié
à aller chercher dans son ancienne chambre et à porter
dans son nouvel appartement [4].

Quand Mme Grubach vint servir à K. son déjeuner
— depuis qu'elle l'avait irrité elle assumait elle-même
tout son service — il ne put se retenir de lui adresser la
parole, pour la première fois depuis le fameux soir :

« Pourquoi y a-t-il donc aujourd'hui un pareil bruit
dans le vestibule [5]? demanda-t-il en se versant le café;

ne pourrait-on y mettre fin ? N'y a-t-il pas d'autre jour que le dimanche pour faire les nettoyages ? »

Bien qu'il n'eût pas regardé Mme Grubach, il remarqua qu'elle poussait un soupir comme une personne soulagée. Elle voyait une sorte de pardon, ou tout au moins une sorte de début de pardon, jusque dans ces questions de K.

« Ce n'est pas un nettoyage, monsieur K., dit-elle, c'est simplement Mlle Montag qui déménage pour aller chez Mlle Bürstner et qui transporte ses affaires. »

Elle n'ajouta rien, attendant de savoir comment K. prendrait la chose et s'il lui permettrait de continuer à parler. Mais K. la laissa d'abord faire en silence un moment en remuant pensivement la cuillère dans son café. Puis il la regarda et dit :

« Avez-vous déjà abandonné vos anciens soupçons au sujet de Mlle Bürstner ?

— Ah ! monsieur K., répondit alors Mme Grubach — qui n'attendait depuis le début que cette question — en tendant vers K. ses mains jointes, vous avez pris dernièrement si tragiquement une remarque de rien du tout ! J'étais bien éloignée de songer à vous blesser ni vous ni qui que ce fût ; vous me connaissez depuis assez longtemps, monsieur K., pour pouvoir en être convaincu ! Vous ne pouvez pas savoir ce que j'ai souffert ces jours derniers. Eh quoi ! c'est moi qui irais calomnier mes locataires ! Et vous, monsieur K., vous le croyiez et vous disiez qu'il fallait vous donner congé ! vous donner congé ! »

Cette dernière exclamation se perdit dans les larmes ; Mme Grubach porta son tablier à son visage et se mit à sangloter bruyamment.

« Ne pleurez donc pas, dit K. en regardant par la fenêtre, car il ne songeait qu'à Mlle Bürstner et qu'elle allait héberger une jeune fille dans sa chambre[6]. Ne

pleurez donc pas », répéta-t-il en se retournant vers sa
propriétaire.

Et, en voyant qu'elle pleurait toujours :

« Moi non plus je n'avais pas parlé aussi sérieusement que vous le pensez ; nous nous sommes mépris
tous deux, cela peut arriver même à de vieux amis. »

Mme Grubach baissa un peu son tablier pour voir si
K. faisait vraiment bon visage.

« Eh oui ! c'est comme ça ! » dit K.

Et comme l'attitude de Mme Grubach semblait
montrer que le capitaine n'avait rien dit, il osa même
ajouter :

« Croyez-vous donc vraiment que je pourrais me
brouiller avec vous pour une étrangère ?

— C'est justement ça, monsieur K., dit Mme Grubach, car elle avait le malheur de dire toujours ce qu'il
ne fallait pas dès que la contrainte l'abandonnait. Je ne
cessais[7] de me demander : Pourquoi M. K. s'occupe-
t-il tant de Mlle Bürstner ? Pourquoi se dispute-t-il
avec moi [à cause d'elle] alors qu'il sait que de sa part
le moindre mot peut m'empêcher de dormir ? Je n'ai
rien dit de la demoiselle que ce que j'avais vu de mes
yeux. »

K. ne répondit pas, car il n'aurait pu s'empêcher de
mettre Mme Grubach à la porte au premier mot, et il
ne voulait pas le faire. Il se contenta de boire son café
et de faire sentir à Mme Grubach la superfluité de sa
présence.

On recommençait à entendre dehors le pas traînant
de Mlle Montag qui traversait le vestibule.

« Entendez-vous ça ? dit K. en indiquant le couloir
du bout de l'index.

— Eh oui ! dit Mme Grubach en soupirant ; je
voulais l'aider et même lui prêter la bonne ; mais elle
est très entêtée, elle a tout voulu déménager elle-
même. Je m'étonne de la conduite de Mlle Bürstner ; je

suis souvent lasse de garder Mlle Montag, et voilà que[8] Mlle Bürstner la prend maintenant dans sa chambre !

— Pourquoi vous en inquiéter ? dit K. en écrasant un restant de sucre dans sa tasse. Cela vous cause-t-il quelque tort ?

— Non, dit Mme Grubach. En lui-même ce déménagement me fait même plaisir, car il me laisse une chambre à donner à mon neveu le capitaine. Je craignais depuis longtemps qu'il ne vous eût dérangé en restant dans le salon où j'avais été obligée de le loger, car il ne se gêne pas beaucoup.

— Quelle idée ! dit K. en se levant ; il n'est pas question de cela ; vous avez l'air de me croire bien nerveux parce que je ne peux pas supporter ces pérégrinations de Mlle Montag ! Allons, bon ! la voilà qui retourne encore ! »

Mme Grubach sentit toute son impuissance.

« Dois-je[9] lui dire, monsieur K., de remettre à un peu plus tard le reste de son déménagement ? Si vous voulez, je vais le faire tout de suite.

— Elle doit pourtant aller, dit K., chez Mlle Bürstner ?

— Oui[10], répondit Mme Grubach sans trop saisir l'intention de K.

— Eh bien, alors, dit K., il faut bien qu'elle y porte ses affaires ! »

Mme Grubach se contenta de hocher la tête. Cette muette impuissance qui avait l'air[11] d'une bravade augmenta encore l'irritation de K. ; il se mit à aller et venir de la porte à la fenêtre, empêchant ainsi sa propriétaire de s'en aller comme elle l'eût fait probablement sans cette navette.

K. venait juste d'atteindre la porte une fois de plus quand on frappa. C'était la bonne qui venait annoncer que Mlle Montag désirait échanger quelques mots

avec M. K. et le priait de venir à la salle à manger
où elle l'attendait. K. écouta pensivement, puis il se
retourna d'un air presque ironique vers Mme Grubach
qui en fut effrayée. Cette ironie semblait dire en effet
que K. avait déjà prévu depuis longtemps l'invitation
de Mlle Montag et qu'elle n'avait rien d'étonnant
après tous les ennuis qu'il avait déjà dû essuyer ce
matin-là de la part des locataires de Mme Grubach. Il
renvoya la bonne en faisant dire qu'il venait, puis il
alla à son armoire pour changer de veste, et, comme la
propriétaire gémissait doucement sur l'importunité de
Mlle Montag, il lui répondit seulement en la priant
d'emporter la vaisselle du déjeuner.

« Mais vous n'avez touché à presque rien ! lui dit-
elle.

— Emportez quand même ! » cria K.

Il lui semblait que Mlle Montag était mêlée jusqu'à
cette vaisselle et qu'elle la lui empoisonnait.

En traversant [12] le vestibule, il jeta un regard sur la
porte, fermée, de Mlle Bürstner ; mais ce n'était pas là
qu'il était invité, c'était à la salle à manger, et il
l'ouvrit en coup de vent, sans même prendre la précaution de frapper.

La pièce était très longue, étroite, avec une seule
fenêtre. Il y avait eu juste assez de place pour
permettre de disposer obliquement un buffet de chaque côté de la porte, tout le reste de l'espace étant
occupé par une longue table qui commençait près de
l'entrée et arrivait jusqu'à la grande fenêtre qui en
était rendue presque inabordable. La table était déjà
servie pour [13] un grand nombre de convives, car le
dimanche presque tous les locataires mangeaient là.

Quand K. entra, Mlle Montag quitta la fenêtre et
s'avança au-devant de lui en suivant le bord de la
table ; puis, la tête trop droite comme toujours, elle
dit :

« Je ne sais pas si vous me connaissez ? »

K. la regarda en fronçant les sourcils :

« Mais si, dit-il, il y a déjà assez longtemps que vous habitez chez Mme Grubach.

— Oui, répondit Mlle Montag, mais je ne pense pas que vous vous occupiez beaucoup de la pension.

— Non, dit K.

— Ne voulez-vous pas vous asseoir ? » demanda Mlle Montag.

Ils approchèrent chacun une chaise du bout de la table et s'assirent l'un en face de l'autre. Mais Mlle Montag se releva aussitôt pour aller chercher son réticule qu'elle avait laissé sur le rebord de la fenêtre ; elle revint en le balançant du bout des doigts, puis elle dit :

« J'aurais simplement quelques mots à vous dire de la part de mon amie. Elle voulait venir elle-même, mais elle se sent un peu fatiguée aujourd'hui, et elle vous prie de l'excuser et de m'écouter à sa place. Elle n'aurait d'ailleurs rien pu vous apprendre d'autre que ce que je vais vous annoncer ; je pense même que je peux vous en dire plus long qu'elle, puisque je suis relativement moins intéressée à cette affaire. Ne le croyez-vous pas aussi ?

— Que peut-il bien y avoir à dire ? » répondit K., fatigué de voir les yeux de Mlle Montag rivés à ses lèvres.

Elle avait l'air de s'arroger par le regard un droit de suzeraineté jusque sur ses paroles à venir.

« Mlle Bürstner [14] ne veut sans doute pas m'accorder l'entretien personnel que je lui avais demandé ?

— C'est cela, dit Mlle Montag, ou plutôt ce n'est pas tout à fait cela ; vous vous exprimez trop brutalement. En général, un entretien ne s'accorde ni ne se refuse. Mais il peut se faire qu'on le tienne pour inutile, et c'est le cas. Maintenant, après votre

réflexion, je puis parler ouvertement ; vous avez
demandé, verbalement ou par écrit, un entretien à
mon amie. Or elle connaît — c'est du moins ce que je
suis amenée à supposer — elle connaît déjà le sujet de
cet entretien, et elle est convaincue, pour des raisons
que j'ignore, qu'il ne pourrait servir à rien. D'ailleurs,
elle ne m'en a parlé qu'hier et d'une façon très
superficielle, disant que vous ne deviez pas attacher
non plus beaucoup d'importance à cette entrevue
— car vous n'en aviez eu l'idée que par hasard — et
que vous reconnaîtriez vous-même bientôt, si vous ne
l'aviez déjà fait, l'inutilité de tout cela sans explication
particulière ; je lui répondis que c'était peut-être juste,
mais que je trouverais préférable, pour la netteté de la
situation, qu'elle vous répondît clairement. Je m'offris
à le faire pour elle et mon amie accepta après quelque
hésitation. J'espère avoir agi dans le sens qu'elle
désirait elle-même, car la moindre incertitude est
toujours pénible, même dans les plus petites choses, et
quand on peut l'éviter facilement, comme c'est le cas,
il vaut mieux le faire immédiatement.

— Je vous remercie », répondit K.

Il se releva lentement, regarda Mlle Montag, puis la
table, puis la fenêtre — la maison d'en face était tout
ensoleillée — et se dirigea vers la porte ; Mlle Montag
le suivit quelques pas comme si elle n'avait pas
complètement confiance, mais parvenus devant la
porte ils durent reculer tous deux, car elle s'ouvrit,
poussée par le capitaine Lanz. K. ne l'avait encore
jamais vu d'aussi près. C'était un homme de grande
taille, qui pouvait avoir quarante ans ; son visage était
charnu et hâlé ; il s'inclina légèrement pour saluer les
deux personnes, puis se dirigea vers Mlle Montag et
lui baisa respectueusement la main. Il avait une
grande aisance de mouvements ; sa politesse envers
Mlle Montag jurait avec l'attitude de K. ; cependant,

Mlle Montag n'avait pas l'air d'en tenir rigueur à K.,
il lui sembla même qu'elle voulait le présenter au
capitaine. Mais K. n'y tenait nullement ; il n'eût pu se
montrer aimable ni avec elle ni avec lui ; ce baisemain
avait associé à ses yeux la jeune fille à un groupe de
conjurés qui, tout en se donnant l'apparence la plus
inoffensive et la plus désintéressée, travaillait secrètement [15] à le tenir éloigné de Mlle Bürstner. Ce ne fut
pas la seule chose que K. crut voir ; il s'aperçut aussi
que Mlle Montag avait choisi un bon moyen quoiqu'il
présentât deux tranchants ; elle s'arrangeait pour
exagérer l'importance des relations entre K. et Mlle
Bürstner, et surtout l'importance de l'entretien
demandé, et tournait la chose de telle sorte que ce fût
K. qui parût tout exagérer ; il fallait lui montrer qu'elle
faisait fausse route ; K. ne voulait rien exagérer, il
savait que Mlle Bürstner était une petite dactylo qui
ne lui résisterait pas longtemps. Encore ne faisait-il
intentionnellement pas entrer en ligne de compte ce
qu'il avait appris d'elle par Mme Grubach. Ce fut en
réfléchissant à tout cela qu'il quitta la pièce sur un
imperceptible salut ; il voulait retourner tout de suite
dans sa chambre, mais un petit rire de Mlle Montag
lui fit penser qu'il pourrait peut-être lui ménager une
surprise ainsi qu'au capitaine Lanz. Il regarda autour
de lui, l'œil et l'oreille au guet, épiant le bruit qui
risquerait de présager un dérangement. Mais le
calme [16] régnait partout. On n'entendait que la conversation qui venait de la salle à manger et la voix de
Mme Grubach dans le couloir de la cuisine. L'occasion
semblait favorable, K. alla frapper à la porte de
Mlle Bürstner ; comme rien ne bougeait, il frappa de
nouveau, mais cette fois non plus, nulle réponse.
Dormait-elle, ou était-elle vraiment fatiguée ? Ou bien
ne camouflait-elle sa présence que parce qu'elle pressentait que ce ne pouvait être que K. qui frappait aussi

doucement. K. pensa qu'elle faisait semblant d'être
absente ; il recommença plus fort, et, voyant que son
toc-toc n'avait aucun résultat, ouvrit finalement la
porte avec prudence, non sans éprouver le sentiment
de commettre une faute, et, qui pis est, une faute
inutile [17]. Il n'y avait personne dans la chambre ; elle
ne rappelait d'ailleurs guère celle que K. avait connue.
Maintenant, il y avait deux lits le long du mur ; près de
la porte, on voyait trois chaises surchargées de linge et
d'habits ; une armoire était grande ouverte. Mlle Bürstner avait dû partir pendant que Mlle Montag entretenait K. dans la salle à manger ; il n'en fut pas trop
déconcerté, car il ne s'attendait guère à rencontrer la
jeune fille ; c'était par défi, pour braver Mlle Montag,
qu'il avait fait cette tentative ; il ne lui en fut que plus
pénible d'apercevoir en refermant, par la porte qui
donnait sur la salle à manger, Mlle Montag causant
tranquillement avec le capitaine Lanz ; ils étaient peut-
être là depuis le moment où K. avait ouvert la porte ;
ils évitaient de se donner l'air d'observer, parlaient à
voix basse et ne suivaient ses mouvements que comme
on le fait dans une conversation en regardant distraitement autour de soi. Mais ces regards pesaient terriblement à K. ; il regagna sa chambre en hâte, en longeant
le mur du couloir.

CHAPITRE III

PREMIER INTERROGATOIRE

K. avait été avisé par téléphone qu'on procéderait le dimanche suivant à une petite enquête sur son affaire. On l'avait prévenu aussi que l'instruction se poursuivrait désormais régulièrement et que les interrogatoires auraient lieu, sinon toutes les semaines, du moins assez fréquemment; il fallait, lui avait-on dit, terminer rapidement le procès dans l'intérêt de tout le monde, mais les interrogatoires n'en devaient pas moins être extrêmement minutieux, tout en restant assez courts cependant pour épargner un excès de fatigue. C'étaient là les raisons qui avaient engagé à choisir ce système de petits interrogatoires fréquents. Quant au dimanche, si on avait préféré ce jour c'était pour ne pas déranger K. dans son travail professionnel. On supposait qu'il était d'accord; toutefois s'il préférait une autre date on tâcherait de lui faire plaisir dans la mesure du possible, en l'interrogeant de nuit par exemple, mais ce n'était pas un bon système, car K. ne serait pas assez dispos pour supporter une telle fatigue, de sorte qu'on s'en tiendrait [1] au dimanche, s'il n'y voyait pas d'objection. Naturellement il était tenu de se présenter, il était inutile qu'on insistât là-dessus; on lui dit le numéro de la maison où il devrait venir; il s'agissait d'un immeuble lointain situé dans une rue de faubourg où K. n'était jamais allé.

Il raccrocha le récepteur sans rien répondre quand on lui communiqua cette information; il était décidé à se rendre là-bas; c'était certainement nécessaire; le procès se nouait et il fallait faire face à la situation ; il fallait que ce premier interrogatoire fût aussi le dernier[2]. Il restait là pensivement près de l'appareil quand il entendit derrière lui la voix du directeur adjoint qui aurait voulu téléphoner mais auquel il barrait le chemin.

« Mauvaises nouvelles ? demanda le directeur adjoint d'un ton léger, non pour apprendre quelque chose mais simplement pour éloigner K. de l'appareil.

— Non, non », dit K. en s'effaçant mais sans partir.

Le directeur adjoint décrocha le récepteur et dit à K. sans lâcher l'appareil, en attendant sa communication :

« Une question, monsieur K. ; me feriez-vous le plaisir de venir dimanche matin pour une partie dans mon voilier ? Il y aura pas mal de monde et vous trouverez certainement des amis. Le procureur Hasterer entre autres. Voulez-vous venir ? Allons, dites oui. »

K. tâcha de faire attention à ce que lui disait le directeur adjoint. C'était presque un événement, car cette invitation du directeur adjoint, avec lequel il ne s'était jamais très bien entendu, représentait de la part de son chef une tentative de réconciliation et montrait l'importance de la place que K. avait prise à la banque ; elle révélait la valeur que le second chef de l'établissement attachait à l'amitié de K. ou tout au moins à sa neutralité. Bien que le directeur adjoint n'eût prononcé cette invitation qu'en attendant sa communication et sans lâcher le récepteur elle constituait cependant une humiliation de sa part ; K. lui en fit subir une seconde en répondant :

« Je vous remercie infiniment, mais j'ai déjà promis ma matinée de dimanche.

— Dommage ! » dit le directeur adjoint en se retournant vers le téléphone où la conversation venait de s'engager.

La communication fut assez longue, mais K., distrait, resta tout le temps près de l'appareil. Ce ne fut qu'en voyant le directeur adjoint raccrocher qu'il sursauta et dit, pour excuser un peu son inutile présence :

« On vient de me téléphoner d'aller quelque part [3], mais on a oublié de me dire à quelle heure.

— Rappelez donc, dit le directeur adjoint.

— Oh ! ça n'a pas une telle importance ! » dit K., bien que cette affirmation diminuât la valeur déjà insuffisante de sa précédente excuse.

Le directeur adjoint lui parla encore en s'en allant de divers sujets. K. se contraignit à répondre, mais il pensait à autre chose. Il se disait que le mieux serait de se présenter le dimanche à neuf heures, car c'est l'heure où la justice commence à fonctionner en semaine.

Le dimanche, il fit un temps gris. K. se trouvait très fatigué, ayant passé la moitié de la nuit au restaurant à l'occasion d'une petite fête à la table des habitués , et il faillit en oublier l'heure. Il n'eut pas le temps de réfléchir et de coordonner les différents projets qu'il avait élaborés pendant la semaine ; il dut s'habiller au plus vite et se rendre sans déjeuner dans le faubourg qu'on lui avait indiqué. Bien qu'il n'eût guère le temps de regarder la rue, il aperçut en chemin, fait étrange, Rabensteiner, Kullisch et Kaminer, les trois employés de la banque qui étaient mêlés à son affaire. Les deux premiers le croisèrent en tramway, mais Kaminer était assis à la terrasse d'un café bordé d'une balustrade sur laquelle il se pencha avec curiosité au moment où K. passa devant lui. Tous trois l'avaient suivi des yeux, surpris de voir courir ainsi leur supérieur ; c'était une sorte d'esprit de bravade qui avait empêché K. de prendre le tramway ; il éprouvait une répulsion à employer dans son affaire le secours de qui que ce fût ;

il ne voulait avoir recours à personne pour être sûr de ne mettre personne dans le secret ; enfin, il n'avait pas la moindre envie de s'humilier devant la commission d'enquête par un excès de ponctualité.

En attendant, il se hâtait pour être sûr d'arriver à neuf heures, bien qu'il n'eût pas été convoqué pour un moment précis.

Il avait pensé qu'il reconnaîtrait de loin la maison à quelque signe dont il n'avait encore aucune idée, ou à un certain mouvement devant ses portes. Mais la rue Saint-Jules où le bâtiment devait se trouver, et à l'entrée de laquelle il s'arrêta un instant, ne présentait de chaque côté qu'une longue série de hautes maisons grises et uniformes, grandes casernes de rapport qu'on louait à de pauvres gens. Par ce matin de dimanche, la plupart des fenêtres étaient occupées, des hommes en bras de chemise s'appuyaient là ou tenaient de petits enfants au bord de l'accoudoir avec prudence et tendresse. À d'autres fenêtres s'élevaient des piles de draps, de couvertures et d'édredons au-dessus desquelles passait parfois la tête d'une femme échevelée. On s'appelait, on se lançait des plaisanteries d'un côté à l'autre de la rue ; l'une de ces plaisanteries fit beaucoup rire aux dépens de K. Il y avait tout le long des maisons, à intervalles réguliers, de petits étalages de fruits, de viande ou de légumes, un peu au-dessous du niveau de la rue : pour y accéder il fallait descendre quelques marches, des femmes allaient et venaient là, d'autres conversaient sur l'escalier. Un marchand des quatre-saisons qui criait ses denrées faillit renverser K. avec sa baladeuse. Au même moment, un gramophone, qui avait usé sa première vigueur dans des quartiers plus luxueux, entonna un hymne vainqueur.

K. s'enfonça [4] lentement dans la rue comme s'il avait eu le temps maintenant, ou comme si le juge d'instruction l'avait vu par quelque fenêtre et savait qu'il était présent. Il était un peu plus de neuf heures. La maison était assez loin, elle avait une façade extraordinairement longue et une porte de formidables dimensions qui devait avoir été percée pour le charroi des marchandises des divers dépôts qui entouraient la grande cour, les portes fermées, et dont certains portaient des noms de firmes que K.[5] connaissait par la banque. À l'encontre de ses habitudes, il s'occupa minutieusement de ces détails et s'arrêta même un instant à l'entrée de la cour. Près de lui, assis sur une caisse, un homme pieds nus lisait le journal. Deux jeunes garçons se balançaient aux deux bouts d'une voiture à bras. Devant une pompe une grêle fillette en camisole se tenait debout et regardait K. pendant que sa cruche s'emplissait. Dans un coin, entre deux fenêtres, on pendait du linge sur une corde ; un homme, au-dessous, dirigeait le travail en lançant des indications.

K. s'avançait déjà vers l'escalier quand il s'arrêta[6] tout à coup en s'apercevant qu'il y en avait encore trois autres, sans compter un petit passage qui devait mener à une seconde cour. Il s'irrita de voir qu'on ne lui avait pas précisé la situation du bureau où il devait se rendre ; on l'avait vraiment traité avec une négligence étrange ou une indifférence révoltante ; il avait l'intention de le faire remarquer haut et ferme. Il finit tout de même par monter le premier escalier, jouant en pensée avec l'expression de l'inspecteur Willem qui lui avait dit que la justice était « attirée par le délit », d'où il suivait que la pièce cherchée se trouverait forcément au bout de l'escalier que K. choisissait par hasard.

En montant il dérangea des enfants qui jouaient sur le palier et qui le regardèrent d'un mauvais œil quand il traversa leurs rangs.

« Si je reviens ici, se disait-il, il faudra que j'apporte des bonbons pour gagner leurs bonnes grâces ou une canne pour les battre. »

Il dut même attendre un moment qu'une boule de jeu de quilles eût achevé son chemin ; deux gamins qui avaient déjà de mauvaises têtes de rôdeurs adultes l'y obligèrent en le maintenant par le pantalon ; s'il les avait secoués, il leur aurait fait du mal et [7] il redoutait leurs cris.

Ce fut au premier étage que ses vraies recherches commencèrent.

Comme il ne pouvait demander le juge d'instruction il inventa [8] un menuisier Lanz — ce nom lui vint à l'esprit parce que c'était celui du neveu de Mme Grubach — et il décida de demander à toutes les portes si c'était là qu'habitait le menuisier Lanz, afin de posséder un prétexte pour regarder à l'intérieur. Mais il s'aperçut qu'on pouvait le faire la plupart du temps bien plus facilement encore, car presque toutes les portes étaient ouvertes pour permettre aux enfants d'aller et venir. Elles laissaient voir en général de petites pièces à une fenêtre qui servaient de cuisine et de chambre à coucher. Des femmes armées de leur dernier nourrisson remuaient [9] de leur main libre des casseroles sur le foyer. Des gamines vêtues d'un simple tablier semblaient faire tout le travail. Dans certaines chambres, les lits étaient encore occupés par des malades, des dormeurs [10] ou des gens qui se reposaient tout habillés. Quand une porte était fermée, K. frappait et demandait si le menuisier Lanz n'habitait pas là. La plupart du temps une femme ouvrait, écoutait la question et se retournait vers quelqu'un qui se redressait sur le lit.

« Ce monsieur demande s'il n'y a pas ici un menuisier Lanz.

— Un menuisier Lanz ? demandait-on du lit.

— Oui », disait K., bien que le juge d'instruction ne fût pas là et qu'il n'eût plus rien à savoir.

Bien des gens [11] pensaient qu'il devait tenir beaucoup à trouver ce menuisier Lanz ; ils réfléchissaient longuement et finissaient par nommer un menuisier, mais qui ne s'appelait pas Lanz, ou par dire un nom qui présentait avec celui de Lanz une lointaine ressemblance, ou encore ils allaient interroger le voisin, ou bien ils accompagnaient K. jusqu'à la porte de quelque appartement impossible où il pouvait y avoir à leur avis quelqu'un qui répondît au nom qu'on leur disait ou un monsieur qui saurait mieux renseigner K. Finalement, K. n'eut presque plus à interroger lui-même ; on le mena à peu près partout. Il en faillit déplorer sa méthode qui lui avait d'abord[12] paru si pratique. Au cinquième étage, il décida de renoncer à ses recherches, prit congé d'un jeune ouvrier qui voulait très aimablement le mener un peu plus haut, et redescendit. Mais, dépité alors par l'inutilité de son entreprise, il finit tout de même par remonter et frappa à une porte du cinquième. La première chose qu'il vit dans la petite pièce fut une grande horloge qui marquait déjà dix heures.

« Est-ce ici chez le menuisier Lanz ? demanda-t-il.

— Entrez », dit une jeune femme aux yeux noirs en train de laver du linge d'enfants dans un baquet, en lui montrant de sa main savonneuse la porte ouverte de la pièce voisine.

K. crut qu'il avait mis les pieds dans une réunion publique. Une foule de gens les plus divers emplissait une pièce à deux fenêtres autour de laquelle courait à faible distance du plafond une galerie bondée de monde et où les spectateurs ne pouvaient se tenir que courbés, la tête et le dos butant le plafond[13]. Nul ne s'inquiéta de son entrée.

K., trouvant l'air trop épais, ressortit[14] et dit à la jeune femme qui l'avait sans doute mal compris :

« Je vous avais demandé un certain Lanz qui est menuisier de son état.

— Mais oui ! dit la femme, vous n'avez qu'à entrer. »

K. ne l'eût sans doute pas fait si elle n'avait saisi juste à ce moment la poignée de la porte en disant :

« Après vous il faut que je ferme ; personne n'a plus le droit d'entrer.

— C'est fort raisonnable, dit K., mais la pièce est déjà trop pleine. »

Puis il entra tout de même. Entre deux hommes qui s'entretenaient contre la porte — l'un faisait des deux mains le geste de donner de l'argent, l'autre le regardait dans les yeux — une main vint agripper K. C'était celle d'un petit jeune homme aux joues rouges.

« Venez, venez », disait-il.

K. se laissa conduire ; il s'aperçut que la cohue laissait un étroit passage qui devait séparer deux partis ; c'était d'autant plus vraisemblable que tout le long des deux premières rangées, celle de droite et celle de gauche, il ne vit pas un seul visage tourné vers lui, mais seulement les dos de gens qui n'adressaient leurs discours et leurs gestes qu'à une moitié de l'assemblée. La plupart[15] étaient vêtus de noir et portaient de longues redingotes de cérémonie qui pendaient mollement sur leurs corps. C'était ce vêtement qui désorientait K. ; sans lui il aurait cru se trouver dans une réunion politique.

À l'autre bout de la pièce, où on le conduisit, une petite table avait été posée en large sur une estrade basse et couverte de gens comme le reste de la salle ; derrière la table, près du bord de cette estrade, un petit homme gras et essoufflé était assis, en train de parler, au milieu de rires bruyants, avec un homme qui se tenait debout derrière lui, les jambes croisées et les coudes appuyés sur le dossier de la chaise de son interlocuteur. Il agitait parfois les bras en l'air comme pour caricaturer quelqu'un ; le jeune homme qui conduisait K. eut peine à exécuter sa mission. Il avait déjà cherché par deux fois, en se levant sur la pointe des pieds, à annoncer son visiteur sans parvenir à se faire voir du petit homme. Ce ne fut que quand l'une des personnes de l'estrade eut attiré son attention sur le garçon que le petit homme se retourna et écouta en se penchant la communication que l'autre lui chuchota. Puis il sortit sa montre et jeta un bref regard sur K.

« Vous auriez dû vous présenter, dit-il, il y a une heure et cinq minutes. »

K. voulut répondre quelque chose, mais il n'en eut pas le temps, car, à peine l'homme eut-il fini de parler, qu'un murmure général s'éleva dans la moitié droite de la salle.

« Vous auriez dû vous présenter il y a une heure et cinq minutes », répéta alors l'homme en élevant la voix et en jetant les yeux sur le public.

La rumeur enfla subitement, puis, l'homme ne disant plus rien, s'apaisa petit à petit. Le calme était maintenant plus grand qu'au moment de l'entrée de K. Seuls les gens de la galerie ne cessaient de faire leurs remarques. Autant qu'on pût les distinguer dans la pénombre, la poussière et la fumée, ils semblaient bien plus mal vêtus que ceux d'en bas. Beaucoup d'entre eux avaient apporté des coussins qu'ils avaient mis entre leur tête et le plafond pour ne pas se cogner le crâne.

K., ayant décidé d'observer plus que de parler, renonça à s'excuser de son prétendu retard et se contenta de déclarer :

« Que je sois venu trop tard ou pas, maintenant je suis ici. »

Les applaudissements retentirent de nouveau dans la moitié droite de la salle.

« Les faveurs de ces gens sont faciles à gagner »,
pensa K., inquiet seulement du silence de la moitié
gauche devant laquelle il se tenait et d'où ne s'étaient
élevées que des approbations isolées. Il se demanda ce
qu'il pourrait dire pour gagner tout le monde d'un seul
coup ou, si ce n'était pas possible, pour s'acquérir au
moins un temps la sympathie de ceux qui s'étaient tus
jusque-là.

« Oui, lui répondit alors le petit homme, mais je ne
suis plus obligé de vous écouter maintenant. »

Le murmure recommença, mais il prêtait cette fois à
des malentendus car l'homme continuait à parler tout
en faisant signe aux gens de se taire :

« Je le ferai pourtant aujourd'hui, une fois encore,
par exception [mais un pareil retard ne doit plus se
renouveler]. Et maintenant avancez. »

Quelqu'un sauta au pied de l'estrade, laissant à K.
une place libre qu'il vint prendre. Il se trouvait collé
contre le bord de la table et il y avait une telle presse
derrière lui qu'il était obligé de résister aux gens pour
ne pas risquer de renverser la table du juge d'instruction et peut-être le juge avec.

Mais le juge [16] d'instruction ne s'en inquiétait pas le
moins du monde, il était confortablement assis sur sa
chaise. Après avoir dit un mot à l'homme qui se tenait
derrière lui, il saisit un petit registre, le seul objet qui
se trouvât là. On eût dit un vieux cahier d'écolier tout
déformé à force d'avoir été feuilleté.

« Voyons donc, dit le juge d'instruction en tournant
les feuilles du registre et en s'adressant à K. sur le ton
d'une constatation ; vous êtes peintre en bâtiments ?

— Non, dit K., je suis le fondé de pouvoir d'une
grande banque. »

Cette réponse fut saluée par le parti de droite d'un
rire si cordial que K. ne put s'empêcher de faire
chorus. Les gens avaient posé leurs mains sur leurs

genoux et se secouaient comme dans un terrible accès
de toux ; le juge d'instruction, furieux et ne pouvant
sans doute rien contre le parterre, chercha à se
dédommager sur la galerie et la menaça en fronçant
ses sourcils, qu'on ne remarquait pas d'ordinaire, mais
qui parurent hérissés, noirs et terribles en ce moment
d'irritation.

La moitié [17] gauche de la salle avait conservé tout
son calme ; les gens restaient bien alignés, le visage
tourné vers l'estrade et écoutaient aussi tranquillement
le vacarme d'en haut que celui d'à côté ; ils laissaient
même certains d'entre eux sortir des rangs et se mêler
de temps en temps à l'autre parti. Ces gens de gauche,
qui étaient d'ailleurs les moins nombreux, n'étaient
peut-être pas plus forts au fond que ceux de droite,
mais le calme de leur conduite leur donnait [18] plus
d'autorité. Lorsque K. se mit à parler, il se sentait
convaincu qu'ils étaient de son avis.

« Vous m'avez demandé, dit-il, monsieur le Juge
d'instruction, si je suis peintre en bâtiments ; ou, pour
mieux dire, vous ne m'avez rien demandé du tout,
vous m'avez asséné votre constatation comme une
vérité première ; cela caractérise bien la façon dont
tout le procès a été mené contre moi ; vous pouvez
m'objecter d'ailleurs qu'il ne s'agit pas d'un procès.
Dans ce cas, je vous donne cent fois raison ; vos
procédés ne constituent une procédure que si je
l'admets. C'est ce que je veux bien faire pour le
moment ; en quelque sorte par pitié ; c'est à ce prix seul
qu'on peut se résoudre à leur accorder quelque
attention. Je ne dis pas qu'ils représentent un sabotage
de la justice, mais j'aimerais vous avoir fourni cette
expression pour qu'elle vous vînt à vous-même en y
songeant. »

K. s'interrompit [19] alors pour regarder dans la salle.
Ses paroles avaient été sévères, plus sévères qu'il ne

l'avait projeté, mais elles étaient restées justes. Elles auraient mérité les applaudissements de l'un ou de l'autre parti, pourtant tout le monde restait muet ; on attendait visiblement la suite avec une grande curiosité ; peut-être se préparait-on en cachette à un éclat qui mettrait fin à tout. Aussi K. fut-il ennuyé de voir entrer à ce moment la jeune laveuse qui, ayant sans doute terminé son travail, venait prendre sa part du spectacle ; il ne put empêcher le public, malgré toutes ses précautions, de détourner un peu le regard. Seul le juge d'instruction lui fit vraiment plaisir, car il semblait piqué par ses observations. Surpris par l'interpellation au moment où il s'était levé pour apostropher la galerie, il avait écouté jusque-là sans s'asseoir. Il profita de l'interruption pour le faire insensiblement, comme s'il eût fallu éviter de laisser remarquer ce geste.

Puis [20], pour se donner une contenance probablement, il reprit le registre en main.

« Tout cela ne sert à rien, dit K. Votre registre, monsieur le Juge, confirme lui-même mes paroles. »

Satisfait de n'entendre plus que son calme discours au sein de cette assemblée, il eut l'audace d'empoigner le cahier du juge d'instruction et de le brandir en le tenant du bout des doigts par une page du milieu comme s'il avait peur de le toucher, de sorte qu'on vit les feuillets pendiller de chaque côté, étalant au grand jour leurs pattes de mouche, leurs taches et leurs marques jaunâtres.

« Voilà les documents de M. le Juge d'instruction, dit K. en laissant retomber le registre sur la table. Continuez à les éplucher, monsieur le Juge d'instruction, je ne redoute pas ces feuilles accusatrices, bien qu'elles soient hors de ma portée, car je ne puis que les effleurer du bout des doigts [21]. »

Le juge d'instruction prit le registre comme il était

tombé sur la table, chercha à le retaper un peu et le remit devant ses yeux. C'était [22] un signe de profonde humiliation, du moins était-on forcé de l'interpréter ainsi.

Les gens de la première rangée tendaient leurs visages vers K. avec une telle curiosité qu'il s'attarda un petit moment à les regarder. C'étaient de vieux hommes, plusieurs avaient la barbe blanche ; peut-être tout dépendait-il de ces vieillards ; c'étaient peut-être eux qui pouvaient le mieux influencer cette assemblée que l'humiliation du juge d'instruction n'avait pas réussi à faire sortir de l'impassibilité où elle était tombée depuis le discours de K.

« Ce qui m'est arrivé, poursuivit-il un peu plus bas que précédemment, et il cherchait à chaque instant à scruter les visages de la première rangée — ce qui prêtait à son discours une apparence un peu distraite —, ce qui m'est arrivé n'est qu'un cas isolé ; il n'aurait donc pas grande importance, car je ne le prends pas au tragique, s'il ne résumait la façon dont on procède avec bien d'autres qu'avec moi. C'est pour ceux-là que je parle ici et non pour moi. »

Il avait involontairement élevé la voix. Quelqu'un applaudit quelque part à bras tendus en criant :

« Bravo ! et pourquoi pas ? Bravo et encore bravo ! »

Certains vieillards du premier rang passèrent la main dans leurs barbes ; l'exclamation n'en fit retourner aucun. K. ne lui attribua non plus aucune importance, mais il en fut tout de même encouragé, il n'estimait plus nécessaire que tout le monde l'applaudît ; il suffisait que la plupart des gens fussent poussés à la réflexion et qu'il en persuadât quelqu'un de temps à autre.

« Je ne cherche pas un succès d'orateur, dit-il, suivant le fil secret de sa pensée ; je ne réussirais d'ailleurs pas. M. le Juge d'instruction parle sans

doute beaucoup mieux que moi, cela entre dans ses
attributions. Je veux simplement présenter au jugement du public une anomalie qui est publique. Écou-
tez ceci : J'ai été arrêté il y a environ dix jours — le fait
en lui-même m'amuse, mais ce n'est pas de cela qu'il
s'agit. On est venu me surprendre au lit de grand
matin ; peut-être — après ce qu'a dit le juge d'instruction cela m'apparaît fort possible —, peut-être avait-
on reçu l'ordre d'arrêter quelque peintre en bâtiments
tout aussi innocent que moi, mais en tout cas c'est moi
qu'on choisit pour opérer. La pièce voisine fut occupée
par deux grossiers inspecteurs. Si j'avais été un bandit
dangereux on n'aurait pas pris plus de précautions.
Ces inspecteurs étaient d'ailleurs des individus sans
moralité qui m'ont cassé les oreilles pour se faire
soudoyer, pour m'escroquer mes habits et mon linge ;
ils m'ont demandé de l'argent pour aller me chercher,
disaient-ils, à déjeuner, après avoir effrontément bu
mon propre café au lait sous mes yeux. Et ce n'est pas
tout ! On m'a conduit devant le brigadier dans une
troisième pièce de l'appartement. C'était la chambre
d'une dame pour laquelle j'ai beaucoup d'estime et il a
fallu que je voie cette chambre polluée, en quelque
sorte à cause de moi, quoique sans ma faute, par la
présence des inspecteurs et du brigadier. Il était
difficile de garder son sang-froid. J'y réussis cependant
et je demandai au brigadier avec le plus grand calme
— s'il était ici il serait obligé de le reconnaître lui-
même — pourquoi j'étais arrêté ? Que pensez-vous que
me répondit alors ce brigadier — que je vois encore
devant moi, assis sur la chaise de cette dame comme
un symbole de l'orgueil stupide ? Messieurs, il ne me
répondit rien : peut-être, d'ailleurs, n'en savait-il vraiment pas plus ; il m'avait arrêté, cela lui suffisait. Plus
fort ! il avait amené dans la chambre de cette dame
trois employés subalternes de ma banque qui passè-

rent leur temps à tripoter et à déranger ses photographies. La présence de ces employés avait naturellement encore un autre but : ils étaient destinés, tout comme ma logeuse et sa bonne, à répandre la nouvelle de mon arrestation, à nuire à ma réputation et à ébranler ma situation à la banque. Rien de tout cela n'a réussi, si faiblement que ce soit ; ma logeuse elle-même, une personne très simple — je veux la nommer ici afin de lui rendre hommage, elle s'appelle Mme Grubach —, Mme Grubach elle-même a donc été assez raisonnable pour reconnaître qu'une pareille arrestation n'a pas plus d'importance qu'une attaque exécutée dans la rue par des individus mal surveillés. Tout cela ne m'a causé, je le répète, que des désagréments passagers, mais les conséquences[23] n'auraient-elles pas pu être pires ? »

S'interrompant pour jeter un regard sur le juge d'instruction [qui restait toujours silencieux], K. remarqua que celui-ci faisait signe de l'œil à quelqu'un de la foule. Il sourit alors et dit :

« M. le Juge d'instruction est en train de donner à quelqu'un d'entre vous un signal secret. Il y a donc parmi vous des gens que l'on dirige d'ici. J'ignore[24] si ce signal doit provoquer de votre part des huées ou des applaudissements, et je renonce volontairement, en trahissant prématurément la chose, à en connaître la signification. Elle m'est parfaitement indifférente et j'accorde pleine licence à M. le Juge d'instruction de donner ses ordres à haute voix à ses employés stipendiés au lieu d'user de signes secrets ; il n'a qu'à leur dire carrément : " Maintenant, sifflez " ou : " Maintenant, applaudissez ". »

Le juge d'instruction, impatient ou gêné, faisait aller et venir son siège. L'homme[25] qui se tenait derrière lui, et avec lequel il s'était déjà entretenu précédemment, se pencha de nouveau vers lui, soit pour l'encourager d'une façon générale, soit pour lui donner un conseil particulier. En bas[26], les gens s'entretenaient, à voix basse mais vivement. Les deux partis, qui semblaient avoir été précédemment d'opinions si différentes, se réunirent ; quelques personnes se montraient K. du bout du doigt ; d'autres faisaient voir le juge.

Les émanations de la salle formaient une vapeur importune ; elles empêchaient même de bien voir les gens qui se trouvaient au fond. Elles devaient[27] surtout incommoder les spectateurs de la galerie, qui étaient obligés, pour se tenir au courant, d'interroger le public d'en bas, ce qu'ils ne faisaient qu'à voix basse, après avoir jeté un regard inquiet du côté du juge d'instruction. Les réponses revenaient à voix tout aussi basse derrière la main que le questionné mettait en écran sur sa bouche[28].

« Je vais avoir fini », dit K. en frappant du poing sur la table, car il n'y avait pas de sonnette.

La tête du juge d'instruction et celle de son conseiller se séparèrent d'un seul coup dans le sursaut de leur effroi.

« Cette affaire[29] ne me touche pas ; je la juge donc de sang-froid et, à supposer que vous attachiez quelque importance à ce prétendu tribunal, vous pouvez avoir grand avantage à m'écouter. Je vous prie donc de remettre à plus tard vos réflexions sur mes propos, car je ne dispose que de peu de temps et je vais repartir bientôt. »

Le silence se fit immédiatement, tant K. était déjà maître de l'assemblée. On ne criait plus comme au début, on n'applaudissait même plus et l'on semblait déjà convaincu ou en bonne voie de le devenir.

« N'en doutons pas, messieurs, poursuivit K. tout bas, car il était heureux de jouir de l'attention passionnée de l'assemblée — il se produisait dans ce calme une sorte de bourdonnement plus excitant que les bravos les plus ravis —, n'en doutons pas [30], messieurs, derrière les manifestations de cette justice, derrière mon arrestation par conséquent, pour parler de moi, et derrière l'interrogatoire qu'on me fait subir aujourd'hui, se trouve une grande organisation, une organisation qui non seulement occupe des inspecteurs vénaux, des brigadiers et des juges d'instruction stupides [— le plus qu'on peut attendre d'eux est qu'ils restent modestes —], mais qui entretient encore des juges de haut rang avec leur indispensable et nombreuse suite de valets, de scribes, de gendarmes et autres auxiliaires, peut-être même de bourreaux, je ne recule pas devant le mot. Et maintenant le sens, messieurs, de cette grande organisation ? C'est de faire arrêter des innocents et de leur intenter des procès sans raison et, la plupart du temps aussi — comme dans mon cas — sans résultat. Comment, au milieu du non-sens de l'ensemble d'un tel système, la vénalité des fonctionnaires n'éclaterait-elle pas ?

« Il est impossible, messieurs, qu'elle n'éclate pas au grand jour ! Le plus grand juge n'arriverait pas à l'étouffer, même pour lui ! Et c'est pourquoi les inspecteurs cherchent [31] à voler les effets sur le dos de l'accusé, c'est pourquoi les brigadiers s'introduisent chez les gens, c'est pourquoi des innocents doivent se voir déshonorés devant des assemblées entières au lieu d'être interrogés normalement ! Les inspecteurs ne m'ont parlé que de dépôts dans lesquels on place la propriété des accusés ; je voudrais bien voir ces dépôts, où un avoir péniblement amassé croupit sans fruit en attendant d'être volé par des fonctionnaires criminels ! »

K. fut interrompu par un glapissement venu du fond de la salle ; il mit sa main en visière sur ses yeux pour arriver à voir un peu, car la terne lueur du jour donnait un ton blanchâtre aux vapeurs de la salle et aveuglait

quand on cherchait à voir. Le cri venait du côté de la
laveuse dans laquelle[32] K. avait reconnu, dès son
entrée, un grave élément de désordre. Était-elle coupable cette fois-ci? On ne pouvait pas s'en rendre
compte. K. voyait seulement qu'un homme l'avait
attirée dans un coin près de la porte et la pressait
contre son corps. Mais ce n'était pas elle qui criait,
c'était l'homme; il avait la bouche grande ouverte et
regardait au plafond.

Un petit cercle s'était formé autour des acteurs de
cette scène et les gens de la galerie semblaient ravis de
cette diversion au sérieux que K. avait introduit dans
l'assemblée.

K., sous le coup de la première impression, voulut
aller immédiatement rétablir l'ordre, pensant d'abord
que tout le monde aurait à cœur de le soutenir et de
chasser tout au moins le couple de la salle; mais il se
heurta dès les premiers rangs à des gens qui ne
bougèrent pas et ne le laissèrent pas passer[33]. Au
contraire on l'en empêcha, [des vieillards lui barrèrent
la route en étendant le bras] et une main — il n'eut pas
le temps de se retourner — le saisit même au col, dans
le dos; il cessa de penser au couple, il lui sembla qu'on
cherchait à attenter à sa liberté et que son arrestation
devenait vraiment sérieuse, aussi sauta-t-il d'un bond
au pied de l'estrade. Il se trouvait maintenant face à
face avec la foule. Avait-il mal jugé les gens? Avait-il
trop espéré de son discours? Avait-on dissimulé tant
qu'il avait parlé et les masques tombaient-ils maintenant qu'il s'agissait d'en venir aux actes? Quelles
têtes[34] autour de lui! De petits yeux noirs passaient
dans la pénombre, les joues pendaient comme des
joues d'ivrognes, les longues barbes étaient raides et
rares, et quand on y portait la main c'était comme si
on griffait le vide avec ses doigts, mais sous les barbes
— et ce fut là la vraie découverte de K. — des insignes

de diverses tailles et de diverses couleurs brillaient sur les cols de ces gens. Tous semblaient porter ces insignes, tous faisaient partie du même clan, ceux de droite comme ceux de gauche, et, en se retournant brusquement, K. vit aussi les mêmes insignes au col du juge d'instruction qui, les mains croisées sur le ventre, regardait tranquillement la salle.

« Ah! ah! s'écria K. en levant les bras au ciel, car cette subite découverte avait besoin de quelque espace pour s'exprimer. Vous êtes donc tous, à ce que je vois, des fonctionnaires de la justice, vous êtes cette bande de vendus dont je parlais, vous vous êtes réunis ici pour écouter et espionner, vous avez fait semblant de former des partis pour me tromper ; si vous applaudissiez, c'était pour me sonder : vous vouliez savoir comment il faut s'y prendre pour induire un innocent en tentation. Eh bien! ce n'était pas la peine : ou bien [35] vous vous êtes amusés de voir que quelqu'un attendait de vous la défense de l'innocence, ou bien... (« Laissez-moi ou je cogne! » cria-t-il à un vieillard tremblotant qui s'était trop approché de lui) ou bien vous avez réellement appris quelque chose ; je vous félicite de votre joli métier. »

Il prit rapidement son chapeau sur le bord de la table et se hâta de gagner la sortie au sein du calme général, calme qui ne pouvait s'expliquer que par la plus complète surprise. Mais le juge d'instruction semblait avoir été encore plus prompt que K., car il l'attendait déjà à la porte.

« Un instant », lui dit-il.

K. s'arrêta, mais sans regarder le juge ; il n'avait d'yeux que pour la porte dont il avait déjà saisi la poignée.

« Je veux simplement, dit le juge, vous faire remarquer que vous vous êtes frustré vous-même aujourd'hui, sans avoir l'air de vous en rendre compte, de l'avantage qu'un interrogatoire représente toujours pour un accusé. »

K. dit en regardant la porte :

« Bande de fripouilles que vous êtes ! s'écria-t-il, je vous fais cadeau de tous vos interrogatoires. »

Puis il ouvrit, et descendit à toute allure l'escalier. Derrière lui, il entendit s'élever le bruit de l'assemblée qui se ranimait pour discuter les événements comme une classe qui commente un texte [36].

CHAPITRE IV

DANS LA SALLE VIDE
L'ÉTUDIANT
LES GREFFES

K. attendit de jour en jour la semaine suivante une nouvelle convocation ; il n'arrivait pas à imaginer qu'on eût pris au pied de la lettre son refus d'être interrogé, et, n'ayant encore rien reçu le samedi soir, il pensa qu'il était convoqué tacitement pour le dimanche, à la même heure et au même endroit. Il s'y rendit donc le lendemain et prit immédiatement cette fois les escaliers et les couloirs les plus directs : quelques locataires, se souvenant de lui, le saluèrent de leur seuil, mais il n'eut à demander son chemin à personne ; il ne tarda pas à arriver à la bonne porte qui s'ouvrit dès qu'il eut frappé. Sans s'attarder à regarder la femme qui lui avait ouvert — c'était celle de l'autre fois — et qui restait près de l'entrée, il allait se rendre dans la pièce voisine quand il s'entendit déclarer :

« Aujourd'hui il n'y a pas de séance.

— Pourquoi n'y aurait-il pas de séance ? » demanda-t-il incrédule.

Mais la femme le convainquit en lui ouvrant la porte de la salle. La salle était réellement vide et, dans ce vide, elle avait l'air encore plus misérable que le dimanche précédent. La table, toujours sur l'estrade, supportait quelques gros bouquins.

« Puis-je regarder ces livres ? demanda K., non par curiosité mais simplement pour pouvoir se dire qu'il n'était pas venu complètement en vain.

— Non, dit la femme en refermant la porte, ce n'est pas permis ; ces livres appartiennent au juge d'instruction.

— Ah ! ah ! voilà, fit K. en hochant la tête ; ces livres sont sans doute des codes, et les procédés de notre justice exigent naturellement que l'on soit condamné non seulement innocent mais encore sans connaître la loi.

— C'est sans doute ça, dit la femme qui n'avait pas très bien compris.

— Bien, alors je m'en vais, dit K.

— Dois-je dire quelque chose à M. le Juge d'instruction ? demanda la femme.

— Vous le connaissez ? demanda K.

— Naturellement, dit la femme, mon mari est huissier au tribunal. »

Ce fut alors que K. remarqua que ce vestibule, où il n'y avait qu'un baquet de linge le dimanche précédent, était complètement aménagé en pièce d'habitation. La femme s'aperçut de son étonnement et dit :

« Oui, on nous loge ici gratis, mais nous devons déménager les jours de séance. La situation de mon mari offre bien des inconvénients.

— Je suis moins surpris de la pièce, dit K. en la regardant avec malice, que d'apprendre que vous êtes mariée.

— Faites-vous allusion, dit la femme, à l'incident par lequel j'ai mis fin à votre discours de la dernière séance ?

— Évidemment, dit K. Aujourd'hui c'est passé et c'est déjà presque oublié ; mais, sur le moment, j'en ai été vraiment furieux. Et maintenant vous venez me dire que vous êtes une femme mariée !

— Si j'ai interrompu votre discours, cela ne pouvait vous nuire. On vous a jugé très mal une fois que vous êtes parti.

— C'est possible, dit K. éludant le dernier point ; tout cela [1] ne vous excuse pas.

— Je suis excusée aux yeux de tous ceux qui me connaissent, dit la femme ; l'homme qui m'a embrassée dimanche dernier me poursuit déjà depuis longtemps. Je ne parais peut-être pas très séduisante, mais je le suis pour celui-là. Il n'y a rien à faire contre lui, mon mari a bien dû en prendre son parti ; s'il veut garder sa situation il faut qu'il en passe par là, car ce garçon est étudiant et arrivera probablement à une très haute situation. Il est [2] toujours sur mes talons ; il venait à peine de partir au moment où vous êtes entré.

— Je n'en suis pas surpris, dit K., cela ressemble bien au reste.

— Vous cherchez peut-être à introduire ici des réformes ? demanda la femme lentement et avec un air scrutateur, comme si elle disait une chose qui pût être aussi dangereuse pour elle que pour K. C'est ce que j'avais déjà conclu de votre discours qui m'a personnellement beaucoup plu, quoique je n'en aie entendu qu'une partie, car, au début, j'étais absente et à la fin j'étais couchée sur le plancher avec l'étudiant... C'est si dégoûtant, ici ! dit-elle au bout d'un moment en prenant la main de K. Pensez-vous que vous réussirez à obtenir des améliorations ? »

K. sourit en tournant légèrement sa main dans les mains douces de la femme.

« À vrai dire, fit-il, je ne suis pas chargé d'obtenir ici des améliorations, comme vous dites, et si vous en parliez à quelqu'un, au juge d'instruction par exemple, vous vous feriez moquer de vous ; je ne me serais jamais mêlé de ces choses-là de mon plein gré et le besoin d'améliorer cette justice n'a jamais troublé mon sommeil. Mais, ayant été arrêté, car je suis arrêté, j'ai bien été forcé de m'en mêler pour mon propre compte. Si je pouvais par la même occasion vous être utile en quoi que ce fût, je le ferais naturellement très volontiers, non seulement par amour du prochain mais aussi parce qu'à votre tour vous pouvez me rendre service.

— En quoi ? lui demanda la femme.

— En me montrant, par exemple, maintenant les livres qui sont sur la table.

— Mais bien sûr ! » s'écria la femme en le faisant entrer en hâte derrière elle.

Les livres dont il s'agissait étaient de vieux bouquins usés ; l'un d'entre eux avait une reliure presque en lambeaux dont les morceaux ne tenaient plus que par des fils.

« Que tout est sale ici ! » dit K. en hochant la tête.

La femme épousseta les livres du coin de son tablier avant que K. mît la main dessus. Il prit le premier qui se présenta, l'ouvrit et aperçut une gravure indécente. Un homme et une femme nus étaient assis sur un canapé ; l'intention du graveur était visiblement obscène, mais il avait[3] été si maladroit qu'on ne pouvait guère voir là qu'un homme et une femme assis avec une raideur exagérée, qui semblaient sortir de l'image et n'arrivaient à se regarder qu'avec effort par suite de l'inexactitude de la perspective. K. n'en feuilleta pas davantage ; il se contenta d'ouvrir le second livre à la page du titre ; il s'agissait là d'un roman intitulé *Tourments que Marguerite eut à souffrir de son mari.*

« Voilà donc, dit K., les livres de loi que l'on étudie ici ! Voilà les gens par qui je dois être jugé !

— Je vous aiderai, voulez-vous ? dit la femme.

— Pouvez-vous le faire vraiment sans vous mettre vous-même en danger ? Vous disiez vous-même tout à l'heure que votre mari avait à craindre ses supérieurs ?

— Je vous aiderai tout de même, dit la femme ; venez, il faut que nous en causions. Ne me parlez plus de mes risques ; je ne crains le danger que quand je veux. [Venez !] »

Elle lui montra l'estrade et le pria de s'asseoir avec elle sur la marche.

« Vous avez de beaux yeux noirs, dit-elle quand ils furent installés, en regardant d'en bas le visage de K. On me dit que j'ai de beaux yeux, moi aussi, mais les vôtres sont bien plus beaux. Je les ai d'ailleurs remarqués tout de suite, la première fois que vous êtes venu ; c'est même à cause d'eux que je suis entrée ensuite dans la salle de réunions, ce que je ne fais jamais d'ordinaire et ce qui m'est même en quelque sorte défendu. »

« Voilà donc tout, pensa K. Elle s'offre à moi, elle est aussi corrompue que tous les autres ici ; elle a assez des gens de justice, ce qui est facile à comprendre, et elle s'adresse au premier venu en lui faisant compliment de ses yeux. »

Et il se leva sans mot dire, comme s'il avait pensé tout haut et expliqué ainsi sa conduite à la femme.

« Je ne crois pas, dit-il, que vous puissiez m'aider ; pour m'aider vraiment il faudrait être en relation avec de hauts fonctionnaires, or vous ne voyez probablement que des employés subalternes qui vont et viennent en foule ici. Ceux-là, certainement, vous les connaissez bien et vous obtiendriez peut-être beaucoup d'eux, mais les plus grands services que vous

pourriez leur faire rendre[4] n'avanceraient en rien
l'issue définitive de mon procès, vous n'auriez réussi
qu'à vous aliéner de gaieté de cœur quelques amis, et
c'est ce que je ne veux pas. Continuez à voir ces gens
comme toujours ; il me semble en effet qu'ils vous sont
indispensables ; je ne vous parle pas ainsi sans regret,
car, pour répondre à votre compliment, je vous
avouerai moi aussi que vous [aussi, vous] me plaisez,
surtout quand vous me regardez avec cet air si triste,
que rien ne motive d'ailleurs. Vous faites partie du
groupe de gens que je dois combattre, mais vous vous y
trouvez fort bien, vous aimez même l'étudiant, ou tout
au moins [,même si vous ne l'aimez pas,] vous le
préférez à votre mari, c'est une chose facile à lire dans
vos paroles.

— Non, s'écria-t-elle toujours assise, et elle saisit la
main de K. d'un geste si rapide qu'il ne put l'éviter.
Vous ne pouvez pas partir maintenant ; vous n'avez
pas le droit de partir sur un jugement faux ; pourriez-
vous[5] réellement partir en cet instant ? Suis-je vraiment si insignifiante que vous ne vouliez même pas me
faire le plaisir de rester avec moi un petit moment ?

— Vous m'avez mal compris, dit K. en se ras-
seyant. Si vous tenez vraiment à ce que je reste, je le
ferai volontiers, j'en ai le temps puisque je venais ici
dans l'espoir d'un interrogatoire. Ce que je vous ai dit
n'était que pour vous prier de n'entreprendre aucune
démarche en ma faveur. Et il n'y a là rien qui puisse
vous blesser si vous voulez bien songer que l'issue du
procès m'est totalement indifférente et que je me
moque d'être condamné, à supposer évidemment que
le procès finisse un jour réellement, ce qui me paraît
fort douteux ; je crois plutôt que la paresse, la négligence ou même la crainte des fonctionnaires de la
justice les a déjà amenés à cesser l'instruction ; sinon
cela ne tardera pas ; il est possible aussi qu'ils poursui-

vent l'affaire[6] dans l'espoir d'un gros pot-de-vin ; mais
ils en seront pour leur peine, je peux le dire d'ores et
déjà, car je ne soudoierai personne. Vous pourriez
peut-être me rendre service en disant au juge
d'instruction, ou à tout autre personnage qui aime à
répandre les nouvelles importantes, que nul des tours
de force que ces messieurs emploient sans doute en
abondance ne m'amènera[7] jamais à soudoyer quelqu'un. Ce serait peine absolument perdue, vous le leur
direz carrément. D'ailleurs, ils s'en sont peut-être déjà
aperçus tout seuls, et, même s'ils ne l'ont pas fait, je
n'attache pas tellement d'importance à ce qu'on
l'apprenne maintenant. Cela ne ferait que leur épargner du travail ; il est vrai que j'éviterais ainsi quelques
petits désagréments, mais je ne demande pas mieux
que d'essuyer ces légers ennuis pourvu que je sache
que les autres en subissent le contrecoup ; et je veille-
rai à ce qu'il en soit ainsi. Connaissez-vous le juge
d'instruction ?

— Naturellement, dit la femme, c'est à lui que je
pensais surtout quand je vous offrais de vous aider.
J'ignorais qu'il ne fût qu'un employé subalterne, mais
puisque vous me le dites c'est probablement exact. Je
crois que le rapport qu'il fournit à ses chefs a tout de
même une certaine influence. Il écrit tant de rapports !
Vous dites que les fonctionnaires sont paresseux, mais
ce n'est sûrement pas vrai de tous, et surtout pas de
celui-là ; il écrit énormément. Dimanche dernier, par
exemple, la séance a duré jusqu'au soir. Tout le monde
est parti, mais il est resté là ; il a fallu de la lumière, je
n'avais qu'une petite lampe de cuisine, il s'en est
déclaré satisfait et il s'est mis tout de suite à écrire.
Mon mari, qui avait justement congé ce jour-là, était
revenu entre-temps ; nous sommes allés chercher nos
meubles et nous avons réemménagé ; il est venu encore
des voisins et nous avons fait la causette à la lueur

d'une bougie ; bref, nous avons oublié le juge et nous sommes allés nous coucher. Tout à coup, au milieu de la nuit, il devait être déjà très tard, je me réveille et je vois le juge à côté de mon lit ! Il tenait sa main devant la lampe pour empêcher la lumière de tomber sur mon mari ; c'était une précaution inutile, car mon mari a un tel sommeil que la lumière ne l'aurait jamais réveillé. J'étais si effrayée que j'en aurais crié ; mais le juge d'instruction a été très aimable, il m'a exhortée à la prudence, il m'a soufflé à l'oreille qu'il avait écrit jusqu'alors, qu'il me rapportait la lampe et qu'il n'oublierait jamais le spectacle que je lui avais offert dans mon sommeil. Tout cela n'est que pour vous dire que le juge d'instruction écrit vraiment beaucoup de rapports, surtout sur vous, car c'est votre interrogatoire qui a fourni la matière principale de la dernière séance de deux jours. Des rapports aussi longs ne peuvent tout de même pas rester sans aucune importance ; vous voyez aussi, d'après cet incident, que le juge d'instruction me fait la cour et que je peux avoir une grosse influence sur lui, surtout maintenant, les premiers temps, car il n'a dû me remarquer que tout dernièrement. Il tient beaucoup à moi, j'en ai eu d'autres preuves. Il m'a, en effet, envoyé hier, par l'étudiant, qui est son confident et son collaborateur, une paire de bas de soie pour que je nettoie la salle[8] des séances ; mais ce n'était qu'un prétexte, car ce travail entre déjà obligatoirement dans les attributions de mon mari, on le paie pour cela. Ce sont de très beaux bas, regardez — et elle relevait ses jupes jusqu'aux genoux en tendant les jambes pour les voir elle-même —, ce sont de très beaux bas, trop même, car ils ne sont pas faits pour moi[9]. »

Elle s'interrompit brusquement et posa sa main sur celle de K. comme pour le rassurer, tandis qu'elle lui chuchotait :

« Attention, Bertold nous regarde. »

K. leva lentement les yeux. Un jeune homme se
tenait à la porte de la salle ; il était petit, il avait les
jambes tortes et il portait [10] toute sa barbe, une courte
barbe rousse et rare dans laquelle il promenait ses
doigts à tout instant pour se donner de la dignité. K. le
regarda curieusement ; c'était la première fois qu'il
rencontrait pour ainsi dire humainement un étudiant [11]
spécialisé dans cette science juridique qu'il ignorait
complètement, un homme qui parviendrait probablement un jour à une très haute fonction. L'étudiant, lui,
ne sembla pas s'inquiéter de K. le moins du monde ; il
fit un simple signe à la femme en sortant une seconde
un de ses doigts de sa barbe et alla se mettre à la
fenêtre ; la femme se pencha vers K. et lui souffla :

« Ne m'en veuillez pas, je vous en prie, et ne me
jugez pas mal non plus ; il faut que j'aille le retrouver,
cet être horrible ; voyez-moi ces jambes tordues ! Mais
je vais revenir tout de suite et je vous suivrai où vous
voudrez ; j'irai où vous désirerez, vous ferez de moi ce
qu'il vous plaira, je ne demande qu'à partir d'ici pour
le plus longtemps possible, et tant mieux si je n'y
reviens jamais ! »

Elle caressa encore la main de K., se leva en hâte et
courut à la fenêtre.

Machinalement K. fit un geste dans le vide pour
chercher à saisir la main de la laveuse, mais elle était
déjà partie. Cette femme le tentait vraiment ; et,
malgré toutes ses réflexions, il ne trouvait pas de raison
valable de ne pas céder à la tentation. Il eut bien un
instant l'idée qu'elle cherchait peut-être à le prendre
dans ses filets pour le livrer à la justice, mais ce fut une
objection qu'il détruisit sans peine. De quelle façon
pourrait-elle bien le prendre ? Ne restait-il pas toujours
assez libre pour anéantir d'un seul coup toute la
justice, au moins en ce qui le concernait ? Ne pouvait-il

se faire cette minime confiance ? Et puis cette femme avait bien l'air de demander sincèrement de l'aide, et cela pouvait être utile. Il n'y avait peut-être pas mieux à se venger du juge d'instruction et de toute sa séquelle qu'en lui enlevant cette femme et en la prenant pour son compte. Il se pourrait alors qu'un jour, après avoir longuement travaillé à des rapports menteurs sur K. [12], le juge d'instruction, au beau milieu de la nuit, trouvât le lit de la femme vide. Et vide parce qu'elle appartiendrait à K., parce que cette femme, qui se tenait à la fenêtre en ce moment, ce grand corps souple et chaud, vêtu d'un habit noir tissé d'une étoffe lourde et grossière, n'appartiendrait absolument qu'à lui [13].

Après avoir dissipé de cette façon les préventions qu'il nourrissait contre elle, il commença à trouver que le dialogue durait bien longtemps à la fenêtre et se mit à frapper sur l'estrade, d'abord des doigts, puis du poing. L'étudiant lui jeta un rapide coup d'œil pardessus l'épaule de la femme, mais ne se dérangea pas [, il] ne la serra que plus fort [et la prit dans ses bras]. Elle pencha la tête très bas comme si elle l'écoutait avec grande attention, et il profita de ce geste pour l'embrasser bruyamment dans le cou sans interrompre son discours réellement. K. crut y voir une confirmation de ce qu'elle disait elle-même au sujet de la tyrannie avec laquelle l'étudiant la traitait ; il se leva et se mit à faire les cent pas. Il se demandait [en jetant des coups d'œil du côté de l'étudiant, comment le] chasser le plus rapidement possible ; aussi ne fut-il pas mécontent que l'autre, impatienté sans doute par cette promenade qui dégénérait par moments en trépignements, lui lançât cette observation :

« Si vous êtes pressé, rien ne vous empêche de partir. Vous auriez pu le faire plus tôt, personne ne vous aurait regretté ; vous auriez même dû le faire, et dès mon entrée, et en vitesse ! »

Quelque fureur que cette sortie manifestât elle marquait aussi tout l'orgueil du futur fonctionnaire de la justice parlant à un quelconque accusé [mal considéré]. K. s'arrêta tout près de lui et lui dit en souriant :

« Je suis impatient, c'est exact, mais la meilleure façon de calmer cette impatience sera que vous nous laissiez là. Si vous êtes venu pour étudier ici — car on m'a dit que vous êtes étudiant — je ne demande pas mieux que de vous laisser la place et de m'en aller avec cette femme. Il faudra que vous étudiiez d'ailleurs encore pas mal de temps avant de devenir juge ; je ne connais pas très bien votre justice mais je pense qu'elle ne se contente pas des discours insolents dans lesquels vous vous montrez si fort.

— On n'aurait pas dû le laisser en liberté, dit l'étudiant comme pour expliquer à la femme les offensantes paroles de K. C'était une maladresse. Je l'ai dit au juge d'instruction. On aurait dû au moins le faire rester dans sa chambre [14] entre les interrogatoires. Il y a des moments où je ne comprends pas le juge.

— Pas tant de discours, dit K. en tendant la main vers la femme. Vous, arrivez !

— Ah ! ah ! voilà ! dit l'étudiant. Non, non, celle-là vous ne l'aurez pas. »

Et, enlevant son amie sur un bras avec une force qu'on ne lui aurait jamais supposée, il se dirigea le dos baissé vers la porte en jetant de temps à autre un regard de tendresse sur son fardeau. Cette fuite marquait indéniablement une certaine crainte de K. et cependant il eut l'audace de chercher encore à l'exciter en caressant et pressant le bras de la femme de sa main libre. K. fit quelques pas à ses côtés, prêt à le saisir et, s'il fallait, à l'étrangler, mais la femme lui dit alors :

« Il n'y a rien à faire — et elle passait sa main sur le visage de l'étudiant —, cette petite horreur ne me lâchera pas.

— Et vous ne voulez pas qu'on vous délivre ? s'écria
K. en posant sur l'épaule de l'étudiant une main que
l'autre chercha à mordre [15].

— Non, s'écria la femme en repoussant K. des deux
mains, non, non, surtout pas ça ! À quoi pensez-vous
donc ? Ce serait ma perte. Laissez-le donc, je vous en
prie, laissez-le donc, il ne fait qu'exécuter l'ordre du
juge d'instruction en me portant à lui.

— Eh bien ! qu'il file, et, vous, que je ne vous voie
plus ! » dit K., furieux de déception, en assenant dans
le dos de l'étudiant un coup qui le fit chanceler.

Mais, tout heureux de n'être pas tombé, l'autre n'en
courut que plus vite avec son fardeau sur les bras...

K. les suivit lentement ; il reconnaissait que c'était la
première défaite irréfutable qu'il essuyait auprès de ces
gens. Mais il n'y avait pas lieu de s'en inquiéter ; s'il
l'avait essuyée, c'était uniquement pour avoir provoqué le combat. S'il restait chez lui et continuait son
existence ordinaire, il leur resterait mille fois supérieur
et pourrait les écarter de son chemin d'un coup de
pied. Il se représentait la belle scène grotesque que
pourrait créer, par exemple, le spectacle de ce pitoyable étudiant, de ce morveux gonflé de soi, de ce
mal bâti porteur de barbe, à genoux devant le lit
d'Elsa et joignant les mains pour demander pardon.
Cette idée lui plaisait tant qu'il décida de le conduire
chez elle à la première occasion.

Il gagna [16] la porte par curiosité pour voir où l'on
menait la femme, car l'étudiant ne la porterait tout de
même pas sur son bras dans les rues. Mais il n'eut pas
à aller bien loin. On apercevait juste en face de la porte
un étroit escalier de bois qui devait conduire aux
mansardes (un tournant empêchait de voir où il allait).
Ce fut dans cet escalier que l'étudiant s'engagea avec
la femme dans ses bras, lentement, et soufflant déjà,
car il était affaibli par sa course. La femme lança à

K. un bonjour de la main et chercha à lui montrer en
haussant les épaules à plusieurs reprises qu'elle n'était
pas responsable de cet enlèvement, mais ce mouvement ne trahissait pas grand regret. K. la regarda sans
expression, comme une femme qu'il n'eût pas connue :
il ne voulait ni se montrer déçu ni faire voir qu'il
pouvait surmonter facilement sa déception.

Les deux fuyards avaient déjà disparu qu'il restait
encore sur le seuil. Il était bien obligé de voir que la
femme l'avait trompé, et doublement, en alléguant
qu'on l'emportait chez le juge, car le juge ne l'eût tout
de même pas attendue dans un grenier ! L'escalier de
bois n'expliquait rien, si longtemps qu'on l'interrogeât. K. remarqua près de la montée un petit écriteau [17] qu'il courut voir et sur lequel on pouvait lire
cette inscription tracée d'une maladroite écriture
d'enfant : « Escalier des archives judiciaires. » Les
archives de la justice se trouvaient donc dans le grenier
de cette caserne de rapport ! Ce n'était pas [18] une
installation de nature à inspirer grand respect et rien
ne pouvait mieux rassurer un accusé que de voir le peu
d'argent dont disposait cette justice qui était obligée de
loger ses archives à l'endroit où les locataires de la
maison, pauvres déjà parmi les pauvres, jetaient le
rebut de leurs objets. À vrai dire, il était possible aussi
qu'elle eût assez d'argent mais que les employés se
précipitassent dessus avant qu'elle n'eût pu s'en servir
pour les affaires de la justice [19]. C'était même très
vraisemblable d'après ce que K. avait vu jusqu'ici,
mais cette corruption, bien qu'un peu [20] déshonorante
pour l'accusé, était au fond encore plus rassurante que
ne l'eût été la pauvreté du tribunal. K. comprenait
maintenant que la justice rougît de faire venir l'inculpé
dans un grenier pour le premier interrogatoire et
qu'elle préférât aller le tarabuster dans sa propre
maison [21]. Quelle supériorité K. n'avait-il pas sur ce

juge qu'on installait dans un grenier, alors qu'il
disposait, lui, à la banque, d'une grande pièce précé-
dée d'un vestibule et pourvue d'une immense fenêtre
qui s'ouvrait sur la place la plus animée de la ville !
Évidemment il n'avait pas les bénéfices accessoires des
pots-de-vin [et des confiscations] et il ne pouvait pas se
faire servir par son groom une femme dans son bureau.
Mais il y renonçait[22] volontiers, tout au moins pour
cette vie.

Il était encore planté devant la pancarte quand un
homme monta l'escalier, regarda par la porte ouverte
dans la pièce — d'où l'on apercevait aussi la salle des
séances — et demanda finalement à K. s'il n'avait pas
vu une femme là quelques instants auparavant.

« Vous êtes sans doute l'huissier ? dit K.

— Oui, répondit l'homme, mais vous, n'êtes-vous
pas l'accusé K. ? Je vous reconnais maintenant, moi
aussi ; soyez le bienvenu. »

Et il tendit sa main à K. qui ne s'y attendait pas du
tout.

« Il n'y a pas de séance aujourd'hui, ajouta-t-il
devant le silence de K.

— Je sais, dit K. en regardant le costume civil de
l'huissier — il ne portait d'autre insigne professionnel
[, à côté des boutons ordinaires,] que deux boutons
dorés qui avaient l'air d'avoir été enlevés à un vieux
manteau d'officier. — J'ai parlé à votre femme il n'y a
qu'un instant ; mais elle n'est plus là, l'étudiant l'a
portée au juge d'instruction.

— Et voilà, dit l'huissier, on me l'emporte tout le
temps. C'est pourtant dimanche aujourd'hui ! Je ne
suis tenu à aucun travail, mais on m'envoie faire des
commissions inutiles, rien que pour m'éloigner d'ici.
Et on prend soin, par-dessus le marché, de ne pas
m'envoyer bien loin pour que je puisse me figurer que
je serai de retour à temps. Je me dépêche donc tant que

je·peux, je crie mon message par la porte à l'intéressé avec un tel essoufflement que c'est à peine s'il me comprend, je reviens à toute vitesse, mais l'étudiant[23] a fait encore plus vite que moi! C'est que son chemin n'est pas si long, il n'a que l'escalier du grenier à descendre. Si j'étais moins esclave, il y a longtemps que je l'aurais écrasé contre ce mur, ici, à côté de la pancarte. J'en rêve tout le temps... Ici, là, au-dessus du plancher, le voilà aplati, cloué, les bras en croix, les doigts écarquillés, les jambes tordues en rond, et des éclaboussures de sang tout autour. Mais jusqu'ici c'est resté un rêve.

— Il n'y a pas d'autre moyen? demanda K. en souriant.

— Je n'en vois pas, répondit l'huissier. Et c'est devenu encore pire : jusqu'ici il se contentait d'emporter ma femme chez lui, mais maintenant, comme je m'y attendais depuis longtemps, il la porte au juge d'instruction.

— Votre femme n'a-t-elle donc aucune responsabilité là-dedans? demanda K. en se faisant violence tant la jalousie se mettait à le travailler lui aussi.

— Mais si! Bien sûr! répondit l'huissier. C'est même elle la plus coupable. Elle s'est jetée à son cou. Lui, il court après toutes les femmes. Dans cette seule maison on l'a déjà mis à la porte de cinq ménages dans lesquels il s'était glissé. Malheureusement c'est ma femme qui est la plus belle de tout l'immeuble et c'est justement moi qui peux le moins me défendre.

— S'il en est ainsi, dit K., il n'y a évidemment rien à faire.

— Pourquoi donc? demanda l'huissier. Il faudrait donner une bonne fois à cet étudiant, qui est un lâche, une telle rossée, quand il voudrait toucher ma femme, qu'il ne recommencerait jamais. Mais moi je n'en ai pas le droit et nul autre ne veut me faire ce plaisir, car tout le monde craint son pouvoir. Il faudrait quelqu'un comme vous.

— Pourquoi donc ? demanda K. étonné.

— Mais parce que vous êtes accusé ! répondit l'huissier.

— Sans doute, dit K., mais c'est précisément pourquoi je devrais craindre qu'il se venge en influant, sinon sur l'issue du procès, tout au moins sur son instruction.

— Évidemment, dit l'huissier comme si le point de vue de K. était aussi juste que le sien. Mais en règle générale, on n'intente pas chez nous de procès qui ne puisse mener à rien.

— Je ne suis pas de votre avis, dit K., mais cela ne m'empêchera pas de m'occuper à l'occasion de l'étudiant.

— Je vous en serais très reconnaissant, dit l'huissier un peu cérémonieusement, mais il n'avait pas l'air de croire que son suprême désir pût jamais se réaliser.

— Il y a peut-être, fit-il, bien d'autres employés qui mériteraient le même traitement, peut-être tous !

— Mais oui, mais oui », répondit l'huissier comme s'il s'agissait d'une chose toute naturelle.

Puis il regarda K. avec plus de confiance qu'il ne lui en avait encore jamais témoigné malgré toute sa cordialité, et ajouta :

« Tout le monde se révolte en ce moment. »

Mais l'entretien [24] semblait lui être devenu un peu pénible, car il l'interrompit en disant :

« Il faut que je me présente au bureau ; voulez-vous venir avec moi ?

— Je n'ai rien à faire là-bas, dit K.

— Vous pourriez regarder les archives, personne ne s'inquiétera de vous.

— Y a-t-il donc quelque chose de curieux à y voir ?

demanda K. en hésitant, mais avec une grande envie
d'accepter.

— Ma foi, lui répondit l'huissier, je pensais que cela
vous intéresserait.

— Soit, dit K. finalement, je vous suis. »

Et il monta l'escalier encore plus vite que l'huissier.

Il faillit tomber en entrant, car il y avait encore une
marche derrière la porte.

« On n'a guère, dit-il, d'égards pour le public.

— On n'en a aucun, fit l'huissier ; vous n'avez qu'à
voir cette salle d'attente. »

C'était un long couloir où des portes grossières
s'ouvraient sur les diverses sections du grenier. Bien
que nul jour ne donnât là directement, il ne faisait pas
complètement noir, car, au lieu d'être séparés du
couloir par une paroi hermétique, bien des bureaux ne
présentaient de ce côté qu'une sorte de grillage de bois
qui laissait passer un peu la lumière et par lequel on
pouvait voir les employés en train d'écrire à leurs
pupitres, ou debout contre la claire-voie et occupés à
observer les gens qui passaient. Le public de la salle
d'attente était d'ailleurs très restreint, à cause du
dimanche ; il faisait un effet très modeste ; il était
réparti presque régulièrement sur les bancs de bois
disposés de chaque côté du couloir. Tous ces gens-là
étaient vêtus négligemment, quoique la plupart, à en
juger par leur physionomie, leur tenue, la coupe de
leur barbe et mille impondérables, appartinssent aux
meilleures classes de la société. Comme il n'y avait pas
de portemanteaux, ils avaient déposé leurs chapeaux
sous les bancs, chacun suivant sans doute en cela
l'exemple des prédécesseurs. En voyant venir K. et
l'huissier, ceux qui étaient le plus près de la porte se
levèrent pour les saluer, ce que voyant les autres se
crurent tenus aussi d'en faire autant, de sorte que tout
le monde se leva au passage de ces deux messieurs.

Personne d'ailleurs ne se redressait complètement, les dos restaient courbés et les genoux pliés : on eût cru des mendiants de coins de rue. K. attendit l'huissier qu'il avait précédé et lui dit [25] :

« Qu'ils ont dû recevoir d'humiliations !

— Oui, dit l'huissier, ce sont des accusés ; tous les gens que vous voyez là sont des accusés.

— Vraiment, dit K., ce sont donc mes collègues ? »

Et, s'adressant au plus près de lui, un grand homme maigre déjà presque grisonnant, il lui demanda poliment :

« Qu'attendez-vous ici, monsieur ? »

Mais cette interpellation inattendue déconcerta l'homme d'une façon d'autant plus pénible à voir qu'il s'agissait visiblement de quelqu'un qui connaissait le monde, qui devait être très maître de lui en tout autre lieu et qui ne devait pas oublier facilement la supériorité qu'il s'était acquise sur les autres. Ici, il ne sut que répondre à une aussi simple question et il se mit à regarder ses compagnons comme s'ils eussent été tenus de l'aider et que personne ne pût exiger de lui aucune réponse tant que nul secours ne lui viendrait. L'huissier [26] intervint alors et dit à l'homme pour le rassurer et l'encourager :

« Ce monsieur vous demande simplement ce que vous attendez. Répondez donc ! »

La voix de l'huissier, plus familière sans doute à l'homme, obtint un meilleur résultat :

« J'attends... », commença-t-il, puis il s'arrêta net.

Il avait visiblement choisi son début pour répondre de façon précise à la question posée, mais la suite ne lui vint pas. Quelques accusés s'étaient rapprochés et entouraient le groupe ; l'huissier leur dit :

« Filez, filez, débarrassez le passage. »

Ils reculèrent légèrement, mais sans rejoindre leurs anciennes positions. Cependant, l'homme interrogé avait eu le temps de se ressaisir ; il sourit même en répondant :

« J'ai envoyé il y a un mois quelques requêtes à la justice et j'attends que l'on s'en occupe.

— Vous avez l'air de vous donner beaucoup de mal, dit K.

— Oui, fit l'homme, n'est-ce pas mon affaire ?

— Tout le monde, dit K., ne pense pas comme vous ; voyez, moi, je suis accusé, mais aussi vrai que je veux aller au ciel, je n'ai jamais produit ni documents ni quoi que ce fût. Croyez-vous[27] que ce soit nécessaire ?

— Je ne sais pas au juste », dit l'homme, complètement dérouté à nouveau.

Il croyait visiblement que K. voulait plaisanter ; aussi eût-il sans doute préféré revenir complètement sur son ancienne réponse par crainte d'une nouvelle bévue, mais, devant le regard impatient de K., il se contenta de dire :

« En ce qui me concerne, j'ai produit des documents.

— Vous n'avez pas l'air de croire que je suis accusé, dit K.

— Oh ! si, Monsieur ! bien sûr ! fit l'homme en s'effaçant légèrement sur le côté, mais sa réponse témoignait de plus de crainte que de foi.

— Vous ne me croyez pas ? » demanda K.

Et, inconsciemment provoqué à ce geste par l'humilité de l'homme, il le saisit par le bras comme pour l'obliger à croire. Il ne voulait pas lui faire de mal et ne l'avait touché que très légèrement, mais l'homme poussa un hurlement comme si K. l'avait saisi avec des tenailles rougies au feu au lieu de l'effleurer du doigt. Ce cri ridicule acheva d'excéder K. ; si on ne croyait pas qu'il était accusé, c'était tant mieux après tout ; peut-être même l'homme le tenait-il pour un juge ; en

guise d'adieu, il le serra plus fort, le repoussa jusque
sur le banc et s'en alla.

« La plupart des accusés sont tellement sensibles ! »
dit l'huissier.

Derrière eux, presque tous les gens qui attendaient
se groupèrent autour de l'homme qui avait déjà cessé
de crier et semblèrent l'interroger sur les détails de
l'incident. K. vit alors venir un gendarme qu'on
reconnaissait surtout à son sabre dont le fourreau, à en
juger du moins sur la couleur, devait être en alumi-
nium. K. en fut si étonné qu'il tâta l'arme pour savoir.
Le gendarme, qui avait été attiré par le cri de l'accusé,
demanda ce qui s'était passé. L'huissier chercha à le
rassurer en quelques mots, mais le gendarme déclara
qu'il devait aller se rendre compte par lui-même, salua
et partit à petits pas rapides : c'était sans doute la
goutte qui rendait ses pas si brefs.

K. ne s'inquiéta [28] pas longtemps de lui ni des gens
du couloir, car il découvrit vers le milieu un passage
sans porte qui lui permettait d'obliquer à droite. Il
demanda à l'huissier si c'était là le bon chemin,
l'huissier lui fit oui de la tête et K. s'engagea dans le
passage. Il lui était pénible d'être toujours obligé de
précéder d'un ou deux pas son compagnon, car cette
façon de marcher pouvait le faire prendre, au moins
ici, pour un criminel qu'on amène au juge. Il attendait
donc fréquemment son guide, mais celui-ci reprenait
toujours un léger retard. Pour couper [29] court à ce
malaise, K. finit par déclarer :

« J'en ai assez vu, maintenant je voudrais partir.

— Vous n'avez pas encore tout vu, dit l'huissier
avec une désespérante candeur.

— Je ne veux [30] pas tout voir, dit K. qui se sentait
d'ailleurs réellement fatigué ; je veux m'en aller ; par
où sort-on ?

— Vous n'êtes tout de même pas perdu ? demanda

l'huissier étonné. Vous n'avez qu'à tourner au coin et à reprendre le couloir jusqu'à la porte.

— Venez avec moi, dit K.; montrez-moi le chemin, autrement je me tromperai; il y en a tant!

— Mais c'est le seul! dit l'huissier d'un ton déjà réprobateur. Je ne peux pas revenir avec vous, il faut que je porte mon message, et j'ai déjà perdu beaucoup de temps pour vous.

— Suivez-moi, répéta K. violemment, comme s'il venait de prendre l'huissier en flagrant délit de mensonge.

— Ne criez donc pas comme ça! souffla l'huissier, c'est plein de bureaux partout; si vous ne voulez pas revenir tout seul, accompagnez-moi encore un instant, ou bien attendez ici que j'aie fait ma commission [et je repartirai bien volontiers avec vous].

— Non! non! dit K., je n'attends pas; il faut me suivre tout de suite. »

Il n'avait pas encore eu le temps d'inspecter l'endroit où il se trouvait; ce ne fut qu'en voyant s'ouvrir une des nombreuses portes de bois qui l'entouraient qu'il examina les lieux. Une jeune fille, attirée sans doute par son cri, se présenta : Que désirait Monsieur? Derrière elle [31], on voyait au loin un homme qui s'avançait aussi dans la pénombre. K. regarda l'huissier; cet individu lui avait pourtant déclaré que personne ne s'inquiétait de lui! Maintenant il avait déjà deux bureaucrates sur les bras! Un peu plus, tous les employés viendraient lui tomber sur le dos pour lui demander ce qu'il faisait. La seule explication plausible qu'il pût donner de sa présence révélerait sa qualité d'accusé; il lui faudrait dire la date du prochain interrogatoire; et c'était justement ce qu'il ne voulait pas, car il n'était venu [32] que par curiosité, ou — explication encore plus impossible à donner — guidé par le désir de constater que l'intérieur de cette justice était aussi répugnant que ses

dehors ; et il lui semblait bien ne s'être pas trompé ; il
ne voulait pas aller plus loin, il en avait assez, il se
sentait suffisamment oppressé par ce qu'il avait vu
jusque-là ; il ne serait déjà plus en état de faire face à la
situation s'il rencontrait un des hauts fonctionnaires
qui pouvaient surgir à tout moment de la première
porte venue ; il voulait s'en aller, partir avec l'huissier,
ou même seul s'il le fallait.

Mais son silence devait être surprenant, car la jeune
fille et l'huissier s'étaient pris à le regarder comme s'il
allait être incessamment l'objet de quelque grande
transformation dont ils ne voulussent pas perdre le
spectacle ; l'homme que K. avait vu de loin était arrivé
lui aussi jusqu'à la porte ; il s'était appuyé des deux
mains à la traverse et se balançait sur la pointe des
pieds[33] comme un spectateur impatient. La jeune fille
fut la première à reconnaître que l'attitude de K. était
causée par un malaise, elle lui apporta un fauteuil et
lui demanda :

« Ne voulez-vous pas vous asseoir ? »

K. s'assit aussitôt et, pour mieux se tenir, appuya
même les bras sur les deux accoudoirs.

« Vous éprouvez un peu de vertige, n'est-ce pas ? »
dit la jeune fille.

Il voyait maintenant sa figure tout près de lui ; elle
avait cette expression sévère que possèdent beaucoup
de femmes dans leur plus belle jeunesse.

« Ne vous inquiétez pas de ce malaise, dit-elle, il n'a
rien d'extraordinaire ici ; on éprouve presque toujours
une crise de ce genre quand on met les pieds ici pour la
première fois. C'est bien la première fois que vous
venez ? Oui ? Alors, comme je vous le dis, ce n'est rien
que de très courant. Le soleil chauffe tellement le toit !
et les poutres sont brûlantes ; c'est ce qui rend l'air si
lourd et si oppressant. Ce n'est pas un endroit bien
fameux pour y installer des bureaux malgré tous les

avantages qu'il présente par ailleurs. Il y a des jours,
ceux de grandes séances — et c'est souvent — où l'air
est à peine respirable. Si vous songez aussi que tout le
monde vient faire sécher son linge ici — on ne peut pas
en empêcher complètement les locataires — vous ne
trouverez rien d'étonnant à votre petit malaise. Mais
on finit par s'habituer parfaitement à l'atmosphère de
l'endroit. Quand vous reviendrez pour la deuxième ou
la troisième fois, vous ne sentirez presque plus cette
oppression ; ne vous trouvez-vous pas déjà mieux [34] ? »

K. ne répondit pas ; il était trop gêné de se sentir
livré à ces gens par cette soudaine faiblesse ; d'ailleurs,
depuis qu'il savait les causes de son mal, loin d'aller
mieux, il se sentait un peu plus faible. La jeune fille
s'en aperçut immédiatement ; pour soulager un peu le
malade elle prit un harpon posé contre le mur et ouvrit
juste au-dessus de K. une lucarne qui donnait en plein
ciel. Mais il en tomba tant de suie qu'elle la referma
immédiatement et dut essuyer de son mouchoir les
mains de K., trop fatigué pour le faire lui-même ; il
serait volontiers resté tranquillement assis jusqu'à ce
qu'il eût repris assez de forces pour repartir, mais il n'y
pouvait réussir que si on ne s'inquiétait pas de lui. Et
voilà que pour comble la jeune fille déclara :

« Vous ne pouvez pas rester ici ; vous gênez la
circulation. »

K. leva les sourcils comme pour demander quelle
était cette circulation qu'il risquait tant de gêner là.

« Je vous mènerai à l'infirmerie [35], si vous voulez.
Aidez-moi, s'il vous plaît », dit-elle à l'homme de la
porte qui se rapprocha immédiatement.

Mais K. ne voulait pas aller à l'infirmerie ; il désirait
justement éviter qu'on ne le conduisît plus loin ; plus il
s'enfoncerait en ces lieux, plus son malaise s'aggraverait.

« Je peux déjà marcher », dit-il en se levant gauchement, ankylosé qu'il était par sa longue station assise.

Mais il ne put se tenir droit.

« Ça ne va pas », fit-il en secouant la tête.

Et il se rassit en soupirant. Il se rappela l'huissier qui aurait pu le reconduire si facilement, mais l'huissier devait être parti depuis longtemps, car K. avait beau regarder entre l'homme et la jeune fille qui se tenaient devant lui, il n'arrivait pas à le trouver.

« Je crois, dit l'homme, qui était vêtu élégamment — on remarquait surtout son gilet gris dont les pointes aiguës formaient comme une queue d'hirondelle —, je crois [36] que le malaise de ce monsieur est dû à l'atmosphère d'ici; le mieux serait donc, pour lui comme pour nous, non pas de le mener à l'infirmerie, mais de le faire sortir des bureaux.

— C'est cela! s'écria K., qui, de joie, interrompit presque cet homme. J'irai tout de suite mieux; d'ailleurs, je ne me sens pas tellement faible; j'ai besoin simplement qu'on me soutienne un peu sous les bras, je ne vous donnerai pas beaucoup de mal, et puis le chemin n'est pas long, vous n'avez qu'à me mener jusqu'à la porte, je m'assiérai encore un peu sur les marches et je serai remis du premier coup, car je n'ai jamais été sujet à de tels malaises, celui-ci me surprend beaucoup. Je suis [moi-même employé et] habitué, moi aussi, à l'atmosphère des bureaux, mais ici, comme vous le dites vous-même, elle est vraiment exagérée. Auriez-vous [37] la bonté de me reconduire un peu ? J'ai le vertige et je me trouve mal quand je me lève seul. »

Et il releva les épaules pour se faire prendre plus facilement [38] sous les bras.

Mais l'homme ne lui obéit pas; il resta tranquillement les deux mains dans ses poches et se mit à rire bruyamment :

« Vous voyez bien, dit-il à la jeune fille, n'avais-je

pas deviné juste ? Ce n'est qu'ici que ce monsieur ne se trouve pas bien ; ailleurs, cela ne lui arrive pas. »

La jeune fille sourit aussi, mais donna une petite tape sur le bras de l'homme comme s'il était allé trop loin [dans la plaisanterie].

« À quoi songez-vous donc ! dit l'homme, riant toujours, je ne demande pas mieux que de reconduire ce monsieur !

— Alors, c'est bon, dit la jeune fille en penchant un instant sa jolie tête. N'accordez pas trop d'importance à ce rire, ajouta-t-elle en s'adressant à K. qui, redevenu tout triste, regardait fixement devant lui et ne semblait pas avoir besoin d'explication. Ce monsieur — permettez-moi de vous le présenter (le monsieur permit ici d'un geste de la main [39]) —, ce monsieur est notre préposé aux renseignements. Il donne aux inculpés toutes les informations dont ils peuvent avoir besoin, et, comme nos méthodes de procédure ne sont pas très connues dans la population, on demande beaucoup de renseignements. Il a réponse à tout. Vous n'avez qu'à le mettre à l'épreuve si vous en avez envie. Mais ce n'est pas là son seul mérite ; il a aussi le privilège de l'élégance ! Nous avons pensé (par « nous » j'entends les autres fonctionnaires) qu'il fallait vêtir élégamment le préposé aux renseignements pour impressionner favorablement le public, car c'est toujours à lui que les inculpés ont affaire en premier lieu. Les autres sont, hélas, beaucoup plus mal vêtus ; vous n'avez qu'à me regarder ; la mode ne nous inquiète guère ; c'est qu'il n'y aurait pas grand intérêt pour nous à nous mettre en frais de toilette, étant donné que nous passons presque tout notre temps dans les bureaux ; c'est même là que nous dormons. Mais, comme je vous le disais, pour notre préposé aux renseignements nous avons jugé qu'un beau costume était nécessaire. Malheureusement, comme notre

administration, un peu bizarre à cet égard, n'a pas
voulu le fournir elle-même, nous avons fait une collecte
— les inculpés ont donné aussi ; c'est ainsi que nous
avons pu acheter à notre collègue le bel habit que vous
voyez et même quelques autres avec. Tout irait donc
maintenant pour faire bonne impression s'il ne gâchait
notre œuvre par ce rire qui effraie tous les inculpés.

— Et voilà, dit ironiquement [40] le préposé aux
renseignements ; mais je ne vois pas, mademoiselle,
pourquoi vous éprouvez le besoin de raconter tous nos
secrets à ce monsieur, ou plutôt de les lui imposer, car
il ne tient pas le moins du monde à les apprendre ;
voyez-le donc, il est tout absorbé par ses propres
affaires. »

K. n'avait même pas envie de contredire ; l'intention
de la jeune fille était peut-être excellente ; elle visait
peut-être à le distraire où à lui donner le temps de se
remettre, mais elle avait raté son but.

« Il fallait bien que je lui explique votre rire, dit la
jeune fille ; il était offensant.

— Je crois, répondit l'employé, que ce monsieur me
pardonnerait de bien pires offenses pourvu que je le
reconduise à la sortie. »

K. ne dit rien ; il ne leva même pas les yeux ; il
admettait qu'on parlât de lui comme d'une chose et
préférait même qu'il en fût ainsi, mais soudain il sentit
la main de l'informateur sur l'un de ses bras et celle de
la jeune fille sur l'autre.

« Allons, debout, homme fragile ! dit le préposé [41]
aux renseignements.

— Je vous remercie mille fois tous deux, fit K. en se
levant lentement et en conduisant lui-même les mains
de ses deux aides à l'endroit où il avait le plus besoin
d'être soutenu.

— On dirait, lui souffla la jeune fille à l'oreille
pendant qu'ils gagnaient le couloir, on dirait à

m'entendre que je cherche à faire valoir notre préposé aux renseignements, qu'on en pense ce que l'on voudra, je ne cherche qu'à dire la vérité ; il n'a pas le cœur dur ; il n'est pas chargé de reconduire jusqu'à la porte les inculpés qui se trouvent mal, et il le fait cependant volontiers ; peut-être personne de chez nous n'a-t-il le cœur dur ; nous serions peut-être disposés à rendre service à tout le monde, mais, comme employés de la justice, nous faisons souvent l'effet d'être mauvais et de ne vouloir aider personne ; c'est une chose qui me fait littéralement souffrir.

— Ne voulez-vous pas vous asseoir un peu ici ? » demanda le préposé aux renseignements.

Ils étaient déjà dans le couloir, et juste en face de l'accusé auquel K. s'était adressé en venant. K. rougissait presque d'être obligé de se montrer en tel équipage à cet homme devant lequel il se tenait si droit quelques instants plus tôt ; maintenant, deux personnes le soutenaient et le préposé aux renseignements faisait tourner son chapeau au bout de ses doigts ; ses cheveux étaient décoiffés et pendaient sur son front en sueur. Mais l'accusé ne semblait rien voir de tout cela ; il restait humblement debout devant le préposé aux renseignements — qui ne le voyait même pas — et ne cherchait qu'à faire excuser sa présence.

« Je sais, disait-il, qu'on ne peut pas s'occuper aujourd'hui de mon affaire. Mais je suis venu tout de même, pensant que je pourrais attendre ici ; c'est dimanche, j'ai le temps et je ne gêne personne.

— Il n'y a pas lieu de tant vous excuser, dit le préposé aux renseignements ; votre souci vous fait honneur ; évidemment, vous occupez inutilement une place dans la salle d'attente, mais tant que cela ne me gêne pas, je ne veux pas vous empêcher de vous tenir au courant de votre affaire ; quand on a vu comme moi tant d'inculpés qui négligent honteusement tous leurs

devoirs, on apprend à patienter avec des gens comme
vous. Asseyez-vous.

— Hein ! Sait-il parler au public ? » souffla la jeune
fille à K.

K. fit oui de la tête, mais il eut un sursaut en
s'entendant demander soudain par le préposé aux
renseignements :

« Ne voulez-vous pas vous asseoir ?

— Non, dit K., je ne veux pas finir de me reposer
ici. »

Il avait parlé avec la plus grande décision possible,
mais il aurait éprouvé en réalité le plus vif plaisir à
s'asseoir[42]. Il ressentait une sorte de mal de mer. Il se
croyait sur un bateau en mauvaise passe, il lui
semblait[43] qu'une eau furieuse frappait contre les
cloisons de bois et il croyait entendre venir du fond du
couloir un mugissement semblable à celui d'une vague
qui allait passer sur sa tête ; on eût dit que le couloir
tanguait et que de chaque côté les inculpés montaient
et descendaient en cadence[44]. Le calme de la jeune fille
et de l'homme qui le conduisaient n'en devenait que
plus incompréhensible. Le sort de K. était entre leurs
mains ; s'ils le lâchaient, il tomberait comme une
masse. [Leurs petits yeux lançaient des regards aigus.]
Il sentait leurs pas réguliers sans pouvoir les accompagner, car on était presque obligé de le porter. Il finit
bien par remarquer qu'on lui parlait, mais ne comprit
pas ; il n'entendait qu'un grand vrombissement qui
semblait emplir tout l'espace et que perçait incessamment une sorte de son aigu comme celui d'une
sirène.

« Plus fort », souffla-t-il, la tête basse, en rougissant
de ce qu'il disait, car il savait très bien, au fond, qu'on
avait parlé assez haut [: c'est lui qui n'avait pas pu les
comprendre].

Enfin, comme si le mur se fût déchiré brusquement,

un courant d'air frais vint lui souffler à la face et il entendit dire à côté de lui :

« Il veut s'en aller à tout prix, et puis, quand on lui dit que la sortie est là, on a beau le lui répéter cent fois, il ne remue pas plus qu'une souche. »

Il vit alors qu'il se trouvait devant la porte de sortie ; la jeune fille la lui avait ouverte. Il lui sembla que toutes ses forces lui revenaient d'un coup, et, pour savourer un avant-goût de liberté, il descendit immédiatement sur la première marche, d'où il fit ses adieux à l'homme et à la jeune fille qui se tenaient penchés vers lui.

« Merci beaucoup », répéta-t-il.

Et il leur serra la main à plusieurs reprises ; il ne cessa que quand il crut voir que ces gens, habitués à l'atmosphère des bureaux, supportaient difficilement l'air relativement frais qui venait de l'escalier. C'est à peine s'ils purent répondre, et la jeune fille serait peut-être même tombée s'il n'avait refermé la porte en toute hâte ; il resta encore là un moment [immobile], sortit son miroir de poche et se donna un coup de peigne, ramassa son chapeau sur la marche suivante — où le préposé aux renseignements avait dû le jeter — et descendit l'escalier si vivement [et à si grands pas] qu'il fut presque effrayé de cette transformation. Sa solide santé ne lui avait jamais causé pareille surprise. Son corps voulait-il donc se rebeller et lui préparer des ennuis d'un nouveau genre maintenant qu'il supportait si bien ceux du procès ? Peut-être faudrait-il qu'il allât voir un médecin à la prochaine occasion ? En tout cas [45], il se proposait [— car cela du moins ne dépendait que de lui —] de mieux employer ses dimanches à l'avenir.

CHAPITRE V

LE BOURREAU

[LE FOUETTEUR]

L'un des soirs suivants, comme K. passait dans le corridor qui séparait son bureau de l'escalier principal — il avait été l'un des derniers à s'en aller et il ne restait plus à la banque que deux domestiques en train de liquider les dernières expéditions dans le petit rond de lumière d'une lampe électrique —, il entendit pousser des soupirs derrière une porte qu'il avait toujours prise pour celle d'un simple cabinet de débarras. Tout étonné, il s'arrêta et écouta encore une fois pour être sûr de ne pas se tromper ; il y eut d'abord un moment de silence, puis les soupirs recommencèrent. Sa première idée fut d'aller chercher un domestique pour le cas où il aurait besoin d'un témoin ; mais il fut pris d'une si grande curiosité qu'il fit voler littéralement la porte sous sa main. Il se trouvait [1], comme il l'avait pensé, dans un cabinet de débarras ; le seuil était tout encombré d'imprimés inutilisables et de vieux encriers en terre cuite [renversés sur le sol et vidés de leur contenu], mais trois hommes occupaient le milieu, un peu courbés à cause du plafond bas. Ils étaient éclairés par une bougie fixée sur un rayon.

« Que faites-vous là ? » demanda K., dont l'émotion précipitait le débit, mais sur un ton de voix assourdi.

L'un des hommes, qui avait l'air d'être le maître des deux autres, et qu'on apercevait le premier, était vêtu d'une sorte de combinaison de cuir sombre très décolletée qui lui laissait[2] les bras entièrement nus. Il ne répondit rien. Mais les deux autres crièrent :

« Maître ! nous devons être fouettés parce que tu t'es plaint de nous au juge d'instruction. »

Ce fut alors que K. reconnut en eux les inspecteurs Franz et Willem et vit que le troisième tenait en effet une verge à la main pour les battre.

« Comment ! dit K., les yeux fixés sur eux, je ne me suis pas plaint ; j'ai simplement exposé ce qui s'était passé chez moi, où vous ne vous êtes évidemment pas conduits d'une façon irréprochable.

— Monsieur, dit Willem, pendant que Franz cherchait à se cacher derrière lui pour se protéger du troisième, si vous saviez combien nous sommes mal payés vous ne nous jugeriez pas ainsi. J'ai une famille à nourrir et Franz [que voici] voulait se marier. On cherche à s'enrichir comme on peut et ce n'est pas par le seul travail qu'on y arrive, même en s'échinant comme un bœuf. Votre beau linge m'a tenté ; naturellement il est interdit aux inspecteurs d'agir ainsi ; j'avais tort ; mais il est de tradition que le linge nous revienne ; il en a toujours été ainsi, croyez-m'en ; c'est assez naturel d'ailleurs, car à quoi ces choses-là pourraient-elles bien servir à ceux qui ont le malheur d'être arrêtés ? Évidemment, si le public apprend l'histoire, il faut que le délit soit puni[3].

— Je ne savais pas ce que vous me dites là, je n'ai d'ailleurs nullement demandé votre châtiment, il ne s'agissait pour moi que d'une question de principe.

— Franz, dit alors Willem à son collègue, ne te disais-je pas que ce monsieur n'avait pas demandé notre punition ? Tu vois bien maintenant qu'il ne savait même pas que nous devions être punis.

— Ne te laisse pas émouvoir par ces discours, dit le troisième à K., la punition est aussi juste qu'inévitable.

— Ne l'écoute pas, dit Willem en s'interrompant

seulement pour porter à sa bouche la main sur laquelle
le bourreau venait de lui donner un coup de verge.

— Nous ne sommes punis que parce que tu nous as
dénoncés, sans quoi il ne nous serait rien arrivé, même
si l'on avait appris ce que nous avons fait ; [peut-on
appeler cela de la justice ?] nous avions toujours
montré tous les deux, mais surtout moi, que nous
étions de bons gardiens. Tu avoueras [4] toi-même que
nous avons fait bonne garde du point de vue de
l'autorité. Nous pouvions espérer avancer et nous
serions certainement devenus fustigeurs nous aussi,
comme l'inspecteur qui est là et qui a eu le bonheur de
ne jamais être dénoncé — car cela n'arrive vraiment
que très rarement [5] — et maintenant, maître, tout est
perdu, voilà notre carrière finie, on ne nous emploiera
plus qu'à des travaux encore plus subalternes que la
garde des prévenus, et, par-dessus le marché, nous
avons à recevoir cette terrible bastonnade.

— Cette verge [6], fait-elle donc si grand mal ?
demanda K. en examinant l'instrument que brandissait le bourreau.

— C'est qu'il faudra nous déshabiller, dit Willem [7].

— Ah ! dans ces conditions..., fit K., et il regarda le
bourreau : c'était un homme bronzé comme un marin
avec une tête farouche et décidée.

— N'y a-t-il donc, demanda-t-il, aucun moyen de
leur éviter ces coups ?

— Non », répondit le fustigeur en secouant la tête
avec un sourire.

« Déshabillez-vous », ordonna-t-il aux inspecteurs.

Et il dit à K. :

« Il ne faut pas croire tout ce qu'ils te disent ; la peur
des coups les abrutit un peu ; ce que raconte [8] celui-ci
de sa carrière — et il montrait du doigt Willem — est
absolument ridicule. Vois donc comme il est gras ; les
premiers coups de verge se perdront dans sa graisse.

Sais-tu comment il est devenu si gras? C'est en
mangeant le déjeuner de tous les gens qu'il a arrêtés.
Est-ce qu'il n'a pas mangé le tien? Eh bien! c'est bien
ce que je te disais! Un homme qui a un pareil ventre
ne peut jamais devenir fustigeur, c'est absolument
impossible.

— Il y en a pourtant qui me ressemblent, affirma
Willem en dénouant la ceinture de son pantalon.

— Non, dit le bourreau en lui passant sa cravache
sur le cou de telle façon que l'autre en frissonna; tu
n'as pas à écouter, mais à te déshabiller.

— Je te paierai grassement si tu les laisses partir,
dit K. en sortant son portefeuille sans regarder le
bourreau — car il vaut mieux traiter ce genre d'affaires
les yeux baissés.

— Tu voudrais me dénoncer, moi aussi, dit le
bourreau, et me faire fustiger avec les autres; non,
non.

— Sois donc raisonnable, dit K.; si j'avais voulu
faire punir ces deux-là je ne chercherais pas maintenant à acheter leur liberté; je n'aurais qu'à fermer la
porte, à ne plus rien voir ni entendre et à retourner
chez moi; tu vois bien que je ne le fais pas, je tiens
beaucoup à les délivrer, et si j'avais supposé qu'ils
dussent être punis [ou qu'il y eût seulement une
chance pour qu'ils le fussent] je n'aurais jamais dit
leurs noms, car je ne les tiens pas pour responsables.
C'est l'organisation qui l'est, ce sont les hauts fonctionnaires.

— C'est bien ça, crièrent les inspecteurs, qui reçu-
rent aussitôt un coup sur leurs échines nues.

— Si tu tenais ici sous ton fouet l'un des magistrats,
lui dit K. — et il rabaissait tout en parlant la verge que
l'autre relevait déjà —, je ne t'empêcherais sûrement
pas de frapper, je te paierais au contraire afin que tu
prennes des forces pour le service de la bonne cause.

— Ce que tu dis n'est pas invraisemblable, déclara le bourreau, mais je ne me laisse pas soudoyer. Je suis employé pour fustiger et je fustige. »

L'inspecteur Franz[9] qui, s'attendant peut-être au succès de l'intervention de K., était resté jusque-là sur la réserve, s'avança vers la porte vêtu de son seul pantalon, et, s'agenouillant devant K., se pendit à son bras et lui dit :

« Si tu ne peux pas arriver à nous faire épargner tous les deux, essaye au moins de me délivrer, moi. Willem est plus vieux que moi, il a la peau plus dure à tous égards et a déjà subi une fois une peine[10] de ce genre il y a quelques années, tandis que moi je ne suis pas encore déshonoré et je n'ai agi que poussé par Willem qui est mon maître dans le bien et dans le mal. Devant la banque ma pauvre fiancée attend le résultat de l'affaire et je ne sais où me cacher. »

Il essuya[11] avec le pan de la veste de K. son visage ruisselant de larmes.

« Je n'attends plus, dit le bourreau en saisissant la verge des deux mains et en frappant sur Franz, tandis que Willem restait accroupi dans un coin et regardait à la dérobée sans risquer un seul mouvement de tête ; ce fut alors que s'éleva le cri de Franz, d'un seul jet et sur un seul ton ; il ne semblait pas provenir d'un homme mais d'une[12] machine à souffrir, tout le corridor en retentit, toute la maison dut l'entendre.

— Ne crie donc pas », lança K. hors de lui.

Et tout en regardant fiévreusement dans la direction d'où les domestiques devaient venir, il lui donna une bourrade sans violence mais qui suffit à le faire tomber ; on vit l'homme qui battait des mains pour trouver le sol ; mais il n'échappa pas au bourreau ; la verge alla le trouver à terre, on la voyait monter et descendre en cadence tandis qu'il se roulait de douleur.

Déjà, un domestique apparaissait au loin, suivi
d'un autre à quelques pas. K. eut vite fait de refermer
la porte, il s'approcha d'une fenêtre de la cour et
l'ouvrit. Le cri avait cessé complètement. Pour empêcher les domestiques d'approcher il leur cria :

« C'est moi !

— Bonsoir, monsieur le Fondé de pouvoir, répondi-
rent-ils, s'est-il passé quelque chose ?

— Non, non », répondit K., ce n'est qu'un chien
qui a hurlé dans la cour.

Mais, comme les domestiques ne bougeaient pas, il
ajouta :

« Rien ne vous empêche de rester à votre travail. »

Et, pour ne pas avoir à causer avec eux, il se pencha
à la fenêtre.

Au bout d'un moment, quand il regarda de nouveau
dans le corridor, ils étaient déjà partis. Il resta
pourtant à la croisée ; il n'osait plus retourner dans le
cabinet de débarras et il ne voulait pas non plus
rentrer chez lui. La cour qu'il regardait était petite,
carrée et entourée de bureaux ; toutes les fenêtres
étaient déjà noires, les plus hautes attrapaient tout de
même un reflet de lune. K. cherchait à distinguer dans
un coin noir les voitures à bras qui devaient se trouver
là, empêtrées les unes dans les autres [13]. Il était
tourmenté de n'avoir pu empêcher la correction des
deux inspecteurs ; mais il n'y avait pas de sa faute [14] ; si
Franz n'avait pas crié — les coups devaient faire très
mal, mais dans un moment décisif il faut savoir se
contenir — si donc Franz n'avait pas crié, K. eût très
vraisemblablement trouvé un autre moyen de convaincre le bourreau. Si tous les employés subalternes de
cette justice étaient des fripouilles, pourquoi le bourreau, celui qui avait de tous le service le plus inhu-
main, aurait-il fait exception à la règle ? K. avait bien
vu l'éclair de convoitise qui était passé dans ses yeux à

l'aspect des billets de banque. Cet homme n'avait évidemment frappé que pour faire augmenter le pot-de-vin [15], et K. n'aurait pas épargné, car il avait vraiment à cœur de délivrer les inspecteurs. Puisqu'il avait déjà commencé à lutter contre la corruption de la justice, il était tout naturel qu'il le fît aussi dans ce cas.

Mais, dès l'instant que Franz s'était mis à crier, K. n'avait plus rien à tenter, car il ne pouvait pas risquer de laisser venir les domestiques, et peut-être encore un tas de gens, qui l'auraient surpris en train de négocier avec les hommes du cabinet de débarras. C'était un sacrifice que personne ne pouvait vraiment exiger de lui. S'il avait eu l'intention de le faire c'eût été presque plus facile ; il n'aurait eu qu'à se déshabiller lui-même et à s'offrir à la place des inspecteurs. Mais le bourreau n'eût certainement pas accepté cet ersatz puisqu'il n'en eût [16] pas moins forfait gravement à son devoir sans en tirer nul bénéfice, et doublement forfait, car la personne de K. devait être sacrée pour les employés de la justice pendant toute la durée du procès. À moins que certaines dispositions ne prévissent des exceptions ? Quoi qu'il en fût, K. n'avait pu que refermer les portes, encore était-ce loin de lui épargner tout danger [17]. Il était regrettable qu'il eût porté un coup à Franz, son émotion pouvait seule expliquer sa conduite.

Les pas des domestiques se firent entendre au loin ; pour ne pas se faire remarquer il ferma alors la fenêtre et se dirigea vers l'escalier principal. Près de la porte du débarras, il s'arrêta et écouta un instant ; on n'entendait pas un bruit, l'homme pouvait bien avoir tué les inspecteurs sous les coups ; n'étaient-ils pas complètement à sa merci ? K. allongeait déjà la main vers la poignée de la porte, mais il se reprit aussitôt. Il ne pouvait plus aider personne ; tous les domestiques allaient arriver. En revanche, il se promit de parler de cette histoire et de faire punir, dans la mesure où il le pourrait, les vrais coupables qui étaient les hauts fonctionnaires dont nul n'avait encore osé se montrer à lui [18]. En redescendant le perron de la banque il observa attentivement tous les passants, mais aussi loin qu'il regardât nulle jeune fille n'attendait qui que ce fût. Les dires de Franz, qui déclarait que sa fiancée l'attendait là, représentaient donc un mensonge [19], excusable à la vérité car il n'avait eu d'autre but que d'accroître la pitié de K.

Le jour suivant, le souvenir des inspecteurs ne quitta pas l'esprit de K. Il fut distrait pendant tout son travail et, pour arriver à le finir, il resta encore au bureau un peu plus longtemps que la veille. En repartant, comme il passait devant le cabinet, son obsession le poussa à l'ouvrir, et ce qu'il aperçut alors au lieu de l'obscurité attendue le plongea dans l'affolement. Tout était [20] exactement tel qu'il l'avait trouvé la veille en ouvrant la porte, les vieux imprimés, les encriers [derrière le seuil], le bourreau avec sa verge, les inspecteurs encore complètement habillés et la bougie sur le rayon. Et les inspecteurs se mirent à se plaindre comme la veille :

« Maître [21] ! Maître ! »

K. referma aussitôt la porte et tapa même à coups de poings dessus comme si elle devait s'en trouver mieux fermée. Presque pleurant, il se rendit dans la pièce où les domestiques travaillaient [22] tranquillement à la polycopie ; ils s'arrêtèrent étonnés dans leur besogne.

« Nettoyez donc une bonne fois ce cabinet de débarras ! leur cria-t-il, on nage dans la saleté ici ! »

Les domestiques dirent qu'ils le feraient dès le lendemain ; K. approuva, car il était vraiment trop tard pour les y obliger encore comme il en avait eu l'idée. Il s'assit un instant près d'eux afin de les garder à vue, fourragea dans le tas de copies, en croyant se

donner par là l'air d'examiner le travail, puis repartit,
le cerveau vide et fatigué, en se rendant compte que les
domestiques n'oseraient pas s'en aller en même temps
que lui [23].

Un après-midi — c'était l'heure du courrier et K. se
trouvait précisément très occupé — il vit venir à lui
son oncle, un petit propriétaire foncier qui arrivait de
sa campagne et qui pénétra dans le bureau en se
glissant entre deux domestiques au moment où ils
apportaient des papiers. K. fut moins effrayé du fait
qu'il ne l'avait été de l'idée que son oncle allait arriver,
quand cette pensée lui était venue il y avait déjà
quelque temps. L'oncle était obligé de venir, K. s'en
doutait depuis un mois. À ce moment-là, il lui avait
semblé le voir, un peu voûté, écrasant son panama de
la main gauche et tendant du plus loin la droite à son
neveu — il la lançait au-dessus du bureau avec une
précipitation brutale et renversait tout au passage.
L'oncle se trouvait toujours pressé, poursuivi qu'il
était par la malheureuse idée qu'il devait régler dans le
seul jour où il restait dans la capitale tout ce qu'il
s'était proposé et ne devait laisser, pour combler,
échapper nul des entretiens, des affaires ou des plaisirs
qui se présentaient à l'occasion. K., qui lui devait [1]
beaucoup [d'obligations], car il était son ancien

pupille, devait l'aider en tout cela et lui offrir en outre le gîte pour la nuit. Aussi l'appelait-il avec terreur « le fantôme rustique ».

Dès les premières effusions — l'oncle n'eut pas le temps [2] de s'asseoir dans le fauteuil que son neveu lui offrait — il pria K. de lui accorder un bref entretien confidentiel.

« C'est une chose nécessaire, dit-il en avalant péniblement [sa salive], c'est une chose nécessaire à ma tranquillité. »

K. renvoya aussitôt tous les domestiques en leur défendant de laisser entrer qui que ce fût.

« Qu'ai-je appris, Joseph ? » s'écria l'oncle dès qu'ils furent seuls, et il s'assit sur la table en fourrant pour plus de confort sous son derrière divers papiers qu'il ne regarda même pas.

K. se taisait ; il savait ce qui allait venir, mais, délesté soudain d'un travail épuisant, il commençait involontairement par s'adonner à une agréable lassitude et regardait par la fenêtre le côté opposé de la rue dont on ne voyait de son siège qu'une petite portion triangulaire, un morceau [3] de mur vide entre deux vitrines.

« Tu regardes par la fenêtre ! s'écria l'oncle en levant les bras ; pour l'amour du ciel, Joseph, réponds-moi ! dis-le-moi s'il te plaît, cette chose est-elle vraie ? Peut-elle vraiment être vraie ?

— Cher oncle, dit K. en s'arrachant à sa distraction, je ne vois pas du tout ce que tu me veux.

— Joseph ! dit l'oncle sur un ton d'avertissement, tu as toujours dit la vérité autant que je sache. Tes derniers mots m'annonceraient-ils un changement ?

— Je devine [4] bien un peu ta pensée, dit alors K. docilement, tu as sans doute entendu parler de mon procès. Et par qui donc ?

— Erna me l'a écrit, dit l'oncle, tu ne la vois jamais,

tü ne t'inquiètes, hélas, guère d'elle, mais elle l'a tout
de même appris, j'ai reçu sa lettre aujourd'hui ;
naturellement je suis venu tout de suite ; je n'avais pas
d'autre motif, mais il me semble qu'il suffit. Je peux te
montrer le passage [qui te concerne] — il tira la lettre
de son portefeuille. Voilà l'endroit, elle m'écrit : " Il y
a longtemps que je n'ai pas vu Joseph ; la semaine
dernière je suis allée le voir à la banque, mais il était si
occupé qu'on ne m'a pas laissée entrer. J'ai attendu
plus d'une heure, et puis j'ai été obligée de revenir à la
maison à cause de la leçon de piano. J'aurais bien aimé
lui parler, mais peut-être une occasion s'en présentera-
t-elle bientôt. Pour mon anniversaire, il m'a envoyé
une grande boîte de chocolats, c'était bien gentil de sa
part. J'avais oublié de vous l'écrire la dernière fois, je
ne m'en souviens que maintenant que vous me le
demandez. C'est que le chocolat disparaît tout de suite
à la pension, on n'a pas le temps de savoir qu'on l'a
reçu qu'il est déjà envolé. Mais en ce qui [5] concerne
Joseph je voulais te dire autre chose ; comme je vous
l'écrivais plus haut, je n'ai pas pu le voir à la banque
parce qu'il était en pourparlers avec un monsieur.
Après avoir attendu tranquillement [un bon moment]
j'ai demandé à un domestique si l'entrevue devait
durer encore longtemps ; il m'a dit que cela se pourrait
bien parce qu'il s'agissait sans doute du procès qu'on
avait intenté à M. le Fondé de pouvoir. Je lui ai
demandé ce que c'était que ce procès et s'il ne se
trompait pas, mais il m'a affirmé qu'il ne se trompait
pas et que c'était bien un procès, et même grave, mais
qu'il n'en savait pas plus long. Il disait qu'il aurait
bien voulu aider M. le Fondé de pouvoir qui était un
homme bon et juste, mais qu'il ne savait comment s'y
prendre et qu'il souhaitait que des gens influents s'en
occupassent. Il pensait d'ailleurs que c'était ce qui se
produirait sûrement et que tout prendrait une bonne

fin mais que la situation n'avait pas l'air bien fameuse pour le moment à en juger d'après l'humeur de M. le Fondé de pouvoir. Naturellement, je n'ai pas ajouté beaucoup d'importance à ce discours et j'ai cherché à rassurer cet homme naïf; je lui ai défendu de parler de cette histoire, je tiens tout cela pour cancan. Tout de même[6] il serait peut-être bon, cher papa, que tu t'en occupes à ta prochaine venue; il te sera facile d'apprendre des détails et d'intervenir, s'il y a lieu; tu as des amis influents. Si ce n'était pas nécessaire, ce qui me semble plus vraisemblable, cela procurerait du moins à ta fille une occasion de t'embrasser qui lui ferait le plus grand plaisir. "

— La brave enfant! dit l'oncle quand il eut fini de lire, et il essuya quelques larmes.

K. hocha la tête pensivement; à la suite de ses derniers ennuis il avait complètement oublié Erna; il avait même négligé de lui souhaiter son anniversaire. L'histoire du chocolat n'avait été visiblement inventée que pour le préserver des reproches de son oncle et de sa tante. C'était une chose très touchante et qu'il ne récompenserait certainement pas à sa valeur en envoyant régulièrement, comme il le ferait désormais, des cartes de théâtre à Erna. Mais dans sa situation présente il ne se sentait pas en état d'aller voir à sa pension une petite fille de dix-huit ans et de converser avec elle[7].

« Eh bien, que dis-tu maintenant? demanda l'oncle à qui la lettre avait fait oublier toute hâte et toute émotion et qui semblait la relire encore.

— Ma foi, cher oncle, dit K., c'est vrai.

— Vrai? s'écria l'oncle. Qu'est-ce qui est vrai? comment cela peut-il être vrai? quel est ce procès? ce n'est tout de même pas un procès criminel?

— C'en est un, dit K.

— Et tu es assis là tranquillement quand tu as un

procès criminel sur les bras ? s'écria l'oncle qui s'exci-
tait de plus en plus.

— Plus je suis calme, mieux ça vaut, dit K. avec
lassitude, ne crains donc rien.

— Cela ne saurait me tranquilliser, s'écria l'oncle [8] ;
pense à toi, à tes parents, à notre bon renom, tu as été
notre honneur jusqu'ici, tu ne dois pas devenir notre
honte. Ton attitude — il considérait K. en inclinant la
tête de côté — ton attitude ne me plaît pas ; ce n'est
pas ainsi que se conduit un condamné innocent quand
il est encore en pleine force. Dis-moi vite de quoi il
s'agit afin que je puisse t'aider. C'est de la banque
naturellement ?

— Non, dit K. en se levant, mais tu cries trop fort,
mon cher oncle ; le domestique est sûrement derrière la
porte à écouter ; cela m'est désagréable ; il vaut mieux
nous en aller, je répondrai alors [de mon mieux] à
toutes tes questions ; je sais très bien que je dois des
comptes à la famille.

— Parfait ! cria l'oncle. Parfait, dépêche-toi,
Joseph, dépêche-toi.

— Je n'ai, dit K., que quelques ordres à donner »,
et il appela au téléphone son remplaçant qui ne tarda
pas à arriver.

L'oncle, dans son excitation, montra de la main au
remplaçant que K. l'avait fait appeler, ce que personne
ne songeait à mettre en doute.

K., debout devant son bureau, expliqua à voix basse
au jeune homme, qui écoutait d'un air froid mais
attentif, ce qu'il y aurait encore à faire en son absence,
en montrant différents papiers. L'oncle commença par
gêner en restant planté là avec des yeux surpris et en se
mordillant nerveusement les lèvres, sans écouter, à
dire vrai, mais [9] l'apparence suffisait. Il se mit ensuite à
aller et venir dans la pièce, s'arrêtant de temps à autre
à regarder par la fenêtre ou à considérer une gravure,

et poussant à chaque fois différentes exclamations comme : « Je n'y comprends absolument rien ! » ou : « Je vous demande un peu ce qui va sortir de là ! » Le jeune homme fit semblant de ne rien remarquer, il écouta posément jusqu'au bout les ordres de K., prit quelques notes et disparut après un petit salut à l'adresse de son chef comme aussi à celle de l'oncle, qui lui tournait malheureusement le dos à ce moment-là, occupé qu'il était à regarder par la fenêtre dont il froissait les rideaux à pleines mains. La porte était à peine refermée que l'oncle s'écria :

« Enfin ! Voilà donc ce guignol parti ! Nous allons pouvoir faire comme lui. »

Il n'y eut malheureusement pas moyen de le décider à interrompre ses questions sur le procès dans le péristyle où évoluaient des employés et des domestiques et où le directeur adjoint vint à passer juste à ce moment.

« Eh bien, Joseph ! commença l'oncle en répondant par un léger salut aux révérences des gens présents, dis-moi maintenant bien franchement ce qu'est ce procès. »

K. débita quelques banalités, puis, une fois sur l'escalier, il expliqua [10] à son oncle qu'il n'avait pas voulu parler devant les gens.

« Très bien, dit l'oncle, mais maintenant, parle ! »

Et il écouta, la tête penchée, en fumant son cigare à petites bouffées hâtives.

« Avant tout, cher oncle, dit K., il ne s'agit pas d'un procès devant la justice ordinaire.

— Voilà qui est mauvais ! fit l'oncle.

— Comment ? dit K. en le regardant.

— Je dis que c'est mauvais », répéta l'oncle.

Ils se tenaient à ce moment-là sur l'escalier du perron, et, comme le portier semblait prêter l'oreille, K. entraîna rapidement l'oncle plus bas. Ils débouchèrent dans le trafic animé de la rue. L'oncle, qui s'était accroché au bras de K., pressa moins violemment son neveu de questions ; ils allèrent même un moment sans parler.

« Mais comment cela est-il arrivé ? démanda-t-il finalement en s'arrêtant si net que les gens derrière lui se détournèrent de leur route avec effroi.

« Ces choses-là [11] ne viennent pourtant pas brusquement ! elles se préparent de longue date ! tu as bien dû les voir venir ? Pourquoi ne m'as-tu pas écrit ? Tu sais bien que je fais tout pour toi ; je suis encore un peu ton tuteur et jusqu'ici j'en ai toujours été fier. Naturellement, je suis toujours prêt à t'aider, seulement, c'est très difficile maintenant que le procès est engagé. Le mieux serait que tu prisses un petit congé que tu viendrais passer chez nous à la campagne. Je m'aperçois que tu as un peu maigri. À la campagne, tu te referas et ce sera une bonne chose, car bien des fatigues t'attendent encore. Ce séjour t'arrachera d'ailleurs un peu à la justice. Ici, ils ont tous les moyens possibles ; tu en es victime forcément : tout cela se passe automatiquement. À la campagne, ils seraient obligés de commencer par envoyer des gens ou de te réclamer par la poste, le télégraphe, le téléphone. C'est forcément d'un effet moins violent et, si cela [12] ne te libère pas, tu as tout de même le temps de respirer.

— Mais ils pourraient m'empêcher de partir ! déclara K. un peu influencé par le discours de son oncle.

— Je ne crois pas qu'ils le feraient, répondit l'oncle pensivement ; ils gardent assez de pouvoir, même [13] en te laissant voyager.

— Je pensais, dit K. en prenant son oncle sous le bras pour l'empêcher de s'arrêter, que tu accorderais à cette histoire encore moins d'importance que moi ; mais je vois que tu la prends encore plus mal.

— Joseph ! Joseph ! s'écria l'oncle en cherchant à se

dégager pour pouvoir s'arrêter — mais K. ne le lâcha pas — Joseph, on t'a changé, je t'avais toujours connu un jugement sûr et voilà que la tête t'abandonne; veux-tu [14] donc perdre ton procès ? Sais-tu ce que cela signifierait ? Cela voudrait dire tout simplement que tu serais rayé de la société, et toute ta parenté avec; en tout cas, ce serait la pire humiliation. Joseph [15], ressaisis-toi, je t'en prie, ton indifférence me rend fou. À te voir, on croirait presque [que tu veux vérifier] le proverbe : " Avoir un pareil procès c'est déjà l'avoir perdu. "

— Cher oncle, dit K., tu t'excites; il ne sert à rien de s'exciter; pas plus à moi qu'à toi. Ce n'est pas en s'excitant qu'on gagne les procès; permets-moi de faire valoir un peu mon expérience, tu sais bien que j'écoute toujours [16] la tienne, même quand elle me surprend. Puisque tu dis que toute la famille aurait à souffrir du procès, ce que je ne comprends pas pour ma part — mais c'est secondaire — je veux bien faire tout ce que tu me diras, mais je ne crois pas que ce séjour à la campagne soit profitable dans le sens où tu l'entends, car une fuite équivaudrait à un aveu [même]. D'ailleurs, si je suis plus exposé aux poursuites en restant ici, j'y suis mieux aussi pour me défendre.

— Fort bien, dit l'oncle sur un ton qui marquait un rapprochement, je ne te faisais [17] cette proposition que parce que je te voyais gâcher ici ta cause par ton indifférence et que j'aurais trouvé meilleur de m'en occuper à ta place, mais si tu veux t'y mettre toi-même de toutes tes forces c'est naturellement beaucoup mieux.

— Nous voilà donc d'accord là-dessus, déclara K., et peux-tu me dire maintenant ce que je devrais faire en premier ?

— Il faut me laisser le temps de réfléchir, dit l'oncle. Songe qu'il y a vingt ans que j'ai quitté la ville,

le flair s'émousse, on ne sait [18] plus à quelle porte on
doit frapper. Les relations que j'entretenais avec des
personnalités qui auraient peut-être pu te servir dans
cette aventure se sont [19] relâchées d'elles-mêmes. Je
suis un peu abandonné à la campagne, tu le sais, c'est
dans des occasions comme celle-ci qu'on le remarque.
Ton affaire se présente à moi d'une façon bien
inopinée, quoique la lettre d'Erna m'y ait un peu
préparé et que ton attitude présente confirme presque
mes pressentiments. Mais peu importe ; l'essentiel est
maintenant de ne pas perdre une minute. »

Il n'avait pas fini de parler que, dressé sur la pointe
des pieds, il avait déjà fait un signe à une auto, et, tout
en jetant une adresse au chauffeur, il poussait K. dans
la voiture.

« Nous allons de ce pas, dit-il, chez Mᵉ Huld
l'avocat ; c'est un de mes anciens condisciples ; tu le
connais certainement de nom ; tu dis que non ? voilà
qui est étrange ! Il a pourtant une assez grosse
réputation comme défenseur et comme avocat des
pauvres. Mais c'est surtout l'homme en lui qui
m'inspire confiance.

— Je suis d'accord avec toi dans tout ce que tu
entreprends », dit K. malgré la hâte et la brusquerie
avec lesquelles son oncle traitait l'affaire.

Il n'était pas très réjouissant pour un accusé d'aller
trouver l'avocat des pauvres.

« Je ne savais pas, dit-il, qu'il fallût prendre un
avocat dans une affaire de ce genre.

— Mais, voyons ! dit l'oncle, c'est tout naturel !
Pourquoi n'en prendrait-on pas ? Et maintenant
raconte-moi tout ce qui s'est passé jusqu'ici pour me
mettre au courant de l'affaire. »

K. dévida immédiatement son histoire sans en rien
taire, car il ne pouvait protester que par une entière
franchise contre l'opinion de son oncle qui voyait une

grande honte dans ce procès. Il ne mentionna qu'une fois, et de façon superficielle, le nom de Mlle Bürstner; mais cela n'entamait pas sa loyauté puisque la jeune fille [20] n'avait rien à voir avec le procès. Tout en parlant, il regardait par la portière; il vit alors qu'ils se rapprochaient du faubourg où se trouvaient les bureaux de la justice, il le fit observer à son oncle, mais l'oncle ne trouva rien de bien curieux à cette coïncidence. La voiture s'arrêta devant une sombre maison. L'oncle sonna à la première porte du rez-de-chaussée; il souriait en faisant voir ses grandes dents pendant qu'ils attendaient la réponse, et chuchotait à son neveu :

« Huit heures... ce n'est vraiment pas une heure pour les clients! mais Huld ne m'en voudra pas. »

Deux grands yeux noirs vinrent se montrer derrière le judas de la porte, regardèrent un instant les visiteurs, puis disparurent; mais la porte ne s'ouvrit pas. L'oncle et K. se confirmèrent réciproquement le fait qu'ils avaient vu les yeux.

« C'est une nouvelle bonne qui a peur des étrangers », dit l'oncle en frappant de nouveau.

Les deux yeux apparurent encore, ils avaient presque l'air triste, mais peut-être n'était-ce qu'une illusion d'optique provoquée par la flamme du gaz qui brûlait en sifflant au-dessus de leur tête sans donner cependant qu'une faible lueur.

« Ouvrez! cria l'oncle en frappant du poing, ce sont des amis de M. l'Avocat.

— M. l'Avocat est malade », chuchota quelqu'un derrière eux.

C'était un monsieur en robe de chambre, debout sur le seuil d'une porte, à l'autre extrémité du couloir, qui avait fait cette déclaration d'une voix extrêmement basse. L'oncle, déjà furieux de sa longue attente, se retourna d'un coup pour crier :

« Malade ? Vous dites qu'il est malade ? et il s'avança d'un air menaçant comme si ce monsieur eût représenté la maladie elle-même.

— On vous ouvre », dit le monsieur en montrant la porte de l'avocat, puis il referma sa robe de chambre et disparut.

La porte s'était vraiment ouverte. Une jeune fille — K. reconnut les yeux noirs du judas, c'étaient des yeux un peu saillants — une jeune fille se tenait dans le vestibule, enveloppée d'un long tablier blanc et une bougie à la main.

« Une autre fois, vous ouvrirez un peu plus tôt, dit l'oncle avant de la saluer, tandis que la jeune fille faisait une petite courbette. Viens, Joseph, dit-il ensuite à K. [qui se glissa lentement en passant devant la jeune fille.]

— M. l'Avocat est malade », dit la jeune fille en voyant que l'oncle se dirigeait vers l'une des portes sans prendre le temps de s'arrêter.

K. ne cessait de la regarder avec étonnement bien qu'elle se fût déjà tournée pour refermer. Elle avait une figure poupine et toute ronde ; non seulement ses pâles joues et son menton, ses tempes elles-mêmes étaient rondes, et son front était rond aussi.

« Joseph [21] ! cria encore l'oncle, puis il demanda à la jeune fille : C'est le cœur sans doute ?

— Je crois », dit la jeune fille qui était revenue leur montrer le chemin avec sa lumière et leur ouvrir la porte de la chambre.

Dans un angle de cette pièce, où la lueur de la bougie ne pénétrait pas encore, un visage à longue barbe s'éleva au-dessus du lit ;

« Qui vient donc là, Leni ? demanda l'avocat [qui], aveuglé par la lumière [, ne reconnaissait pas les visiteurs].

— C'est Albert, c'est ton vieil ami, répondit l'oncle.

— Hélas ! Albert, fit l'avocat en se laissant retomber sur son oreiller comme s'il n'avait rien à cacher à ce visiteur.

— Cela va-t-il tellement mal ? demanda l'oncle en s'asseyant sur le bord du lit. Je ne pense pas, c'est un accès de faiblesse cardiaque comme tu en as déjà eu si souvent et qui passera comme les autres.

— C'est possible, fit l'avocat à voix basse, mais il est pire que tous les autres. J'ai peine [22] à respirer, je ne dors pas et je perds mes forces chaque jour.

— Ah ! Ah ! dit l'oncle en appuyant son panama de sa grande main sur son genou. Voilà de mauvaises nouvelles ! Es-tu bien soigné, tout au moins ? il fait si triste ici, si sombre. Il y a déjà longtemps que je ne suis plus venu, il me semble qu'autrefois ta maison était plus gaie. Ta petite demoiselle a l'air d'être bien triste, elle aussi, à moins que ce ne soit un masque. »

La jeune fille [23] restait toujours avec sa bougie près de la porte ; autant que le vague de son regard permît de s'en rendre compte, elle semblait regarder K. plutôt que l'oncle, même quand celui-ci parlait d'elle.

K. s'appuyait sur un siège qu'il avait poussé à proximité de la jeune fille.

« Quand on est malade comme moi, dit l'avocat, on a besoin de repos ; ce calme n'est pas triste pour moi. »

Il ajouta [24] au bout d'un moment :

« Et puis Leni me soigne bien, elle est gentille. »

Mais l'oncle ne fut pas convaincu, il était visiblement prévenu contre la jeune infirmière ; il eut beau ne pas répondre à l'avocat, il ne cessa de la suivre d'un regard sévère quand il la vit aller vers le lit, poser la bougie sur la table de nuit, se pencher sur Me Huld et chuchoter avec lui en rangeant les oreillers.

Oubliant presque tout égard pour le malade, il se leva et se mit à aller et venir derrière elle d'un tel air que K. n'eût pas été étonné de le voir attraper cette

femme par la robe et la repousser loin du lit ; quant à
lui, il observait avec calme ; la maladie de l'avocat ne
lui était même pas entièrement désagréable, car s'il
n'avait pu s'opposer au zèle que l'oncle voulait
déployer pour sa cause, il acceptait volontiers que le
cours de ce zèle fût détourné sans intervention de sa
part. L'oncle déclara, peut-être uniquement pour
offenser la garde-malade [25] :

« Mademoiselle, laissez-nous un instant, s'il vous
plaît, j'ai une affaire personnelle à discuter avec mon
ami. »

L'infirmière, qui était encore profondément penchée
sur l'avocat et s'occupait de border le lit du côté du
mur, détourna seulement la tête et répondit sur un ton
calme qui contrastait étrangement avec les propos de
l'oncle, tantôt hachés par la fureur, tantôt d'un débit
débordant :

« Vous voyez bien que monsieur est si malade qu'il
ne peut discuter nulle affaire en ce moment. »

Elle n'avait sans doute répété l'expression de l'oncle
que pour plus de commodité, mais, même à un
indifférent, l'intention pouvait paraître ironique ; aussi
l'oncle sursauta-t-il comme si on l'avait piqué.

« Quelle diablesse ! » s'écria-t-il d'une voix à peine
compréhensible dans le premier gargouillement de
l'émotion.

K. [26], prenant peur, bien qu'il se fût attendu à
quelque chose de ce genre, courut à l'oncle avec
l'intention arrêtée de lui fermer la bouche des deux
mains, le malade se redressa heureusement à ce
moment, sa silhouette surgit derrière la jeune fille ;
l'oncle fit l'horrible grimace d'un monsieur qui avale
une chose répugnante, puis [27] déclara plus calmement :

« Je n'ai pas encore perdu la raison, mademoiselle.
Si ce que je demande n'était pas possible, je ne le deman-
derais pas. Maintenant, laissez-nous, s'il vous plaît. »

L'infirmière se tenait debout, au chevet du lit, la tête
tournée en plein vers l'oncle; K. crut remarquer
qu'elle caressait la main de l'avocat.

« Tu peux tout dire devant Leni, fit le malade d'un
ton suppliant.

— La chose ne me concerne pas, dit l'oncle; ce n'est
pas de mon secret qu'il s'agit », et il se retourna
comme pour indiquer qu'il ne voulait plus discuter
mais qu'il [28] laissait encore un instant de réflexion à
son interlocuteur.

« De qui s'agit-il donc? demanda l'avocat d'une
voix mourante en se recouchant.

— De mon neveu, je l'ai fait venir ici, et il présenta :
M. le Fondé de pouvoir Joseph K.

— Oh! dit le malade plus vivement en avançant
la main vers K.; excusez-moi, je ne vous avais pas
vu.

— Va, Leni, dit-il ensuite à l'infirmière qui ne fit
plus aucune difficulté, et il lui tendit la main comme si
elle partait pour longtemps.

— Tu n'es donc pas venu, dit-il enfin à l'oncle qui
s'était rapproché plus amicalement, tu n'es pas venu
pour le malade, mais pour l'affaire. »

Il semblait [29] que l'idée qu'on vînt le voir à cause de
sa maladie l'eût paralysé jusqu'alors tant il parut
ravigoté à partir de ce moment-là. Il restait appuyé sur
un coude, ce qui devait être assez fatigant, et tiraillait
constamment une mèche de sa grande barbe.

« Tu as l'air d'aller déjà bien mieux, dit l'oncle,
depuis que cette sorcière est partie. »

Il s'interrompit pour souffler : « Je parie qu'elle
écoute », et bondit vers la porte.

Mais personne n'était derrière, l'oncle revint, non
point déçu — car l'absence de l'infirmière lui paraissait encore pire — mais irrité [30].

« Tu te méprends sur son compte », dit l'avocat sans

la défendre davantage — peut-être pour marquer qu'elle n'en avait pas besoin.

Puis il continua d'un ton plus cordial :

« Quant à l'affaire de monsieur ton neveu, je m'estimerais évidemment heureux si mes forces pouvaient suffire à une tâche aussi pénible : je crains beaucoup qu'elles ne soient pas à la hauteur de la situation, mais je ne ménagerai rien ; si je ne peux pas faire face à tout il sera toujours temps de m'adjoindre un confrère. À parler franc, cette cause m'intéresse trop pour que je renonce d'avance à m'en occuper personnellement. Si mon cœur me lâche trop tôt il aura du moins trouvé une digne occasion de le faire. »

K. pensait ne pas comprendre un mot de tous ces discours, il ne cessait de regarder l'oncle pour y trouver un sens, mais celui-ci restait assis, avec sa bougie à la main, sur la petite table de nuit d'où une bouteille de potion avait déjà roulé sur le tapis : il approuvait d'un hochement de tête les moindres mots de l'avocat, se montrait d'accord sur tous les points, et adressait de temps à autre à son neveu un regard qui l'exhortait à la même approbation. L'oncle avait-il déjà parlé de ce procès ? Mais non, c'était chose impossible, tout ce qui avait précédé la scène infirmait cette supposition. Aussi dit-il :

« Je ne comprends pas.

— Me serais-je mépris ? demanda l'avocat aussi surpris et embarrassé que K. ; ma précipitation m'a peut-être lancé sur une fausse piste ? De quoi vouliez-vous donc me parler ? Je pensais qu'il s'agissait de votre procès.

— Naturellement, dit l'oncle, et il demanda à K. : Que veux-tu donc ?

— Mais, dit K., d'où savez-vous donc quoi que ce soit de moi et de mon procès ?

— Ah ! c'était ça ! dit l'avocat en souriant. Vous

savez pourtant bien que je suis avocat : je fréquente les
gens de justice, on parle toujours des procès et on
retient ceux qui vous frappent le plus, surtout quand il
s'agit du neveu d'un ami. Il n'y a rien là de surprenant, me semble-t-il.

— Que veux-tu donc encore ? dit l'oncle à K. ; tu as
l'air inquiet.

— Vous fréquentez les gens de justice ? demanda K.

— Mais oui ! » fit l'avocat.

Et l'oncle déclara :

« Tu questionnes comme un enfant.

— Qui verrais-je donc, ajouta l'avocat, sinon les
gens de mon rayon ? »

C'était dit sur un ton si irréfutable que K. ne
répondit pas un mot.

« Vous travaillez pourtant, aurait-il voulu dire — et
de fait il ne put s'empêcher de l'articuler nettement —,
pour la justice du palais de justice et non pas pour celle
du grenier ?

— Songez donc [31], poursuivit alors l'avocat sur le
ton de quelqu'un qui explique par parenthèse une
chose toute naturelle, songez donc [32] que ces relations-
là servent beaucoup ma clientèle, et à bien des égards.
Je ne devrais même pas le dire. Naturellement ma
maladie me gêne beaucoup pour le moment, mais j'ai
toujours à la justice de bons amis qui viennent me voir
et j'apprends tout de même les nouvelles. Peut-être
plus vite que bien des gens qui passent leur temps au
tribunal. C'est ainsi que j'ai là en ce moment une
personne qui m'est très chère. »

Et il montrait un coin obscur.

« Où donc ? » demanda K. presque impertinem-
ment sous le coup de la première surprise.

Il regarda perplexement autour de lui ; la lumière de
la petite bougie était loin de porter jusqu'au mur d'en
face. Mais, de fait, quelque chose commença à se

remuer dans le coin. À la lumière de la bougie que
l'oncle levait maintenant, on découvrit un monsieur
d'un certain âge assis près d'une petite table. Il avait
dû retenir son souffle pour arriver à rester si longtemps
inaperçu : il se leva cérémonieusement, visiblement
mécontent de voir qu'on avait attiré l'attention sur lui,
et agita ses mains comme de petites ailes pour
exprimer qu'il refusait toute présentation et tout
salamalec, qu'il ne voulait en aucune façon gêner les
autres et suppliait qu'on le laissât dans son obscurité
et qu'on oubliât sa présence. Mais ce n'était plus fai-
sable.

« Vous nous avez surpris », dit l'avocat pour expliquer.

Et il l'encourageait du geste à approcher, ce que
l'autre fit lentement en regardant autour de lui avec
mille hésitations mais non pas sans dignité.

« M. le Chef de bureau... — Ah ! pardon ! je ne vous
ai pas encore présentés. — Voici mon ami Albert K. et
son neveu, M. le Fondé de pouvoir Joseph K. ; et voici
M. le Chef de bureau... M. le Chef de bureau a eu
l'amabilité de venir me voir. Un profane ne peut
soupçonner tout le prix de cette visite ; pour s'en
douter il faut être initié, il faut connaître le travail qui
accable ce cher monsieur. Il est donc venu malgré tout
et nous étions en train de causer paisiblement, dans la
mesure où ma faiblesse le permettait. Nous n'avions
pas défendu à Leni de laisser entrer les visites, car nous
n'en attendions aucune, nous pensions que nous
resterions seuls. C'est à ce moment, mon cher Albert,
que se sont produits tes coups de poing contre la porte,
et M. le Chef de bureau s'est retiré dans un coin avec
la chaise et la table ; mais je m'aperçois que, si nous le
désirons, nous avons un sujet de conversation commun ; réunissons-nous donc à nouveau [33]... monsieur le
Chef de bureau..., ajouta-t-il en inclinant la tête avec

un sourire servile et en montrant un fauteuil près du lit.

— Je ne puis plus, hélas! rester que quelques minutes, dit aimablement le chef de bureau en s'asseyant profondément dans le fauteuil et en regardant sa montre. Les affaires m'appellent. Mais je ne veux pas laisser passer l'occasion de faire la connaissance d'un ami de mon ami. »

Et il adressa une petite courbette à l'oncle qui parut très satisfait de ce nouvel ami; son tempérament l'empêcha à vrai dire de manifester [des sentiments de soumission] mais il accompagna les paroles du chef de bureau d'un rire aussi bruyant que gêné. Horrible tableau! K. pouvait le contempler tout à son aise, car personne ne s'occupait de lui. Le chef de bureau, du moment qu'on l'appelait à concourir à l'entretien, saisit, suivant son habitude, le dé de la conversation. L'avocat, dont la faiblesse précédente n'avait peut-être été destinée qu'à éloigner les nouveaux visiteurs, se mit à écouter attentivement, la main à l'oreille, et l'oncle qui n'avait pas lâché la bougie — il la balançait sur sa cuisse [34] et l'avocat regardait souvent ce manège avec inquiétude — l'oncle eut bientôt oublié toute gêne pour s'adonner au ravissement où le plongeaient l'éloquence du chef de bureau et les gestes onduleux dont il accompagnait son discours. K., qui s'appuyait au montant du lit, fut complètement négligé, peut-être même avec intention, par M. le Chef de bureau, et ne servit que d'auditeur aux vieux messieurs. Il savait d'ailleurs à peine de quoi il était question, il laissait errer ses pensées, tantôt songeant à l'infirmière et à la brusquerie avec laquelle l'oncle l'avait traitée, tantôt se demandant s'il n'avait pas déjà vu la tête du chef de bureau. Peut-être était-ce au milieu du public de son premier interrogatoire? Peut-être aussi se trompait-il; quoi qu'il en fût le chef de bureau aurait été admira-

blement fait pour figurer parmi les vieux messieurs à
barbe rare du premier rang de l'auditoire.

K. en était là de ses réflexions quand un bruit de
porcelaine cassée fit dresser l'oreille à tout le monde.

« Je vais voir ce qui s'est passé », dit-il en sortant
lentement pour permettre aux autres de le retenir.

À peine fut-il dans le vestibule, cherchant à se
retrouver au milieu des ténèbres, qu'une petite main
[, beaucoup plus petite que la sienne,] vint se poser sur
sa main qui n'avait pas encore lâché [35] la poignée de la
porte. La petite main referma la porte tout doucement.
C'était celle de l'infirmière, qui l'avait entendu venir.

« Il n'est rien arrivé, dit-elle ; j'ai jeté simplement
une assiette contre le mur pour vous faire sortir. »

Embarrassé, K. déclara :

« Moi aussi je pensais à vous.

— Tant mieux ! Venez ! »

Ils se trouvèrent au bout de quelques pas devant une
porte à vitres dépolies que la jeune fille lui ouvrit.

« Entrez », dit-elle.

C'était sans doute le cabinet de l'avocat. Autant
qu'on pût le distinguer dans la lumière de la lune, qui
éclairait maintenant un petit rectangle de plancher
devant les deux grandes fenêtres, cette pièce était
ornée de vieux meubles pesants.

« Ici », dit l'infirmière en montrant un coffre sombre
avec un dossier de bois sculpté.

Une fois assis, K. poursuivit son examen ; il se
trouvait dans une haute salle au milieu de laquelle la
clientèle de l'avocat des pauvres devait se trouver
absolument perdue. Il crut voir de quels petits pas les
clients s'approchaient de l'immense bureau [36]. Mais il
oublia bientôt cette impression ; il n'eut plus d'yeux
que pour la jeune fille qui était assise tout près de lui et
le pressait presque contre l'accoudoir.

« Je pensais, dit-elle, que vous viendriez de vous-même, sans que j'eusse à vous appeler. C'est tout de même curieux : d'abord, au moment où vous êtes entré, vous n'avez cessé de me regarder, et maintenant vous me faites attendre. Appelez-moi Leni, ajouta-t-elle hâtivement, comme si cette appellation ne devait pas être négligée un seul instant.

— Volontiers [37], lui répondit K., mais la bizarrerie dont vous parlez, Leni, est bien facile à expliquer. Il fallait que j'écoute d'abord le bavardage des vieux messieurs, je ne pouvais m'éloigner sans raison, et puis je ne suis pas un effronté, j'ai un caractère plutôt timide, et vous n'avez pas l'air non plus de vous emballer du premier coup.

— Ce n'est pas cela, dit Leni en posant son bras sur l'accoudoir et en regardant K. dans les yeux ; ce n'est pas cela, mais je ne vous plaisais pas [38], et je ne vous plais sans doute toujours pas.

— Plaire, dit K. en éludant, plaire serait un mot bien faible...

— Oh ! » dit-elle en souriant.

La réflexion de K. suivie de cette petite exclamation procurait à Leni une certaine supériorité ; aussi K. se tut-il un moment. Comme il s'était déjà habitué à l'obscurité de la pièce, il pouvait distinguer maintenant divers détails de l'installation. Il remarqua surtout une grande toile pendue à droite de la porte et se pencha en avant pour mieux la voir. Elle représentait un homme en robe de juge, assis sur un trône élevé dont la dorure éclaboussait tout le tableau. Ce qu'il y avait de curieux [39] dans ce portrait c'était l'attitude du magistrat : au lieu de rester assis là dans une calme majesté, il appuyait fortement son bras gauche contre le dossier et le bras du fauteuil, mais son bras droit restait complètement dégagé, la main seule sur l'accoudoir, comme si le juge allait bondir dans un violent mouvement d'indignation pour dire une chose décisive, peut-être même pour prononcer le grand verdict. L'accusé devait être supposé au pied de l'escalier dont on apercevait les degrés supérieurs qui étaient couverts d'un tapis jaune.

« Peut-être est-ce mon juge ? dit K. en montrant du doigt le tableau.

— Je le connais, dit Leni en regardant elle aussi ; il vient assez fréquemment ; le portrait date de sa jeunesse, mais il est impossible qu'il lui ait jamais ressemblé car le vrai juge est extrêmement petit. Cela ne l'empêche pas de s'être fait représenter immense, car il est énormément vaniteux, comme d'ailleurs tous ici. Moi aussi je suis vaniteuse, je suis très [40] fâchée de ne pas vous plaire ! »

K. ne répondit à cette dernière réflexion qu'en passant le bras autour de Leni et en l'attirant près de lui. Elle appuya silencieusement la tête contre son épaule. Mais, pensant toujours au juge, il demanda :

« Quel grade a-t-il ?

— Il est juge d'instruction, dit-elle en prenant la main que K. avait passée autour de sa taille et en jouant avec ses doigts.

— Encore une fois un simple juge d'instruction ! fit K. déçu, les grands fonctionnaires se cachent. Il est pourtant assis sur un trône !

— Tout cela n'est qu'invention, dit Leni, le visage penché sur la main de K. En réalité, il s'assied sur une chaise de cuisine sur laquelle on pose une vieille couverture de cheval pliée en quatre. Mais ne pouvez-vous donc penser qu'à votre procès ? ajouta-t-elle lentement.

— Non, pas du tout, fit K. J'y pense même probablement trop peu.

— Ce n'est pas cette faute-là que vous faites, dit Leni [41]. J'ai entendu dire que vous étiez trop entêté.

— Qui a dit cela ? » demanda K.

Il sentait le corps de Leni appuyé sur sa poitrine et regardait l'opulente et ferme torsade de ses cheveux foncés.

« Je ne peux pas en dire si long, répondit Leni [42], ne me demandez pas de noms, mais corrigez-vous de votre défaut, ne soyez pas si entêté : on n'a pas d'arme contre cette justice, on est obligé [43] d'avouer. Avouez donc à la première occasion, ce n'est qu'ensuite que vous pourrez essayer de vous échapper, ensuite seulement ; et, même alors, vous ne réussirez que si quelqu'un vous vient en aide, mais ne vous en inquiétez pas, je m'en occuperai moi-même.

— Vous avez l'air de bien connaître cette justice et les mensonges qu'il y faut, dit K. [44] en l'asseyant sur ses genoux car elle se pressait trop fort contre lui.

— C'est bien comme ça », dit-elle en s'installant à l'aise après avoir égalisé les plis de sa blouse et de sa robe.

Puis elle se pendit des deux mains à son cou, renversa la tête en arrière et le regarda longuement.

« Et si je n'avoue pas, vous ne pourrez pas m'aider ? » demanda-t-il pour essayer.

« Je me fais des aides, pensait-il presque étonné [45] ; d'abord Mlle Bürstner, ensuite la femme de l'huissier, et finalement cette petite infirmière qui semble avoir un si incompréhensible besoin de moi. La voilà assise sur mes genoux comme si c'était sa vraie place. »

« Non [46], répondit Leni en secouant lentement la tête, je ne pourrai pas vous aider si vous n'avouez pas. Mais vous ne tenez pas du tout à ce que je vous aide, vous vous en moquez complètement, vous êtes têtu et vous ne vous laissez pas convaincre... Avez-vous une amie ? demanda-t-elle [47] au bout d'un instant.

— Non, dit K.

— Oh ! que si ! fit-elle.

— Oui, c'est vrai, dit K., je la reniais et je porte pourtant sa photographie sur moi. »

Et, sur la prière de Leni, il lui fit voir une photographie d'Elsa ; pelotonnée sur les genoux de K., Leni étudia l'image : c'était un instantané ; Elsa avait été prise à la fin d'une de ces danses tourbillonnantes qu'elle aimait exécuter au cabaret où elle servait ; sa robe volait encore en spirale autour d'elle, elle avait posé ses mains sur ses hanches fermes et regardait de côté en riant ; on ne pouvait pas voir sur l'image à qui elle riait ainsi.

« Et elle est lacée étroit, dit Leni en montrant l'endroit où cela se voyait à son avis ; elle ne me plaît pas ; elle est brutale et maladroite. Mais peut-être[48] avec vous est-elle douce et gentille, la photo a l'air de le montrer. Ces grandes filles si solides ne savent souvent qu'être douces et gentilles ; seulement serait-elle capable de se sacrifier pour vous ?

— Non, dit K., elle n'est ni douce ni gentille, et elle ne serait pas capable de se sacrifier pour moi. D'ailleurs, je ne lui ai jamais rien demandé de tout cela, je n'ai même encore jamais regardé cette photo aussi attentivement que vous.

— C'est que vous ne tenez pas beaucoup à cette jeune fille, dit Leni ; elle n'est donc pas votre amie ?

— Si, dit K., je ne retire pas le mot.

— Il se peut bien, répondit Leni, qu'elle soit votre amie maintenant, mais vous ne la regretteriez[49] pas beaucoup si vous la perdiez ou si vous la changiez pour une autre, pour moi par exemple.

— Évidemment, c'est une idée qui peut venir, dit K. en souriant, mais Elsa a une grande supériorité sur vous : elle ne sait rien de mon procès, et même si elle en savait quelque chose elle n'y penserait jamais. Elle ne chercherait jamais à me persuader de céder.

— Ce n'est pas là une supériorité, dit Leni ; si elle

n'en a pas d'autre je ne perds pas courage. A-t-elle quelque défaut physique ?

— Un défaut physique ? demanda K.

— Oui, dit Leni, moi j'en ai un petit, voyez. »

Elle écarta le majeur et l'annulaire de sa main droite, entre lesquels la peau avait poussé jusqu'au bout de la deuxième phalange.

K. ne remarqua pas immédiatement dans le noir ce qu'elle voulait lui montrer, elle guida sa main dans l'ombre et lui fit tâter la petite peau.

« Quel phénomène ! » s'écria K.

Et, après avoir jeté un coup d'œil d'ensemble sur la main, il ajouta :

« La jolie serre que voilà ! »

Leni regardait avec une sorte de fierté l'étonnement de K. qui ne cessait[50] d'ouvrir et de refermer ces deux doigts ; finalement, il les embrassa avant de les abandonner.

« Oh[51] ! s'écria-t-elle aussitôt, vous m'avez embrassée. »

Hâtivement, la bouche ouverte, elle grimpa sur ses genoux ; K. la regardait stupéfait. Maintenant qu'elle était tout près de lui il remarquait qu'elle dégageait un parfum amer et brûlant, une sorte d'odeur de poivre ; elle attira la tête de K. sur sa poitrine, se pencha dessus, puis mordit et embrassa son cou, elle donna même des coups de dents dans ses cheveux.

« Vous m'avez prise en échange, s'écria-t-elle de temps en temps, vous le voyez bien maintenant, vous m'avez prise en échange ! »

Mais, à ce moment, son genou glissa, elle poussa un petit cri et tomba presque sur le tapis. K. la saisit par la taille pour la retenir, mais il fut entraîné dans sa chute.

« Maintenant, dit-elle, tu m'appartiens. Voici la clef de la maison, viens quand tu veux », lui souffla-t-elle pour finir.

Et elle lui lança encore un baiser au jugé pendant qu'il s'en allait. Quand il sortit de la maison, une légère pluie tombait; il voulait gagner le milieu de la rue pour essayer de voir Leni à sa fenêtre une dernière fois quand l'oncle surgit d'une automobile qui attendait devant la maison et que K. était trop distrait pour avoir aperçue; l'oncle saisit son neveu par le bras et le repoussa contre la porte de l'immeuble comme s'il voulait l'y clouer.

« Comment, s'écria-t-il, as-tu pu faire cela? Tu as porté le pire tort à ton affaire qui était justement en bon chemin! Tu vas [52] te cacher avec une petite saleté, qui est visiblement, pour comble, la maîtresse de l'avocat, et tu passes des heures sans revenir, tu ne cherches même pas un prétexte, tu ne caches rien, tu agis au grand jour, tu voles la rejoindre et tu restes près d'elle! Et tu nous plantes là tous trois: l'oncle qui s'éreinte pour toi, l'avocat qu'il te faut gagner, et le chef de bureau surtout, ce personnage si puissant qui peut tout dans ton affaire à la phase où elle en est! Nous cherchons à trouver un moyen de t'aider; il faut que je traite l'avocat très prudemment, il faut que l'avocat, de son côté, ménage le chef de bureau, et devant tant de difficultés ton devoir serait tout au moins de me soutenir tant que tu pourrais! Mais non, tu restes dehors! Il vient forcément un moment où rien ne peut plus se cacher! Évidemment, ce sont des hommes polis, ils n'en parlent pas, ils m'épargnent, mais à la fin ils n'ont plus pu se maîtriser et, ne pouvant parler de la chose, ils n'ont plus prononcé un mot. Nous sommes restés un quart d'heure à ne rien dire et à écouter pour savoir si tu n'allais pas revenir. En vain. Finalement le chef de bureau, qui était resté bien plus longtemps qu'il ne voulait, s'est levé pour prendre congé, il me plaignait visiblement, mais sans rien pouvoir pour m'aider; il a attendu encore à la porte un bon moment avec une incroyable amabilité, puis il est parti. Tu peux penser si ce départ m'a soulagé, je ne pouvais plus respirer. L'avocat, qui est malade, en a souffert encore plus, il ne pouvait plus parler, cet excellent homme, quand je lui ai dit adieu. Tu as probablement contribué à son complet effondrement, tu as précipité[53] la mort d'un homme qui était ton seul recours. Et moi, ton oncle, tu me laisses attendre ici des heures en pleine pluie ; touche, je suis complètement trempé [; je t'attends des heures entières à me ronger de soucis]. »

CHAPITRE VII

L'AVOCAT, L'INDUSTRIEL
ET LE PEINTRE

Un jour d'hiver — la neige tombait dans une lumière grisâtre — K. se tenait à son bureau ; il était déjà extrêmement fatigué malgré l'heure matinale. Pour se délivrer des petits employés il avait dit au domestique, sous prétexte d'un gros ouvrage, de ne laisser entrer personne. Mais, au lieu de travailler, il se retournait sur son siège et remuait les objets de sa table ; finalement il allongea machinalement son bras sur le bureau et resta là sans mouvement, la tête basse.

L'idée de son procès ne le lâchait plus, il s'était déjà demandé souvent s'il ne se serait pas bon de préparer un rapport écrit pour sa défense et de l'envoyer au tribunal : il y aurait exposé brièvement son existence en expliquant, à propos de tous les événements un peu

importants qui lui étaient arrivés, les motifs qu'il avait
eus d'agir comme il l'avait fait, et en jugeant ensuite
ces motifs suivant ses opinions présentes; il eût donné
pour terminer les raisons de ce dernier jugement. Un
tel rapport lui paraissait bien supérieur à la méthode
de défense des avocats qui n'étaient d'ailleurs pas des
gens irréprochables. K. ne savait pas [1] en effet ce que
l'avocat entreprenait; ce n'était sûrement pas grand-
chose, il y avait déjà plus d'un mois que son défenseur
avait cessé de le convoquer, et il n'avait d'ailleurs
jamais eu l'impression, à nulle des consultations
précédentes, que cet homme pût beaucoup pour lui.
Mᵉ Huld ne lui avait presque rien demandé, et il y
avait cependant tant de questions à poser ! Ces questions, c'était l'essentiel. K. sentait lui-même tout ce
qu'il eût été nécessaire de demander. Mais l'avocat, au
lieu de questionner, se lançait dans de longs discours
ou bien restait [2] sans rien dire en face de K. en se
penchant légèrement sur sa table, sans doute à cause
d'une certaine surdité, tiraillait une mèche de sa barbe
et regardait les dessins du tapis, à l'endroit peut-être
où K. avait roulé avec Leni. De temps à autre il lui
donnait quelques avertissements creux, comme on fait
avec les enfants. Discours aussi inutiles qu'ennuyeux
que K. se proposait de ne pas payer un centime au
moment [3] de l'addition. Quand l'avocat pensait l'avoir
suffisamment humilié, il se mettait en général à le
remonter un peu. Il avait, disait-il, gagné en tout ou en
partie bien des procès de ce genre, qui, peut-être plus
limpides, n'en paraissaient [4] cependant pas moins
désespérés. Il en avait la liste ici dans son tiroir — et il
frappait n'importe où sur la table — mais le secret
professionnel l'empêchait malheureusement de montrer les dossiers. La grande expérience qu'il avait
acquise au cours de tous ces débats n'en profiterait pas
moins à K. : il s'était mis évidemment à l'œuvre sur-le-

champ et il avait déjà dressé la première requête. Cette
requête était très importante, car tout le procès
dépendait souvent de la première impression produite
par la défense. Par malheur — et il fallait naturellement qu'il en avertît K. dès maintenant — il arrivait
souvent que ces premières requêtes ne fussent pas lues
par le tribunal. On les classait tout simplement en
déclarant que l'interrogatoire [et la surveillance] de
l'accusé étaient provisoirement plus importants que
tous les écrits. On ajoutait, si le requérant insistait
trop, que sa demande serait lue en même temps que
tous les autres documents, avant le jugement définitif,
quand le dossier serait complet. Cela n'était, hélas, pas
toujours vrai, ajoutait encore l'avocat; la première
requête restait en général dans quelque tiroir où on
finissait par la perdre et, même dans le cas où on la
gardait jusqu'à la fin, on ne la lisait ordinairement pas,
comme l'avocat l'avait appris — quoique, à vrai dire,
par des bruits plus ou moins autorisés. Cette situation
était regrettable, mais non sans quelque motif. K. ne
devait pas perdre de vue que les débats n'étaient pas
publics, qu'ils pouvaient le devenir[5] si le tribunal le
jugeait nécessaire, mais que la loi ne prescrivait pas
cette publicité. Aussi les dossiers de la justice, et
principalement l'acte d'accusation, restaient-ils secrets
pour l'accusé et son avocat, ce qui empêchait en
général de savoir à qui adresser la première requête et
ne permettait au fond à cette requête de fournir
d'éléments utiles que dans le cas d'un hasard heureux.
Les requêtes vraiment utiles ne pouvaient se faire,
ajoutait Me Huld, que plus tard, au cours des interrogatoires, si les questions que l'on posait à l'inculpé
permettaient de distinguer ou de deviner les divers
chefs d'accusation et les motifs sur lesquels ils s'appuyaient. Naturellement[6], dans de telles conditions, la
défense se trouvait placée dans une situation très

défavorable et très pénible, mais c'était intentionnel de
la part du tribunal. La défense n'est pas, en effet, disait
encore Mc Huld, expressément permise par la loi ; la
loi la souffre seulement, et on se demande même si le
paragraphe du Code qui semble la tolérer la tolère
réellement. Aussi n'y a-t-il [7] pas, à proprement parler,
d'avocat reconnu par le tribunal en cause, tous ceux
qui se présentent devant lui comme défenseurs ne sont
en réalité que des avocats marrons. Évidemment ce
fait était très déshonorant pour toute la corporation ;
K. n'aurait qu'à regarder la salle spécialement réservée aux avocats quand il irait dans les bureaux de la
justice [pour ajouter cette expérience aux autres], il
reculerait probablement d'effroi en voyant la société
qui s'y rassemblait ; le seul aspect du réduit qu'on leur
avait réservé dans le bâtiment montrait le mépris du
tribunal pour ces gens-là. La pièce ne recevait le jour
que par une petite lucarne, si haute que pour regarder
de l'autre côté — en respirant la fumée de la cheminée
voisine et en se barbouillant le visage de suie — il
fallait d'abord trouver un confrère qui vous fît la
courte échelle ; il y avait, de plus, depuis plus d'un an,
dans le plancher de cette pièce — pour ne donner
qu'une idée de son délabrement — un trou par lequel
un homme ne pouvait peut-être pas passer, mais
suffisamment grand tout de même pour qu'une jambe
s'y enfournât complètement. Or, cette salle des avocats
se trouvait au deuxième étage du grenier ; si l'un de ces
messieurs s'enfonçait dans le trou, sa jambe pendait
donc au premier, et au beau milieu du couloir où
attendaient les inculpés. Les avocats n'exagéraient
donc pas en déclarant cette situation franchement
honteuse. Nulle réclamation n'y faisait. Et il leur était
strictement interdit de rien modifier à leurs propres
frais ; la justice avait d'ailleurs ses raisons pour leur
faire subir ce traitement. Elle cherchait à éliminer le

plus possible la défense ; elle voulait que l'accusé
répondît lui-même de tout. Au fond, ce point de vue
n'était pas mauvais ; mais rien n'eût été plus erroné
que d'en conclure que les avocats fussent inutiles à
l'accusé devant ce tribunal. Bien au contraire, nulle
part ils ne pouvaient lui être plus utiles, car en général
les débats n'étaient pas seulement secrets pour le
public, mais aussi pour l'accusé : dans la mesure,
naturellement, où le secret était possible, mais il l'était
précisément dans une très large mesure. L'accusé ne
possédait, en effet, nul droit de regard sur les dossiers
et il était très difficile de savoir d'après les interrogatoires ce qu'il pouvait y avoir dans ces dossiers, surtout
pour l'accusé qui se trouvait intimidé et dont l'attention était distraite par toutes sortes de soucis. C'était là
que la défense intervenait. Généralement les avocats
n'avaient pas le droit d'assister aux entrevues avec le
juge d'instruction, aussi devaient-ils interroger l'accusé le plus tôt possible après son interrogatoire et
tâcher de démêler ce qu'il pouvait y avoir d'utile pour
la défense dans ses rapports souvent très confus. Mais
ce n'était pas encore là le plus important, car on ne
pouvait apprendre grand-chose de cette façon, bien
qu'à vrai dire un homme compétent s'en tirât mieux
qu'un autre ne l'eût fait. Le gros atout c'étaient les
relations personnelles de l'avocat, c'était en elles que
se trouvait la principale valeur de la défense. K. devait
bien avoir constaté d'après ses propres expériences que
l'organisation de la justice laissait à désirer dans les
grades inférieurs, qu'on y trouvait des employés
vénaux ou infidèles ; l'enceinte présentait des brèches
de ce côté. C'était à ces brèches que se pressait la
majorité des avocats, c'était là qu'ils soudoyaient,
qu'ils cherchaient, qu'ils espionnaient ; il s'était même
produit, du moins dans le passé, des vols de documents. Il était indéniable que certains défenseurs

atteignissent de cette façon des résultats momentanés
étonnamment favorables à l'accusé : c'était même de
quoi profitaient tous ces petits avocaillons pour attirer
de nouveaux clients, mais de tels résultats n'avaient
aucune influence, ou presque, sur l'évolution des
débats. Seules d'honnêtes relations personnelles avec
d'importants fonctionnaires — pris dans les grades
inférieurs évidemment — pouvaient avoir une vraie
valeur ; c'étaient les seules qui influassent sur l'évolution du procès, imperceptiblement d'abord, mais de
plus en plus nettement par la suite. Peu d'avocats
réussissaient naturellement par cette voie : c'était là
que le choix de K.[8] se révélait particulièrement
heureux. Il n'y avait, disait le docteur Huld, qu'un ou
deux défenseurs qui pussent se vanter de relations
comme les siennes. Ceux-là ne s'inquiétaient pas, bien
sûr, des connaissances qu'on pouvait faire dans la salle
des avocats ; ils n'avaient rien à voir avec ces gens.
Leurs relations n'en étaient que plus[9] étroites avec les
fonctionnaires de la justice. Il n'était même pas
toujours nécessaire au docteur Huld d'aller attendre la
problématique apparition des juges d'instruction dans
les antichambres de ces messieurs pour essayer d'obtenir d'eux, avec plus ou moins de bonheur, un résultat
presque toujours trompeur et soumis à leur fantaisie.
Non, K. avait pu constater que les fonctionnaires — et
parfois des fonctionnaires de haut rang — venaient le
renseigner d'eux-mêmes, ouvertement, ou tout au
moins d'une façon facilement interprétable, et discuter
avec lui de l'évolution prochaine des débats ; dans
certains cas ils se laissaient même convaincre et
adoptaient parfois l'opinion qu'on leur soufflait. Évidemment il ne fallait pas trop s'y fier ; si catégoriquement qu'ils exprimassent leur revirement et leur faveur
pour la défense, ils rentraient peut-être immédiatement dans leur bureau donner pour les débats du

lendemain [10] des directives toutes différentes et peut-être encore plus sévères pour l'accusé que ne l'était le premier point de vue dont ils prétendaient s'être complètement défaits. C'était une chose contre laquelle on ne pouvait rien car les assurances qu'ils vous avaient données sans témoin restaient précisément sans témoin et n'auraient pu leur imposer aucune obligation, même si la défense n'eût pas été contrainte de travailler à garder leurs faveurs. Il fallait [11] dire aussi que, lorsque ces messieurs se mettaient en rapport avec les défenseurs — quand ils avaient affaire à des gens compétents — ce n'était pas uniquement par amitié ou par philanthropie, mais parce qu'à certains égards ils dépendaient des avocats.

C'était là qu'apparaissait justement le défaut d'une organisation judiciaire qui stipulait dès le début le secret des pièces. Les fonctionnaires manquaient de contact avec la société ; pour les procès [12] courants ils étaient bien armés, ces procès suivaient leur cours pour ainsi dire d'eux-mêmes, on n'avait à intervenir que de loin en loin et légèrement ; mais dans les cas ou extrêmement simples ou particulièrement ardus, ils se trouvaient souvent perplexes ; à passer jour et nuit enfouis dans leurs codes, ils finissaient par perdre le sens exact des relations humaines, et ce sens leur faisait défaut dans les cas que nous précisions. Ils venaient alors demander conseil aux avocats, suivis d'un domestique qui portait les documents, si secrets en général. À cette fenêtre qu'on voyait on aurait pu trouver souvent bien des messieurs, et des derniers dont on s'y fût attendu, en train de regarder dans la rue de l'air le plus découragé, pendant que l'avocat compulsait leurs dossiers [13] pour pouvoir leur donner conseil. On voyait bien d'ailleurs dans ces occasions-là combien ces messieurs prenaient leur métier au sérieux et dans quel désespoir les jetaient les obstacles que leur déformation professionnelle les empêchait de surmonter.

Leur situation, ajoutait l'avocat, n'était d'ailleurs jamais bien facile, il ne fallait pas leur faire le tort de le croire. La hiérarchie de la justice comprenait des degrés [14] infinis au milieu desquels les initiés eux-mêmes avaient peine à se retrouver. Or, les débats devant les tribunaux restant secrets en général pour les petits fonctionnaires tout comme pour le public, ils ne pouvaient jamais les suivre jusqu'au bout ; les causes entraient donc souvent dans le ressort de leur juridiction sans qu'ils sussent d'où elles venaient et repartaient sans qu'ils sussent pour où. Aussi ignoraient-ils les enseignements [15] que l'on peut tirer de l'étude des diverses phases d'un procès, du verdict et de ses considérants. Ils n'avaient le droit de s'occuper que de la partie de la procédure que la loi leur réservait et en savaient souvent moins sur la suite, c'est-à-dire sur les résultats de leur propre travail, que la défense qui restait en général en contact avec l'accusé jusqu'à la fin des débats. De ce côté [également] les fonctionnaires de la justice avaient donc aussi beaucoup à apprendre des avocats. K. pouvait-il s'étonner encore, en présence d'une telle situation, de cette irritabilité des fonctionnaires qui se manifestait souvent à l'endroit des accusés de la façon la plus blessante. Chacun en faisait l'expérience. Tous les fonctionnaires étaient en état d'irritation, même quand ils semblaient sereins. Naturellement, les petits avocats avaient beaucoup à en souffrir. On racontait à ce sujet une anecdote qui paraissait fort vraisemblable : Un vieux [16] fonctionnaire, paisible et brave homme s'il en fut, avait étudié sans répit pendant un jour et une nuit — car ces employés sont extrêmement laborieux — une cause des plus épineuses particulièrement compliquée par les requêtes des avocats. Le matin, après vingt-quatre

heures d'un travail ingrat, il alla s'embusquer derrière
la porte et jeta au bas de l'escalier tous les avocats qui
voulurent entrer. Les avocats se réunirent sur l'un des
paliers inférieurs pour discuter de la conduite qu'ils
devraient tenir ; d'une part, ils n'avaient pas expressément le droit d'entrer, ce qui les empêchait d'entreprendre légalement quoi que ce fût contre le fonctionnaire
— qu'ils avaient d'ailleurs tout intérêt à ménager
comme on l'a déjà expliqué — mais, d'autre part,
toute journée qu'ils ne passaient pas au tribunal étant
complètement perdue pour eux, ils tenaient énormément à pénétrer dans la salle. Finalement ils tombèrent d'accord qu'il fallait fatiguer le vieux monsieur.
Ils grimpèrent donc à tour de rôle ; une fois en haut ils
se laissaient chasser après une longue résistance pas-
sive ; les collègues recueillaient l'accidenté au pied de
l'escalier. Cela dura [17] à peu près une heure, au bout de
laquelle le vieux monsieur, épuisé déjà par une nuit de
travail, se sentit vraiment trop fatigué et réintégra son
bureau. Ceux d'en bas ne voulurent d'abord pas y
croire, ils dépêchèrent l'un d'entre eux avec mission de
regarder si la salle était vide. Ils n'entrèrent qu'à son
retour et n'osèrent pas dire un mot, car les avocats [18]
[— et le plus humble d'entre eux est capable, a une
vue au moins partielle de l'organisation —] sont bien
loin de vouloir introduire [ou imposer] dans le système
judiciaire quelque amélioration que ce soit, alors que
tout accusé, même le plus simple d'esprit — et c'est
très caractéristique — commence toujours, dès son
premier contact avec la justice, par méditer des projets
de réforme, gaspillant ainsi un temps et des forces qu'il
pourrait employer beaucoup plus utilement. La seule
méthode raisonnable était, disait le docteur Huld, de
s'accommoder de la situation telle qu'elle était. Même
s'il eût été possible d'améliorer certains détails — et
c'était une billevesée — on n'aurait pu obtenir de

résultats, dans l'hypothèse la plus favorable, que pour
les cas qui se présenteraient à l'avenir, et on se serait
énormément nui en attirant sur soi l'attention de
fonctionnaires rancuniers. Il fallait éviter à tout prix de
se faire remarquer, rester tranquille même si on y
éprouvait la plus grande répugnance, tâcher de comprendre que cet immense organisme judiciaire restait
toujours en quelque sorte dans les airs et que si l'on
cherchait à y modifier quelque chose de sa propre
autorité on supprimait le sol sous ses pas, se mettant
ainsi en grand danger de tomber, alors que l'immense
organisme pouvait facilement — tout se tenant dans
son système — trouver une pièce de rechange et rester
comme auparavant, à moins — et c'était le plus
probable — qu'il n'en devînt encore plus vigoureux,
plus attentif, plus sévère et plus méchant. Le mieux
était donc de laisser faire l'avocat au lieu de le
déranger. Les reproches ne servaient sans doute pas à
grand-chose, surtout quand on ne pouvait faire comprendre aux gens toute l'importance de leurs motifs,
mais [19] il fallait tout de même dire à K. combien il avait
desservi sa propre cause en se conduisant comme il
l'avait fait avec le chef de bureau. Le nom de cet
homme influent devait être, désormais, presque sup-
primé de la liste des personnages auprès desquels on
pouvait entreprendre quelque chose pour K.; il faisait
intentionnellement semblant de n'entendre aucune
allusion au procès, si superficielle qu'elle fût : c'était
bien net. Ces fonctionnaires [20] se conduisaient à maints
égards comme des enfants. La chose la plus innocente
— et malheureusement l'attitude de K. ne l'était pas
— pouvait parfois les blesser à tel point qu'ils en
cessaient de parler à leurs meilleurs amis, se détour-
naient quand ils les rencontraient et travaillaient en
tout contre eux. Mais il arrivait aussi qu'une petite
plaisanterie, que l'on risquait en désespoir de cause,

les fît rire sans grand motif et vous les ramenât
brusquement de la façon la plus surprenante. Leur
commerce était à la fois compliqué et très facile ; nul
principe ne pouvait le régler.

On s'étonnait parfois, dans de telles conditions,
qu'une vie suffît pour arriver à admettre qu'on pût
réussir quelquefois. Il y avait bien, évidemment, de ces
heures mélancoliques, comme tout le monde en connaît, où l'on croyait n'avoir rien atteint, où il semblait
qu'on n'avait jamais réussi que dans des procès
destinés de toute éternité au succès et qui auraient
abouti même sans vous, alors qu'on avait perdu tous
les autres malgré toutes les courses, la peine et les
petits résultats apparents qui vous avaient tant fait
plaisir. Et il semblait, à ces moments, qu'il n'y eût plus
à se fier à rien et que, si l'on avait eu à répondre à
certaines questions précises, on n'aurait même pas osé
nier qu'on avait lancé dans de mauvaises voies, avec la
meilleure intention du monde, des procès qui auraient
dû réussir d'eux-mêmes. Il y avait évidemment jusque
dans ce sentiment une sorte de certitude, mais c'était
la seule qui vous restât. Ces accès de scepticisme — car
ce n'étaient évidemment que des accès — menaçaient
surtout les avocats quand on leur retirait des mains un
procès qu'ils avaient déjà mené assez loin et qui leur
donnait entière satisfaction. C'était sans doute la pire
des choses qui pût arriver à un défenseur. Ce malheur
ne se produisait jamais par la faute de l'accusé ; un
accusé qui avait choisi un avocat était forcé de le
conserver quoi qu'il advînt. Comment d'ailleurs
aurait-il pu se débrouiller seul après s'être fait assister ? Cela n'arrivait donc jamais, mais il arrivait
quelquefois que la procédure prît une direction dans
laquelle l'avocat n'avait plus le droit de la suivre. On
lui retirait à la fois le procès, l'accusé et tout ; les plus
utiles relations ne servaient plus alors de rien, car les

fonctionnaires eux-mêmes étaient tenus dans l'ignorance. Le procès venait d'entrer dans une phase où on
n'avait plus le droit d'aider, où il se trouvait entre les
mains de cours de justice inaccessibles et où l'avocat
ne pouvait plus voir l'inculpé. Un beau jour, en
arrivant chez soi, on découvrait sur sa table toutes les
requêtes qu'on avait rédigées avec tant de zèle et
d'espoir ; elles vous avaient été renvoyées comme
n'ayant plus le droit de figurer dans la nouvelle phase
du procès. Ce n'étaient plus que chiffons de papier.
Cela ne signifiait d'ailleurs pas que le procès fût encore
perdu. Il n'y avait du moins aucune raison impérieuse
d'admettre cette hypothèse : il se trouvait simplement
qu'on ne savait plus rien du procès et qu'on n'en
saurait jamais plus rien. De tels cas ne représentaient
heureusement que des exceptions et, même si le procès
de K. devait jamais entrer dans cette voie, il était loin
pour le moment d'une telle phase et laissait encore
largement à faire à l'avocat. K. pouvait être bien sûr [21]
que l'occasion ne serait pas perdue. La requête,
comme on l'avait dit, n'était pas encore envoyée, mais
cela n'était pas urgent, il était beaucoup plus important, pour le moment, d'établir les premiers contacts
avec les fonctionnaires utiles, et la chose était déjà faite
— avec des succès différents, il fallait l'avouer franchement. Il valait mieux provisoirement ne pas révéler de
détails qui ne pouvaient influencer K. que dans un
sens défavorable, en lui donnant [22] trop d'espoirs ou de
craintes : qu'il lui suffît de savoir que certains fonctionnaires avaient fait preuve du plus grand empressement
[et s'étaient prononcés de manière très favorable,
alors] que d'autres s'étaient montrés moins favorables
mais n'avaient pas refusé leur aide. Au total le résultat
était donc très satisfaisant, mais il ne fallait pas en tirer
de conclusions, car toutes les négociations préliminaires commençaient de la même façon, et ce n'était

que par la suite des débats qu'on pouvait voir si elles avaient servi. En tout cas [23] rien n'était perdu, et, si l'on pouvait réussir malgré tout à gagner le chef de bureau — diverses démarches avaient déjà été entreprises dans ce sens — la plaie serait nette, comme disent les chirurgiens, et on pourrait attendre la suite avec confiance.

Quand il était lancé dans ce genre de discours, l'avocat ne tarissait plus : il recommençait à chaque visite. Il y avait toujours des progrès, mais jamais on n'avait le droit de dire en quoi ces progrès consistaient. On ne cessait de travailler à la première requête, mais elle n'était jamais finie, ce qui s'avérait excellent dès la consultation suivante, car le moment — chose qu'on n'avait pas pu prévoir — aurait été très mal choisi pour l'envoi de ce document. Si K., épuisé de discours, faisait parfois remarquer que l'affaire n'avançait guère, même en tenant compte de toutes les difficultés, on lui répondait qu'elle allait fort bien son petit chemin, mais qu'elle en serait évidemment beaucoup plus loin si on s'était adressé à temps à l'avocat. Malheureusement, on ne l'avait pas fait, et cette négligence amènerait par la suite de bien pires ennuis que des pertes de temps.

La seule interruption bienfaisante au cours de ces consultations était la visite de Leni qui savait toujours s'arranger pour apporter le thé à Mc Huld pendant que K. se trouvait là. Elle restait alors derrière lui en se donnant l'air de regarder l'avocat — qui se penchait très bas sur sa tasse pour verser le thé avec une sorte de convoitise et l'engloutir — et elle se faisait prendre en cachette la main par K. Il régnait [24] un silence complet ; l'avocat buvait, K. pressait la main de Leni, et Leni osait parfois caresser doucement les cheveux de K.

« Tu es encore là ? demandait l'avocat quand il avait fini.

— Je voulais remporter la tasse », disait Leni.

Il y avait encore un dernier serrement de mains ; l'avocat s'essuyait la bouche et recommençait à exhorter K. avec une vigueur nouvelle.

Mais que voulait-il ? L'encourager ? Ou le désespérer complètement ? K. ne pouvait pas le démêler, mais il ne tarda pas à tenir pour certain que sa défense n'était pas en bonnes mains.

Il se pouvait fort bien que l'avocat dît vrai quoiqu'il cherchât évidemment à se donner le premier rôle et qu'il n'eût jamais eu à s'occuper d'un procès aussi important que lui semblait celui de K. Mais ces relations qu'il faisait toujours valoir avaient un air réellement suspect ; ne les utilisait-il [25] vraiment qu'au profit de K. ? Il n'oubliait jamais de dire qu'il ne s'agissait que de fonctionnaires subalternes, par conséquent d'employés extrêmement dépendants dont l'évolution du procès pouvait, en certains cas, favoriser l'avancement. N'étaient-ce pas eux, après tout, qui utilisaient l'avocat pour obtenir l'évolution désirée, évolution nécessairement nuisible [26] à l'accusé ? Peut-être n'agissaient-ils pas ainsi dans tous les procès, ce n'eût pas été vraisemblable, il y avait sûrement des causes dans lesquelles ils donnaient un coup de main à l'avocat pour le récompenser de ses services, car ils devaient avoir à cœur de lui conserver [27] sa réputation ; mais si les choses se passaient vraiment ainsi, dans quel sens interviendraient-ils à propos du procès de K. qui était très épineux, comme le disait Me Huld, et devait donc constituer un événement sensationnel qui avait sûrement accaparé dès le début toute l'attention du tribunal ? Hélas ! il n'y avait pas grand doute à conserver. On voyait bien que la première requête n'était pas encore envoyée, et pourtant le procès durait depuis des mois. Rien n'en était encore qu'au début, d'après ce que disait l'avocat ; la méthode était évidemment excellente si l'on voulait endormir l'accusé et le maintenir dans l'inaction pour qu'il restât surpris par le verdict ou tout au moins par le résultat de l'enquête quand on lui apprendrait inopinément qu'elle avait été défavorable et que l'affaire était renvoyée devant un tribunal supérieur [28].

Il était absolument nécessaire que K. intervînt lui-même. C'était surtout quand il était très fatigué, comme en cette matinée d'hiver où tout le trouvait aboulique, que cette conviction devenait despotique. Il avait oublié ses mépris du début ; s'il avait été seul au monde, il aurait pu négliger son procès, en admettant qu'on le lui eût intenté, ce qui ne serait pas arrivé. Mais maintenant [29] son oncle l'avait mené chez l'avocat, et des considérations de famille entraient en jeu ; sa situation avait cessé d'être complètement indépendante de l'évolution du procès, il avait même imprudemment parlé lui-même à des amis de cette affaire avec une inexplicable satisfaction ; d'autres l'avaient apprise on ne savait comment ; ses relations avec Mlle Bürstner semblaient être restées en suspens en même temps que son litige... bref, il n'avait guère plus le choix d'accepter ou de refuser le procès ; il s'y trouvait en plein et il fallait se défendre ; s'il se fatiguait, gare à lui !

Il n'avait pas encore trop à s'inquiéter pour le moment. Il avait su arriver à la banque, en un temps relativement court, et à la force du poignet, à la place qu'il occupait ; il avait su [30] s'y maintenir entouré de l'estime de tous, il n'avait donc qu'à consacrer à son procès une partie des facultés qui lui avaient permis une telle ascension ; nul doute alors que tout ne finît bien ; il était surtout nécessaire, s'il voulait parvenir au but, d'éliminer *a priori* toute idée de culpabilité. Il n'y avait pas de délit, le procès n'était pas autre chose

qu'une grande affaire comme il en avait souvent traitées
avantageusement pour la banque, une affaire à propos
de laquelle, comme de règle, divers dangers se présentaient auxquels il lui fallait parer. Il ne devait donc pas
arrêter son esprit sur l'idée d'une faute, mais songer
uniquement à son propre intérêt. À cet égard il était
nécessaire de retirer à l'avocat le droit de le représenter, et le plus tôt serait le mieux ; c'était peut-être,
comme cet homme le lui avait dit, une chose complètement inouïe et un geste extrêmement blessant, mais K.
ne pouvait pas admettre qu'il se heurtât dans son
procès à des obstacles qui vinssent de son propre
défenseur. Une fois [31] l'avocat évincé, il fallait envoyer
la requête immédiatement et là-dessus insister ferme,
et chaque jour s'il se pouvait, pour qu'on la prît en
considération. Il ne suffirait évidemment pas pour cela
de rester comme les autres assis dans le couloir et de
poser son chapeau sous le banc, il faudrait harceler
chaque jour les employés, les faire assiéger par les
femmes ou par quelque tiers que ce fût, et les
contraindre à s'asseoir à leur table et à étudier [32] la
requête au lieu de regarder dans le couloir à travers le
grillage de bois. Nulle relâche dans ces efforts, il
faudrait tout organiser et surveiller parfaitement ; il
faudrait que la justice se heurtât une bonne fois à un
accusé qui sût se défendre.

Mais, bien que K. se fiât à lui-même pour exécuter
ce programme [33], il était écrasé par la difficulté de
rédiger la première requête. Une semaine auparavant
il ne pensait encore qu'avec une sorte de honte qu'il
pût être obligé un jour de rédiger ce document de sa
propre main, mais que ce dût être difficile il n'y avait
jamais songé. Il se rappelait qu'un matin où il était
accablé de travail il avait tout jeté de côté et pris
subitement son bloc-notes pour essayer de tracer le
plan d'une requête de ce genre qu'il destinait à son lent

avocat [34], et qu'à ce moment la porte s'était ouverte, livrant passage au directeur adjoint qui était entré en éclatant de rire.

Ce rire avait alors été très pénible à K. bien qu'il ne visât naturellement pas la requête, dont le directeur adjoint ne savait rien, mais une plaisanterie financière qu'il venait d'apprendre à l'instant. Il avait fallu un dessin [35] pour la faire comprendre et le directeur adjoint l'avait exécuté, en se penchant sur la table de K. et en lui prenant le crayon des mains, sur le bloc destiné à la requête.

Aujourd'hui K. ignorait toute vergogne ; il fallait que cette requête se fît. S'il n'arrivait pas à en trouver le temps au bureau, ce qui était très probable, il la rédigerait chez lui pendant la nuit. Si les nuits ne suffisaient pas il demanderait un congé ; l'essentiel était de ne pas prendre de demi-mesures, car c'était la pire méthode, non seulement en affaires mais toujours et partout. Cette requête constituait évidemment un travail presque interminable. Sans être d'un caractère inquiet, on pouvait facilement penser qu'il serait impossible de jamais la finir. Non par paresse ou par calcul (ces raisons ne pouvaient valoir que dans le cas de Mc Huld), mais parce que, dans l'ignorance où l'on était de la nature de l'accusation et de tous ses prolongements, il fallait se rappeler sa vie jusque dans ses moindres détails, l'exposer dans tous ses replis, la discuter sous tous ses aspects. Et quel triste travail, pour comble ! Il était peut-être bon pour occuper l'esprit affaibli d'un retraité et l'aider à passer les longs jours. Mais maintenant que K. avait besoin de recueillir toutes ses forces cérébrales pour son travail [36], que chaque heure passait trop vite — car il était en plein essor et constituait déjà une menace pour le directeur adjoint — maintenant qu'il voulait jouir comme un jeune homme de ses courtes soirées et de ses brèves

nuits, c'était maintenant qu'il devait se mettre à la
rédaction de cette requête! Il s'épuisait en gémisse-
ments. Machinalement, pour mettre fin à ses tourments, il pressa le bouton électrique qui correspondait
à la sonnerie de l'antichambre. En faisant ce mouvement il aperçut la pendule. Elle marquait onze heures :
il avait donc passé deux heures, un temps énorme, un
temps précieux, à rêvasser, et il était naturellement
encore plus fatigué qu'avant. Mais, après tout, ce
temps n'était pas complètement perdu ; il lui avait
permis de prendre des décisions qui pouvaient être très
utiles. Les domestiques apportèrent avec le courrier les
cartes de visite de deux messieurs qui attendaient K.
depuis très longtemps. C'étaient justement deux gros
clients de la banque qu'on n'aurait jamais dû laisser
poser ainsi. Pourquoi venaient-ils à un si mauvais
moment ?... Et pourquoi — c'était ce qu'on croyait les
entendre demander derrière la porte fermée — pourquoi le laborieux K. gaspillait-il [37] le meilleur de ses
heures de travail à s'occuper de ses affaires privées ?
Encore fatigué de ses soucis précédents et déjà las de
ceux qui allaient venir, il se leva pour recevoir le
premier de ces visiteurs.

C'était un petit homme gaillard, un industriel qu'il
connaissait bien. Il exprima le regret d'avoir dérangé
K. au milieu d'un travail important, et K. déplora de
son côté d'avoir fait si longtemps attendre ce monsieur.
Mais il exprima ce regret si distraitement et d'un ton
qui passait tellement à côté que l'industriel [38] en aurait
été forcément frappé s'il n'eût été si absorbé par son
affaire. Il sortit des comptes et des tableaux de chiffres
de toutes ses poches, les étala devant K., expliqua
plusieurs nombres, corrigea une petite faute de calcul
qui lui avait sauté aux yeux malgré la rapidité de son
examen, rappela à K. qu'il avait conclu avec lui,
l'année précédente, une affaire du même genre, men-

tionna, comme par parenthèse, que cette fois-ci, une autre banque voulait s'en occuper à tout prix, et se tut finalement pour avoir [39] l'opinion de K.; K. avait bien suivi au début le discours de l'industriel; l'importance de l'affaire lui était bien apparue et l'idée avait bien absorbé son attention, mais, hélas! pour fort peu de temps; il n'avait pas tardé à cesser d'écouter [40] pour opiner simplement du bonnet à chaque exclamation de l'autre, puis il n'avait plus fait un geste et s'était borné à regarder la tête chauve qui se penchait sur les papiers; il se demandait à quel moment cet homme finirait par s'apercevoir qu'il parlait dans le désert. Aussi, quand l'autre se tut, K. crut-il réellement qu'il ne le faisait que pour lui permettre de reconnaître qu'il était incapable d'écouter. Mais il remarqua, avec regret, au regard attentif de l'industriel — visiblement prêt à toutes les réponses — qu'il fallait [41] continuer l'entretien. Il inclina donc la tête comme s'il avait reçu un ordre et se mit à promener lentement son crayon sur les papiers en s'arrêtant de temps à autre pour pointer un chiffre quelconque. L'industriel pressentait des objections; peut-être ses chiffres n'étaient-ils pas exacts, peut-être n'étaient-ils pas probants, en tout cas il recouvrit les papiers de la main et reprit [41bis] un exposé général de l'affaire en s'approchant tout près de K.

« C'est difficile », dit K. en faisant la moue.

N'ayant plus rien où se raccrocher du moment que les papiers étaient cachés maintenant, il se laissa tomber sans force contre le bras de son fauteuil. Il ne leva même que faiblement les yeux quand la porte de la direction s'ouvrit et que le directeur adjoint lui apparut, comme voilé par une gaze. Il ne réfléchit à rien, ne pensant qu'au résultat immédiat de cette intervention qui le soulageait considérablement, car l'industriel, s'étant levé d'un bond, s'était hâté d'aller

à la rencontre du directeur adjoint. Mais K., redoutant
que celui-ci ne vînt à disparaître, aurait voulu rendre
l'autre dix fois plus prompt. Sa crainte [42] était d'ailleurs mal fondée, les messieurs se rencontrèrent, se
tendirent la main et s'avancèrent ensemble vers son
bureau ; l'industriel se plaignit du peu d'intérêt qu'il
avait rencontré pour son affaire chez le fondé de
pouvoir et montra K. qui se replongea dans les papiers
sous le regard du directeur adjoint. Quand les deux
hommes se furent penchés sur sa table et que l'industriel se fut mis en devoir de démontrer au directeur
adjoint l'intérêt de ses propositions, il sembla à K. que
les deux hommes, qu'il se représentait exagérément
grands, négociaient au-dessus de lui à son propre
sujet ; il leva [43] prudemment les yeux, cherchant lentement à voir ce qui se passait là-haut, prit au hasard
l'un des papiers du bureau, le posa sur le plat de sa
main et le tendit à ces messieurs, tout en se levant
lentement. Ce geste ne correspondait à aucune nécessité ; K. obéissait simplement au sentiment qu'il lui
faudrait agir ainsi quand il aurait enfin terminé la
grande requête qui le libérerait complètement. Le
directeur adjoint, entièrement absorbé par la conversation, ne jeta qu'un regard distrait sur le papier ; ce
qui était important pour le fondé de pouvoir ne l'était
pas pour lui ; il prit simplement le document des mains
de K., lui dit : « Merci, je sais déjà », et reposa
tranquillement la feuille sur la table ; K., dépité, le
regarda de travers, mais le directeur [44] adjoint ne s'en
aperçut même pas ou, s'il s'en aperçut, n'en fut
qu'encouragé ; il éclata plusieurs fois de rire, embar-
rassa l'industriel par une réponse subtile et le tira
aussitôt d'embarras en se faisant à lui-même une
nouvelle objection, puis l'invita finalement à se rendre
dans son bureau pour y conclure l'affaire.

« C'est une chose très importante, dit-il à l'indus-

triel, je m'en rends parfaitement compte. M. le Fondé
de pouvoir — mais même à ce moment-là il ne parlait
qu'à l'industriel —, M. le Fondé de pouvoir sera
certainement heureux que nous l'en soulagions, car
elle demande qu'on y réfléchisse à tête reposée, et il me
semble très surmené aujourd'hui ; il y a d'ailleurs
quelques personnes qui l'attendent depuis longtemps
dans l'antichambre.

K. eut juste assez de présence d'esprit pour se
détourner du directeur adjoint et n'adresser qu'à
l'industriel un sourire qui fut aimable quoique figé ; il
n'intervint pas autrement, il resta penché en avant et
appuyé des deux mains à sa table comme un commis
derrière son pupitre, à regarder les deux messieurs qui
prirent les papiers sous ses yeux tout en continuant à
parler et disparurent dans le bureau de la direction. À
la porte l'industriel se retourna encore une fois et
déclara qu'il partait sans adieu car il se proposait de
repasser pour entretenir M. le Fondé de pouvoir du
résultat des négociations ; il avait d'ailleurs, ajouta-t-il,
une autre petite communication à lui faire.

K. se retrouva enfin seul ; il ne songea pas un instant
à faire entrer d'autres clients et ne pensa même que
confusément à la chance dont il profitait : les gens de
l'antichambre croyaient qu'il discutait encore avec
l'industriel et personne, même le domestique, ne se
serait permis d'entrer. Il se dirigea vers la fenêtre,
s'assit sur le rebord en se tenant à l'espagnolette et
regarda la place au-dehors. La neige continuait à
tomber, le temps ne s'éclaircissait pas.

Il resta ainsi longtemps sans savoir au juste ce qui
l'inquiétait ; il ne se tournait que par moments, avec
une légère crainte, vers la porte du vestibule quand il
croyait entendre un bruit. Mais, comme personne
n'entra, il se calma, alla au lavabo, se lava à l'eau
froide et revint s'asseoir, la tête plus libre, à sa fenêtre.

La résolution qu'il avait prise de se défendre lui-même lui paraissait plus difficile à exécuter qu'il ne l'avait pensé d'abord. Tant qu'il avait rejeté le soin de sa défense sur l'avocat, il ne s'était trouvé en somme que peu touché par le procès ; il l'avait observé de loin sans en être jamais atteint directement ; il avait eu loisir d'examiner à son gré la marche de son affaire ou de s'en désintéresser. Mais maintenant [45], s'il assumait lui-même la tâche de sa défense, il devrait s'exposer seul à tous les coups de la justice, provisoirement tout au moins ; le résultat serait, plus tard, la libération définitive ; en attendant, il faudrait faire face à des dangers beaucoup plus grands que jusqu'alors. S'il en avait douté, ses rapports de ce jour-là avec l'industriel et le directeur adjoint lui auraient largement prouvé le contraire. Quelle attitude avait-il eue, dans l'embarras où le plongeait déjà la seule décision de se défendre lui-même ! Et que serait-ce par la suite ! Quel avenir se préparait-il ? Trouverait-il la bonne voie, celle qui mènerait au résultat à travers tous les obstacles ? Une défense minutieuse — et nulle autre n'avait de sens — n'exigeait-elle pas nécessairement qu'il renonçât à tout travail ? Y parviendrait-il sans casse ? Et à la banque que ferait-il ? Il ne s'agissait [46] pas seulement de la requête, pour laquelle un congé aurait peut-être suffi bien qu'une demande de congé fût très risquée en ce moment ; il s'agissait de tout un procès dont la durée ne pouvait être prévue. Quel obstacle tout d'un coup dans la carrière de K. !

Et il devait travailler pour la banque ! Il regarda son bureau [47]. Il fallait faire introduire des clients et discuter maintenant avec eux ? Pendant que son procès continuait, pendant que là-haut, dans le grenier, les employés de la justice restaient penchés sur le dossier de ce procès, il lui fallait régler les affaires du service ? N'était-ce pas une espèce de supplice approuvé par le

tribunal comme complément du procès? En tiendrait-
on seulement compte à la banque dans l'appréciation
de son travail? Jamais de la vie. Son procès n'y était
pas complètement inconnu... mais de qui... et dans
quelle mesure? Le directeur adjoint l'ignorait en tout
cas, car il eût fallu voir comme il s'en fût servi! Il
n'aurait connu aucune espèce d'humanité ni de solidarité. Et le directeur [48]? Certainement il était favorable
à K. : s'il avait eu vent de son procès il aurait
probablement cherché à alléger le service de K. dans la
mesure où il l'eût pu, mais il n'y aurait sûrement pas
réussi; car, maintenant que le contrepoids constitué
jusqu'alors par K. commençait à s'affaiblir, il subissait
de plus en plus l'influence du directeur adjoint qui
exploitait à son propre profit le mauvais état de santé
de son chef. Que pouvait donc espérer K.? Peut-être
en ruminant ainsi ne faisait-il qu'user [49] sa force de
résistance, mais n'était-il pas nécessaire de chercher à
ne pas se duper et à voir aussi clair que possible?

Sans grand motif, pour retarder tout simplement le
moment de se remettre au travail, il essaya d'ouvrir la
fenêtre. Elle était dure, il dut s'y prendre des deux
mains. Le brouillard, mêlé de fumée, envahit la pièce
et l'emplit d'une légère odeur de brûlé. Quelques
flocons de neige pénétrèrent aussi, poussés par le
vent.

« Vilain automne! » dit derrière K. l'industriel qui
était rentré inaperçu en revenant de chez le directeur
adjoint.

K. fit oui de la tête et regarda avec inquiétude le
portefeuille d'où l'industriel s'apprêtait à sortir ses
papiers pour lui communiquer le résultat de ses
négociations avec le directeur adjoint. Mais l'industriel, qui avait suivi le regard de K., frappa sur sa
serviette et dit sans l'ouvrir :

« Vous voulez savoir les résultats? J'ai le traité en

poche, ou presque. Un homme charmant votre directeur adjoint... mais il faut se méfier ! »

Il se mit à rire et serra la main de K., s'attendant à
le faire rire aussi. Mais K. trouvait maintenant suspect
qu'on ne voulût pas lui montrer les papiers ; il ne voyait
absolument rien de drôle à la remarque de l'industriel.

« Monsieur le Fondé de pouvoir, lui dit alors cet
homme, vous souffrez sans doute du temps. Vous avez
l'air tout ennuyé.

— Oui [50], dit K. en portant la main à ses tempes,
des maux de tête, des ennuis de famille.

— Parfaitement, dit l'industriel qui était un homme
impatient et ne pouvait jamais écouter jusqu'au bout,
tout le monde a sa croix à porter. »

K. avait fait machinalement un pas vers la porte
comme pour le raccompagner, mais l'autre reprit :

« J'aurais encore quelques mots à vous dire, monsieur le Fondé de pouvoir. Je crains beaucoup de vous
importuner en vous parlant de cela aujourd'hui, mais
je suis déjà venu deux fois ces temps derniers et je l'ai
oublié à chaque fois. Si je remets encore la chose, qui
sait si elle aura encore sa raison d'être ? Et ce serait
peut-être dommage, car après tout ma communication
peut avoir une certaine valeur. »

K. n'avait pas [51] eu le temps de répondre que
l'industriel était déjà tout près de lui, lui frappait
légèrement du revers du doigt sur la poitrine et lui
demandait à voix basse :

« Vous avez un procès, n'est-ce pas ? »

K. recula en s'écriant :

« C'est le directeur adjoint qui vous l'a dit !

— Jamais de la vie, répondit l'industriel, comment
pourrait-il le savoir ?

— Par vous peut-être ? demanda K. [52], déjà bien
plus maître de lui.

— Il m'arrive par-ci par-là de petites nouvelles du

tribunal, déclara alors l'industriel ; c'est justement à ce sujet que j'aurais à vous dire deux mots.

— Mais tout le monde est donc en rapport avec la justice ! » dit K. en laissant tomber la tête.

Il amena l'industriel vers le bureau. Ils se rassirent tous deux comme précédemment et l'industriel déclara :

« Ce que je peux vous communiquer n'est peut-être pas très important, mais dans ce genre d'affaires-là il ne faut jamais rien négliger. D'ailleurs, j'avais envie de vous rendre service, si modestement que ce fût. Ne nous sommes-nous pas toujours entendus en affaires ? Eh bien !... »

K. voulut alors s'excuser de son attitude précédente, mais l'industriel, n'admettant aucune interruption, remonta sa serviette sous son bras pour montrer qu'il était pressé et poursuivit :

« J'ai entendu parler de votre procès par un certain Titorelli. C'est un peintre, Titorelli n'est que son pseudonyme, j'ignore son véritable nom. Voilà déjà des années qu'il vient me voir de temps à autre à mon bureau et qu'il m'apporte de petits tableaux pour lesquels — c'est presque un mendiant — je lui donne toujours une espèce d'aumône. Ce sont d'ailleurs de jolis tableaux, des landes, des paysages, enfin vous voyez ça. Ces achats auxquels nous étions déjà habitués tous les deux se passaient toujours le mieux du monde ; mais, à la fin, il s'est présenté trop souvent et je le lui ai [53] reproché ; nous en sommes venus à parler, j'étais curieux de savoir comment il pouvait vivre de sa seule peinture, et j'ai alors appris à mon grand étonnement qu'il vivait surtout du portrait. Il travaillait, me déclara-t-il, pour le tribunal. Je lui demandai pour lequel. Ce fut alors qu'il m'en parla. Vous êtes [54] mieux placé que tout autre pour imaginer la stupéfaction que me causèrent ses récits. Depuis ce temps j'apprends toujours à chacune de ses visites quelque nouvelle de la justice et je finis par acquérir petit à petit une grande expérience de la chose. A dire vrai, ce Titorelli est bavard et je dois souvent le faire taire, non seulement parce qu'il est menteur — c'est indéniable — mais encore et surtout parce qu'un homme d'affaires qui ploie comme moi sous le faix de ses propres soucis n'a pas le temps de s'inquiéter des histoires des autres. Mais passons. Je me suis dit que ce Titorelli pourrait peut-être vous servir, il connaît beaucoup de juges et, bien qu'il n'ait peut-être pas lui-même grande influence, il peut vous renseigner sur la meilleure façon d'approcher certains magistrats. Et quand bien même ses conseils ne seraient pas définitifs, vous pourriez, vous, en tirer grand parti. Car vous êtes [35] presque un avocat. Je dis toujours : M. K. est presque un avocat. Ah ! je n'ai pas peur pour votre procès ! Mais voulez-vous aller maintenant chez Titorelli ? Sur ma recommandation il fera certainement tout ce qui lui sera possible. Je pense vraiment que vous devriez y aller. Pas aujourd'hui nécessairement : quand vous voudrez, à l'occasion. D'ailleurs, du fait que je vous le conseille, vous n'êtes pas obligé [36] d'y aller. Si vous pensez pouvoir vous passer de lui, il vaut certainement mieux le laisser de côté. Peut-être avez-vous déjà arrêté vous-même un plan précis que Titorelli risquerait de déranger. Dans ce cas-là n'allez pas le voir, je vous en prie. Il faut d'ailleurs certainement se faire violence pour aller chercher des conseils chez un pareil oiseau. Enfin, voyez vous-même ce que vous avez à faire. Voici un mot de recommandation et l'adresse du bonhomme avec. »

Déçu, K. prit la lettre et la mit dans sa poche. Même au cas le plus favorable, l'avantage qu'il pourrait retirer de cette recommandation était relativement moindre que l'ennui de savoir que l'industriel avait connaissance du procès et que le peintre risquait d'en répandre le bruit. Il put à peine se résoudre à remercier brièvement le client qui gagnait déjà la porte.

« J'irai, finit-il par lui dire en prenant congé, ou bien je lui écrirai de passer me voir au bureau car je suis très occupé en ce moment.

— Je savais bien, dit l'industriel, que vous trouveriez la meilleure solution. À dire vrai je pensais que vous auriez préféré éviter de faire venir à la banque des gens comme ce Titorelli et de parler ici avec lui de votre procès. Il n'est pas toujours bon non plus de laisser les lettres dans les mains de personnages de ce genre. Mais vous avez sûrement réfléchi à tout et vous savez ce que vous pouvez faire. »

K. opina du bonnet et raccompagna l'industriel jusque dans l'antichambre. Mais, malgré son calme extérieur, il commençait à se faire peur. Il n'avait dit, à la vérité, qu'il écrirait à Titorelli que pour montrer au gros client qu'il appréciait sa recommandation et qu'il ne voulait pas tarder un instant à réfléchir aux possibilités de rencontrer le peintre, mais, s'il avait jugé l'aide de l'artiste utile, il lui eût écrit sur-le-champ. Il avait fallu la réflexion de l'industriel pour lui faire remarquer les dangers qu'une lettre risquait de lui faire courir. Pouvait-il donc se fier si peu à son propre jugement ? S'il pouvait inviter expressément par lettre un individu équivoque à se présenter à la banque et s'il pouvait songer à lui parler de son procès à deux pas de la porte du directeur adjoint, n'était-il pas possible aussi, n'était-il pas même très probable, qu'il côtoyait d'autres périls sans s'en douter et qu'il était en train de se jeter sur des écueils inaperçus ? Il n'aurait pas toujours quelqu'un à ses côtés pour le prévenir. Et c'était [57] maintenant — maintenant qu'il voulait ramasser toutes ses forces pour entrer en

lice —, c'était maintenant qu'il fallait qu'il lui vînt sur
sa propre vigilance des doutes qu'il n'avait encore
jamais connus ! Fallait-il que les difficultés qu'il rencontrait dans son travail professionnel vinssent lui
faire obstacle aussi dans son procès ? Il ne comprenait
plus du tout comment il avait pu concevoir l'idée
d'écrire à Titorelli et de l'inviter à la banque.

Il en hochait encore la tête quand le domestique
s'approcha de lui pour lui faire remarquer trois
messieurs qui étaient assis sur une banquette dans
l'antichambre. Ils attendaient depuis déjà longtemps
d'être reçus dans le bureau de K. Ils s'étaient levés en
voyant le domestique lui parler, chacun cherchant une
occasion de se faufiler le premier. Puisque la banque
avait si peu d'égards que de leur faire perdre[58] leur
temps dans cette salle d'attente, ils ne voulaient plus
observer aucune espèce de retenue.

« Monsieur le Fondé de pouvoir ! » appelait déjà
l'un d'eux.

Mais K. s'étant fait apporter sa fourrure, leur
déclara à tous les trois, en enfilant son vêtement avec
l'aide du domestique :

« Excusez-moi, messieurs, je le regrette beaucoup, je
n'ai pas le temps de vous recevoir en ce moment. Je
vous en demande infiniment pardon, mais j'ai à régler
en ville des affaires de la dernière urgence et je suis
obligé de partir sur-le-champ. Vous avez vu vous-
mêmes combien je viens d'être pris. Auriez-vous
l'amabilité de revenir demain ou quelque autre jour ?
À moins que vous ne préfériez que nous parlions de vos
affaires par téléphone. Si vous voulez, vous pourriez
peut-être aussi me mettre tout de suite au fait en deux
mots et je vous donnerais par lettre une réponse
détaillée. Le mieux serait évidemment que vous repas-
siez. »

Ces propositions de K. provoquèrent chez les messieurs, auxquels on annonçait maintenant que leur attente avait été vaine, un tel étonnement qu'ils se regardèrent les uns les autres sans mot dire.

« Nous sommes donc d'accord ? » demanda K. en se tournant vers le domestique qui lui apportait son chapeau.

Par la porte ouverte du bureau, on voyait que la neige tombait de plus en plus fort. Il releva donc son col et le boutonna sous son menton.

À ce moment, le directeur adjoint sortait de la pièce voisine ; il regarda en souriant K. discuter en manteau de fourrure avec les messieurs de l'antichambre et demanda :

« Vous partez maintenant, monsieur le Fondé de pouvoir ?

— Oui, dit K. en se redressant, les affaires m'appellent en ville. »

Mais le directeur adjoint s'était déjà tourné vers les messieurs.

« Et ces messieurs ? demanda-t-il. Je crois qu'il y a déjà longtemps qu'ils attendent.

— Nous nous sommes déjà arrangés », dit K.

Mais il n'y avait plus moyen de contenir les trois messieurs ; ils cernèrent K.[59] et déclarèrent qu'ils n'auraient pas attendu des heures si leurs affaires n'avaient pas été urgentes, si elles n'avaient pas demandé à être discutées sur-le-champ, et à fond, et en particulier. Le directeur adjoint les écouta un instant, puis il examina K. qui restait là, le chapeau à la main, époussetant de temps à autre cette coiffure par endroits, et dit enfin :

« Il y a, messieurs, une solution très simple. Si vous voulez vous contenter de moi, je me chargerai très volontiers de vous recevoir à la place de M. le Fondé de pouvoir. Il faut évidemment régler cela tout de suite. Nous sommes des gens d'affaires comme vous, et nous savons ce que vaut le temps. Voulez-vous entrer par ici ? »

Et il ouvrit la porte qui conduisait à l'antichambre de son bureau.

Comme le directeur adjoint s'entendait à s'approprier ce que K. était obligé de sacrifier ! Mais K. ne sacrifiait-il pas plus qu'il n'était absolument nécessaire ? Pendant qu'il courait chez un peintre inconnu pour satisfaire aux exigences d'un espoir incertain, et bien infime comme il devait se l'avouer lui-même, son prestige souffrait ici un irréparable dommage. Il eût bien mieux valu sans doute retirer son manteau de fourrure et rattraper au moins les deux clients qui devaient attendre encore dans la pièce à côté. K. l'eût peut-être essayé s'il n'avait aperçu à ce moment-là, dans son propre bureau, le directeur adjoint qui cherchait quelque chose dans le classeur comme si c'eût été le sien. Lorsque K., irrité, s'approcha de la porte, le directeur adjoint lui cria :

« Ah ! vous n'êtes pas encore parti ? »

Et il tournait vers K. un visage dont les rides sévères semblaient indiquer non point l'âge mais la force ; sur quoi il se remit tout de suite à fouiller.

« Je cherche, expliqua-t-il, la copie d'un contrat qui doit se trouver chez vous d'après ce que dit le représentant de la firme. Voulez-vous me donner un coup de main ? »

K. fit un pas, mais le directeur adjoint lui dit :

« Merci, je l'ai déjà trouvée. »

Et il retourna dans son bureau avec un gros paquet d'écrits qui contenait non seulement la copie du contrat, mais bien d'autres papiers aussi[60].

« Je ne suis pas de taille maintenant, se disait K., mais une fois que j'en aurai fini avec mes ennuis personnels, il sera le premier à le sentir, et à le sentir amèrement. »

Un peu calmé par cette pensée, il chargea le domestique, qui lui tenait déjà la porte ouverte depuis un bon moment, de faire savoir à l'occasion au directeur que les affaires l'avaient appelé en ville, et il quitta la banque presque heureux de pouvoir se donner un moment à son affaire.

Il prit[61] une voiture et se rendit immédiatement chez le peintre qui habitait dans un faubourg diamétralement opposé à celui des bureaux du tribunal. C'était un coin encore plus pauvre que celui de la justice, avec des maisons encore plus sombres et des rues pleines d'une boue qui noircissait la neige fondue[62]. Dans la maison qu'habitait le peintre, un seul battant de la grande porte était ouvert ; [du côté de l'autre battant,] un trou était percé dans le mur d'où K., en se rapprochant, vit jaillir tout d'un coup un horrible liquide jaune et fumant qui fit prendre la fuite à un rat [dans la direction du canal voisin]. Au pied de l'escalier, un marmot pleurait, couché à plat ventre sur le sol ; mais on l'entendait à peine dans le fracas qui sortait d'un atelier de ferblantier situé de l'autre côté du passage. La porte de l'atelier était ouverte ; on apercevait trois ouvriers groupés en demi-cercle autour d'on ne savait quelle pièce qu'ils frappaient à coups de marteau. Une grande plaque de fer-blanc accrochée au mur jetait une lueur blafarde entre deux de ces ouvriers ; elle faisait briller leurs visages et leurs tabliers de travail. K. ne jeta sur ce tableau qu'un regard distrait ; il voulait en finir le plus rapidement possible, sonder le peintre en quelques mots et revenir aussitôt à la banque. S'il obtenait le moindre résultat, ce petit succès aurait la meilleure influence sur son travail de la journée. Au troisième étage, hors d'haleine, il dut ralentir son allure ; l'escalier, comme les étages, était démesurément haut, et le peintre habitait une mansarde. L'air était oppressant ; nulle cour d'aération ne donnait sur la cage d'escalier resserrée entre de grands murs percés seulement de loin en loin, dans leur partie la plus haute, de minuscules lucarnes. Au moment où K. s'arrêta, quelques fillettes débouchèrent d'une porte et se mirent à monter l'escalier en riant. K. les suivit lentement, rattrapa l'une des petites qui, ayant trébuché, était restée en arrière, et lui demanda pendant que les autres continuaient de monter en groupe :

« Y a-t-il dans la maison un peintre Titorelli ? »

La fillette, une gamine bossue qui avait à peine treize ans, lui donna un petit coup de coude et le regarda en coulisse. Ni sa jeunesse ni son infirmité n'avaient pu la préserver de la plus complète corruption. Elle ne souriait même pas, elle examinait gravement K. d'un regard fixe et provocant. K. fit comme s'il n'avait pas vu et lui demanda :

« Connais-tu le peintre Titorelli ? »

Elle fit oui de la tête, et demanda à son tour :

« Que lui voulez-vous ? »

K. pensa qu'il serait avantageux de se renseigner rapidement sur Titorelli :

« Je veux faire faire mon portrait, dit-il.

— Votre portrait ? » demanda-t-elle en ouvrant démesurément la bouche et en tapant légèrement sur le bras de K. comme s'il venait de dire une chose extraordinairement surprenante ou maladroite ; puis elle leva des deux mains sa robe, qui était déjà très courte, et rattrapa du plus vite qu'elle put les autres fillettes dont les cris se perdaient déjà dans les hauteurs de l'escalier. Mais au tournant suivant K. les retrouva toutes. La petite bossue les avait sans doute informées de son intention, et elles l'attendaient là, de chaque côté de l'escalier, en se pressant contre les murs pour lui permettre de passer commodément et en rectifiant de la main les plis de leurs tabliers. Leurs visages et leur attitude exprimaient[63] un mélange de puérilité et de corruption. Elles se reformèrent en riant derrière K. et le suivirent, précédées de la petite bossue qui avait pris la direction. K. lui dut de trouver immédiatement le bon chemin. Sans elle, il serait monté tout droit; mais elle lui montra qu'il devait obliquer pour arriver chez Titorelli. L'escalier qui y conduisait était encore plus étroit, très long, tout droit, visible en son entier; il s'arrêtait net à la porte. Cette porte, qui était relativement très éclairée, car elle recevait d'en haut le jour d'une petite lucarne oblique, était faite de planches en bois blanc sur lesquelles le nom de Titorelli était peint en rouge, à gros coups de pinceau. K. n'avait pas monté la moitié de l'escalier en compagnie de son escorte que la porte s'entrouvrit et qu'un homme, attiré sans doute par le tapage de tant de pas, apparut dans l'entrebâillement, vêtu d'une simple chemise de nuit.

« Oh! » cria-t-il en voyant cette foule, et il disparut aussitôt.

La petite bossue applaudit de plaisir, et les autres gamines se pressèrent derrière K. pour le faire avancer plus vite.

Elles n'étaient pas encore en haut quand le peintre ouvrit complètement et invita K. à entrer avec une profonde révérence. Il fit signe aux gamines de partir et n'en voulut admettre aucune malgré l'instance de leurs prières et les tentatives qu'elles firent pour pénétrer contre son gré. La petite[64] bossue réussit seule à s'introduire dans la chambre en se glissant sous le bras qu'il tendait en travers de la porte, mais le peintre s'élança à sa poursuite, l'empoigna par les jupes, la fit tourner autour de lui et la déposa au-dehors à côté des autres gamines qui n'avaient tout de même pas osé franchir le seuil pendant sa courte absence.

K. ne savait que penser de cette scène ; il semblait en effet que tout cela se passât le plus amicalement du monde. Les gamines, au pied de la porte, levèrent toutes le menton, et lancèrent[65] au peintre des plaisanteries que K. ne comprit pas ; Titorelli riait aussi tout en balançant la petite bossue[66]. Puis il ferma la porte, fit une nouvelle révérence à K. et se présenta en disant :

« Titorelli, artiste peintre. »

K. répondit, en lui montrant la porte derrière laquelle les fillettes chuchotaient :

« Elles ont l'air d'être très bien vues dans la maison !

— Ah, les petites fripouilles ! » dit le peintre en cherchant vainement à boutonner le col de sa chemise de nuit.

Il était d'ailleurs pieds nus, il n'avait pu encore passer qu'un large caleçon de toile jaunâtre retenu à la ceinture par un lacet et dont les longues extrémités flottaient autour de ses chevilles.

« Ces petites horreurs m'excèdent », poursuivit-il[67] en renonçant à refermer sa chemise de nuit dont le dernier bouton venait juste de sauter.

Il alla chercher une chaise et invita K. à s'asseoir.

« J'ai fait une fois le portrait de l'une d'entre elles — elle n'est même pas là aujourd'hui — et depuis elles sont toutes sur mon dos. Quand j'y suis, elles n'entrent que si je le leur permets ; mais quand je n'y suis pas, il y en a toujours au moins une ici. Elles ont fait fabriquer une clé de ma porte qu'elles se prêtent l'une à l'autre ; on ne peut se faire une idée d'un tel tracas. Je rentre, par exemple, avec une dame dont je dois exécuter le portrait, j'ouvre la porte avec ma clé, et je trouve la petite bossue près de la table, en train de se peindre les lèvres en rouge avec le pinceau, pendant que ses frères et sœurs qu'on l'a chargée de surveiller se déchaînent à travers la chambre et me font des saletés dans tous les coins. Ou bien encore, comme hier soir, je rentre tard à la maison — c'est la raison qui, jointe à mon état de santé, est cause du désordre[68] de la pièce, je vous prie de m'en excuser — je rentre donc tard et je grimpe dans mes draps, quand je me sens la jambe pincée ; je regarde sous le lit et j'en sors encore une de ces péronnelles. Pourquoi viennent-elles ainsi me harceler chez moi, je n'en sais rien ; vous avez pu remarquer que je ne cherche pas à les attirer. Naturellement, dans mon travail, elles me dérangent aussi. Si on n'avait pas mis cet atelier gratuitement à ma disposition il y a longtemps que j'aurais déménagé. »

Juste à ce moment, derrière la porte, une petite voix pointue cria peureusement :

« Titorelli, pouvons-nous entrer ?

— Non, répondit le peintre.

— Et toute seule, je ne peux pas non plus ? demanda encore la voix.

— Non plus », dit le peintre.

Et il alla fermer la porte à clé.

Cependant K. examinait la pièce ; il n'aurait jamais eu de lui-même l'idée qu'on pût appeler atelier cette misérable chambrette. On ne pouvait y faire plus de deux pas ni en long ni en large. Tout y était en bois, murs, plancher et plafond. De minces jours couraient entre les planches. Le lit se trouvait en face de K., contre le mur ; il était surchargé de couvertures, d'oreillers et d'édredons de diverses couleurs. Au milieu de la pièce, une toile était montée sur un chevalet et recouverte d'une chemise dont les manches brimbalaient jusqu'au sol. La fenêtre était derrière K. mais le brouillard empêchait de voir plus loin que le toit de la maison voisine qui était recouvert de neige.

Le grincement de la clé dans la serrure rappela à K. son intention de ne pas rester. Il sortit donc de sa poche le mot de l'industriel, le tendit au peintre et lui dit :

« J'ai appris votre adresse par ce monsieur que vous connaissez et c'est sur son conseil que je suis venu vous trouver. »

Le peintre parcourut la lettre d'un regard et la jeta sur le lit. Si l'industriel n'avait pas affirmé expressément qu'il connaissait Titorelli et parlé de lui comme d'un pauvre homme qui en était réduit à ses aumônes, on aurait vraiment pu croire que Titorelli ne le connaissait pas ou tout au moins ne se souvenait pas de lui. Pour comble, il demanda :

« Voulez-vous acheter des tableaux ou faire faire votre portrait ? »

K. regarda l'artiste avec étonnement. Qu'y avait-il donc dans la lettre ? Il avait cru tout naturellement que l'industriel expliquait qu'il ne venait que pour son procès. Il était vraiment accouru avec trop de précipitation ; il n'avait réfléchi à rien. Mais il fallait répondre au peintre et, jetant un regard sur le chevalet, il demanda :

« Vous étiez en train de travailler à une toile ? »

— Oui, dit le peintre en faisant suivre à la chemise du chevalet le même chemin qu'à la lettre [69]. C'est un portrait. Un bon travail, mais il n'est pas encore fini. »

Le hasard était favorable à K. ; on ne pouvait lui offrir plus belle occasion de parler de la justice, car le portrait était celui d'un juge. Il ressemblait d'ailleurs étonnamment au tableau que K. avait vu dans le cabinet de Me Huld. Sans doute s'agissait-il ici d'un tout autre juge (c'était un gros homme avec une grande barbe noire qui lui mangeait les joues), sans doute aussi le tableau de l'avocat était-il une peinture à l'huile alors que celui-ci n'était que rehaussé de légères teintes de pastel. Mais tout le reste [70] se ressemblait : ici aussi le juge paraissait sur le point de se lever d'un air menaçant du trône dont il avait déjà

saisi le bras pour se redresser. K. faillit dire : « Mais
c'est un juge ! » Mais il se retint encore un moment et
s'approcha du tableau comme pour en étudier le
détail. Le dossier du trône était surmonté en son milieu
d'un grand personnage allégorique dont il ne put
s'expliquer le sens ; il s'en enquit auprès du peintre.
Titorelli lui répondit que ce détail n'était pas achevé,
alla prendre un pastel sur une petite table et souligna
légèrement la silhouette sans la rendre d'ailleurs plus
claire aux yeux de K.

« C'est la Justice, dit-il enfin.

— Ah, en effet, je commence déjà à la reconnaître,
répondit K. Voici le bandeau autour des yeux, et voici
la balance aussi. Mais on dirait qu'elle a des ailes aux
talons ou qu'elle est en train de courir ?

— Oui, dit le peintre. C'est sur commande que j'ai
dû la traiter ainsi ; elle doit représenter en effet à la fois
la Justice et la Victoire.

— C'est un alliage difficile, déclara K. en souriant.
La justice ne doit pas bouger, autrement la balance [71]
vacille et ne peut plus peser juste.

— J'ai fait comme voulait mon client, dit le peintre.

— Évidemment ! dit K. qui n'avait cherché à
blesser personne. Vous avez peint l'allégorie telle
qu'elle est représentée sur le vrai trône.

— Non, dit le peintre, je n'ai jamais vu ni l'allégorie
ni le trône, je fais ça de chic mais comme on me l'a
prescrit.

— Comment ! demanda K., feignant à dessein
l'incompréhension. C'est pourtant bien un juge qui est
assis sur ce fauteuil ?

— Oui, dit le peintre, mais pas un grand ; il ne s'est
jamais assis sur un pareil trône.

— Et il s'est fait peindre quand même dans une
attitude si solennelle ? Il se tient là comme un prési-
dent de cour !

— Oui, ces messieurs sont assez vaniteux, répondit le peintre. Mais l'autorité supérieure les autorise à se faire représenter ainsi. On leur prescrit exactement à tous comment ils ont le droit de se faire peindre. Malheureusement, ce tableau ne permet pas de juger des détails du costume ni des fioritures du trône, le pastel ne va pas très bien pour ce genre-là.

— En effet[72], dit K., je trouve étrange que vous ayez employé le pastel.

— C'est le juge qui l'a voulu ainsi, dit le peintre. Il le destine à une dame. »

L'aspect du tableau semblait lui avoir donné de l'ardeur au travail : il retroussa ses manches de chemise, prit quelques crayons dans sa main, et K. vit se former autour de la tête du juge, sous la pointe frémissante des pastels, une ombre rougeâtre dont l'auréole alla s'éteindre au bord du tableau. Petit à petit, ce jeu d'ombres finit par entourer la tête d'une sorte de couronne ou de noble parure. En revanche[73], à une faible nuance près, tout restait clair autour de l'image allégorique ; elle en prenait[74] un relief saisissant, mais ne ressemblait plus beaucoup à la déesse de la Justice non plus qu'à celle de la Victoire ; elle avait parfaitement l'air d'être la déesse de la Chasse. Le travail du peintre intéressait K. plus qu'il n'eût voulu ; il finit pourtant par se reprocher d'être resté si longtemps là et de n'avoir encore rien entrepris pour son affaire.

« Comment ce juge s'appelle-t-il donc ? demanda-t-il à brûle-pourpoint.

— Je n'ai pas le droit de le dire », répondit le peintre.

Profondément penché sur son tableau, il négligeait nettement le visiteur qu'il avait pourtant reçu d'abord avec tant d'égards. K. prit cela pour un caprice et s'en irrita à cause du temps qu'il perdait.

« Vous êtes sans doute, demanda-t-il, un homme de confiance de la justice ? »

Titorelli mit aussitôt ses crayons de côté, se leva, se frotta les mains et regarda K. en souriant.

« Il faut toujours, déclara-t-il, commencer par la vérité. Vous êtes venu pour que je vous parle de la justice comme on me le dit dans votre mot, et vous commencez, pour m'amadouer, par me parler [75] de mes tableaux. Je ne vous en veux pas, vous ne pouviez pas savoir que ce n'est pas de mise chez moi.

— Non, je vous en prie ! » ajouta-t-il en voyant K. se préparer à une objection, pour l'éluder catégoriquement.

Il poursuivit :

« D'ailleurs, votre réflexion est parfaitement exacte, je suis un homme de confiance de la justice. »

Il fit une pause comme pour laisser à son interlocuteur le temps de s'accommoder de ce fait. Les gamines derrière la porte se faisaient entendre de nouveau. Elles devaient se bousculer pour regarder par le trou de la serrure ; peut-être pouvait-on aussi voir dans la pièce par les fissures de la porte. K. ne s'excusa pas, pour ne pas détourner le peintre du vrai sujet de la conversation ; mais il ne voulait pas non plus lui permettre d'exagérer et de se rendre inaccessible, aussi demanda-t-il simplement :

« Est-ce là [76] un poste officiellement reconnu ?

— Non », dit le peintre brièvement comme si cette constatation devait l'empêcher de continuer. Mais K. ne voulait pas le laisser taire ; il déclara :

« Souvent ces postes officieux donnent beaucoup plus d'influence que les situations officielles.

— C'est ce qui se passe dans mon cas, dit le peintre en hochant la tête et en fronçant les sourcils. Comme je parlais hier de votre histoire avec l'industriel en question, il m'a demandé si je ne pourrais pas vous aider ; je lui ai répondu : " Il n'a qu'à passer chez

moi ", et je suis heureux de voir que vous êtes venu si
tôt. L'affaire a l'air de vous tenir bien à cœur, ce qui ne
me surprend évidemment pas. Mais peut-être aimeriez-vous d'abord retirer votre manteau ? »

Bien que K. eût l'intention de ne pas s'attarder,
cette invitation du peintre lui fit le plus grand plaisir.
L'air de la pièce lui était devenu pesant ; il avait déjà
regardé souvent avec surprise le petit poêle de fonte
qui était dressé dans le coin [77] de la chambre : ce poêle
n'était pas allumé ; la lourdeur de l'atmosphère ne
pouvait pas s'expliquer. Pendant qu'il déposait son
manteau de fourrure — il déboutonna même sa veste
— le peintre lui dit pour s'excuser :

« J'ai besoin de chaleur, il fait très bon ici, n'est-ce
pas ? À cet égard, la pièce est très bien située. »

K. ne répondit rien ; ce n'était pas précisément la
chaleur qui le gênait, mais plutôt cette lourde atmosphère qui l'empêchait presque de respirer ; la chambre
ne devait pas avoir été aérée depuis longtemps. Ce
désagrément s'accrut encore pour K. quand le peintre
le pria de prendre place sur le lit, tandis qu'il s'asseyait
lui-même devant le chevalet sur la seule chaise de la
pièce. Titorelli parut même ne pas comprendre pourquoi K. restait sur le bord ; il lui dit de ne pas se gêner,
de s'installer confortablement, et, le voyant hésiter, il
alla lui-même l'enfoncer dans les oreillers et les
édredons. Puis il revint à sa sellette et posa enfin, pour
la première fois, une question positive qui fit oublier
tout le reste à K. :

« Êtes-vous innocent ? demanda-t-il.

— Oui », dit K.

Il était heureux de répondre à cette question,
d'autant plus que ce n'était pas à titre officiel et qu'il
n'engageait ainsi aucune [78] responsabilité. Personne ne
l'avait encore interrogé aussi franchement. Pour
savourer cette joie, il répéta encore :

« Je suis complètement innocent.

— Ah ! ah ! » fit le peintre en inclinant la tête avec un air de réfléchir.

Puis il la releva subitement et dit :

« Si vous êtes innocent, la chose est donc très simple. »

Le regard de K. s'assombrit. Cet homme qui se disait le confident de la justice[79] parlait comme un enfant.

« Mon innocence, répondit-il, ne simplifie l'affaire en rien. »

Il ne put s'empêcher de sourire, et, hochant lentement la tête :

« Il y a tant de subtilités dans lesquelles la justice se perd ! Elle finit par découvrir un crime là où[80] il n'y a jamais rien eu.

— Évidemment, évidemment, dit le peintre, comme si K. l'eût dérangé inutilement dans ses pensées. Mais vous êtes tout de même innocent ?

— Oui, dit K.

— C'est l'essentiel », répondit le peintre.

Les objections ne l'influençaient pas, mais, malgré son ton décidé, on n'arrivait pas à savoir s'il parlait par conviction ou par simple indifférence.

K., désirant au préalable élucider ce point, lui dit :

« Vous connaissez certainement la justice beaucoup mieux que moi ; je n'en sais guère que ce qu'on a voulu m'en dire. Mais j'ai trouvé[81] tout le monde d'accord pour affirmer qu'aucune accusation n'était lancée à la légère et qu'une fois l'accusation portée le tribunal est fermement convaincu de la culpabilité de l'accusé ; on ne peut, paraît-il, que très difficilement l'ébranler dans cette conviction.

— Difficilement ? demanda le peintre en lançant une main en l'air. Dites que jamais la justice ne se

laisse enlever cette conviction ! Si je peignais ici tous
les juges côte à côte et que vous vous défendissiez
devant cette toile, vous auriez sûrement plus de succès
que devant le vrai tribunal.

— Oui », dit K. pour lui-même, oubliant que son
seul but avait été de sonder le peintre.

Derrière la porte, une gamine recommença à
demander :

« Titorelli ! Ne va-t-il pas partir bientôt ?

— Taisez-vous, cria le peintre dans la direction de
la porte ; ne voyez-vous donc pas que je m'entretiens
avec ce monsieur ? »

Mais la gamine ne se tint pas pour satisfaite ; elle
demanda encore :

« Tu vas faire son portrait ? »

Et comme le peintre ne répondait pas, elle ajouta :

« Ne le fais pas surtout ! Il est trop laid ! »

Il s'ensuivit dans l'escalier un incompréhensible
méli-mélo d'exclamations approbatrices. Le peintre [82]
bondit vers la porte, l'entrebâilla — on vit les mains
tendues des gamines qui suppliaient — et dit [83] :

« Si vous ne restez pas tranquilles, je vous jette
toutes en bas de l'escalier. Asseyez-vous là sur les
marches et ne bougez plus. »

Elles n'obéirent sans doute pas immédiatement, car
il dut encore ordonner :

« Allons, assises et dépêchons ! »

Ce fut seulement alors que le calme se fit.

« Je vous présente toutes mes excuses », dit le
peintre en revenant vers K.

Celui-ci s'était à peine retourné vers la porte ; il
avait laissé l'artiste complètement libre de prendre ou
non sa défense et de choisir les moyens qu'il voudrait.
Il resta tout aussi passif quand Titorelli [84] se pencha
vers lui et lui chuchota à l'oreille pour ne pas être
entendu du dehors :

« Ces gamines appartiennent aussi à la justice.

— Comment ? » demanda K. en retournant la tête et en le regardant avec étonnement.

Mais Titorelli se rassit sur sa sellette et dit en plaisantant, comme pour expliquer :

« Il n'est rien qui ne relève de la justice !

— Première nouvelle », dit brièvement K.

La portée générale de la réflexion du peintre enlevait tout caractère inquiétant à sa remarque au sujet[85] des fillettes. K. n'en resta pas moins un instant à regarder la porte derrière laquelle les gamines restaient tranquillement assises. Seule, l'une d'entre elles avait passé par une fente une paille qu'elle faisait monter et descendre lentement.

« Vous n'avez pas l'air, dit le peintre, de bien connaître encore la justice (il avait largement écarté les jambes et tambourinait de la pointe du pied sur le plancher). Vous n'en aurez d'ailleurs pas besoin, puisque vous êtes innocent ; vous vous en tirerez tout seul[86].

— Comment vous y prendrez-vous donc ? demanda K. Ne me disiez-vous pas à l'instant que la justice n'admet aucune espèce de preuve ?

— Elle n'admet pas de preuve devant le tribunal[87], dit le peintre en levant l'index comme pour faire remarquer à K. une subtile distinction, mais il en va tout autrement des preuves que l'on produit officieusement, dans la salle de délibération, dans les couloirs, ou dans cet atelier. »

Ce qu'il expliquait maintenant semblait plus vraisemblable à K. ; cela ressemblait beaucoup à ce que disaient d'autres. C'était même très rassurant. S'il était vraiment aussi facile que Me Huld l'avait dit à K. de faire influencer le juge par des amis, les relations du peintre avec les magistrats pouvaient être très importantes ; il ne fallait pas les mépriser ! Titorelli pouvait

prendre bon rang parmi les auxiliaires que K. réunissait petit à petit autour de lui.

Ne vantait-on pas à la banque les talents d'organisateur de M. le Fondé de pouvoir ? C'était le moment de
les essayer. Le peintre[88] examinait l'effet que son
explication avait produit sur K. ; puis il lui dit d'un ton
légèrement inquiet :

« N'êtes-vous pas frappé de voir que je parle presque comme un juriste ! C'est le résultat de mon contact
constant avec ces messieurs de la justice. J'en retire
sûrement grand profit, mais l'élan artistique y perd
énormément.

— Comment êtes-vous donc entré en relations avec
les juges ? demanda K., voulant gagner la confiance
de Titorelli avant de le prendre carrément à son
service.

— De la plus simple des façons, répondit le peintre.
J'ai hérité ces relations. Mon père était déjà peintre du
tribunal. C'est une situation qui s'hérite toujours. On
n'a que faire de nouveaux venus dans ce métier.
Suivant les grades des fonctionnaires, on se trouve en
effet en face de prescriptions si différentes[89], si multiples et surtout si secrètes que personne ne les connaît
en dehors de certaines familles. J'ai dans ce tiroir que
vous voyez là-bas le règlement que détenait mon père
et que je ne montre à personne. Or il faut le posséder à
fond pour être autorisé à faire le portrait des juges.
Même si je le perdais, j'en connais[90] par cœur tant de
points que personne ne pourrait me disputer ma place.
Tout juge, vous le comprenez bien, veut être peint
comme les grands juges d'autrefois, et il n'y a que moi
qui sache le faire.

— Voilà qui est enviable, dit K., songeant à sa
situation à la banque. Votre position est donc inébranlable.

— Oui, inébranlable, dit le peintre en se redressant

fièrement. Aussi puis-je me permettre d'aider de temps en temps un pauvre diable d'inculpé.

— Et comment vous y prenez-vous ? » demanda K., comme si ce n'était pas lui que le peintre vînt de traiter de pauvre diable.

Mais Titorelli ne laissa pas la conversation s'égarer, il déclara :

« Dans votre cas, puisque vous êtes complètement innocent, voici ce que j'entreprendrai... »

K. commençait déjà à trouver fatigant qu'on lui reparlât de son innocence à tout instant. Il lui semblait parfois que le peintre faisait de son acquittement la condition d'une collaboration qui devenait inutile par là même. Mais il se contraignit et ne l'interrompit pas [91]. Il ne voulait pas renoncer à cette aide, il y était bien décidé ; elle ne lui semblait d'ailleurs pas plus problématique que celle de l'avocat. Il la préférait même de beaucoup à l'autre, car elle s'offrait plus innocemment et plus franchement.

Le peintre [92] rapprocha sa sellette du lit et poursuivit à voix basse :

« J'ai oublié de vous demander le mode d'acquittement que vous préférez. Trois possibilités se présentent : l'acquittement réel, l'acquittement apparent et l'atermoiement illimité. L'acquittement réel est évidemment le meilleur, mais je n'ai pas la moindre influence en ce qui concerne cette solution. Il n'y a personne à mon avis qui puisse déterminer un acquittement réel. C'est l'innocence de l'accusé qui doit seule le provoquer. Puisque [93] vous êtes innocent, il vous serait effectivement possible de vous fier à cette seule innocence. Mais dans ce cas vous n'avez besoin ni de mon aide ni de celle de personne. »

K. fut d'abord complètement ahuri par cet exposé méthodique, mais, se reprenant, il répondit, aussi bas que l'autre avait parlé :

« Je crois [94] que vous vous contredisez.

— En quoi ? » dit le peintre patiemment.

Et il renversa la tête en souriant. Ce sourire éveilla chez K. le sentiment qu'il s'agissait de découvrir des contradictions non dans les paroles du peintre, mais dans les procédés de la justice elle-même. Pourtant, il ne recula pas et dit :

« Vous m'avez fait remarquer tout à l'heure que la justice n'admettait pas de preuves, puis vous avez restreint la portée de vos mots en disant qu'il ne s'agissait que de la justice officielle [95], et maintenant vous allez jusqu'à dire que l'innocent peut se passer d'aide. C'est une première contradiction. De plus, vous m'aviez déclaré qu'on pouvait influencer personnellement les juges, alors que vous niez maintenant que l'acquittement réel, comme vous l'appelez, puisse jamais s'obtenir par relations ; c'est votre [96] deuxième contradiction.

— Elles sont faciles à expliquer, répondit le peintre. Il s'agit là de deux choses différentes, d'une part de ce que dit la loi et d'autre part de ce que j'ai appris personnellement ; il faut bien vous garder de confondre. Dans la loi, quoique je ne l'aie pas lue, il est dit naturellement que l'innocent est acquitté, mais elle ne vous enseigne pas qu'on peut influencer les juges. Or j'ai appris tout le contraire [97] ; je n'ai jamais eu vent d'aucun acquittement réel, mais en revanche j'ai vu jouer bien des influences. Il est possible évidemment que, dans tous les cas que j'ai connus, nul innocent n'ait été en jeu, mais ne serait-ce pas invraisemblable ? Sur tant de cas, pas un seul innocent ? J'étais encore petit garçon que j'entendais déjà mon père parler procès à la maison ; les juges qui venaient à l'atelier colportaient les anecdotes de la justice ; on ne parle d'ailleurs pas d'autre chose dans notre milieu. Dès que j'ai eu moi-même la possibilité d'aller au tribunal, je l'ai toujours utilisée ; j'ai assisté à toutes les grandes séances, j'ai suivi, autant qu'on le peut, un nombre infini de procès, et, je dois l'avouer[98], je n'ai jamais vu un acquittement réel.

— Ainsi donc, pas un seul acquittement réel! dit K., comme pour donner réponse à ses espoirs[99]. Voilà qui confirme l'opinion que j'avais déjà de la justice. Aucune chance de ce côté non plus. Un seul bourreau pourrait remplacer tout le tribunal.

— Il ne faut pas généraliser, dit le peintre mécontent; je ne vous ai parlé que de mon expérience personnelle.

— Ne suffit-elle donc pas? dit K. Auriez-vous entendu parler d'acquittements qu'on eût prononcés autrefois?

— On dit qu'il y en a eu, fit le peintre. Mais il est très difficile de le savoir : les sentences du tribunal ne sont jamais publiées; les juges eux-mêmes n'ont pas le droit de les voir, aussi n'a-t-on conservé que des légendes sur la justice du passé. Elles parlent bien de véritables acquittements, et même dans la plupart des cas, et rien n'empêche de les croire, mais rien non plus ne peut prouver leur authenticité. Il ne faut[100] cependant pas les négliger complètement; elles doivent certainement contenir une part de vérité, et d'ailleurs elles sont très belles, j'en ai pris plusieurs moi-même comme sujets de tableaux.

— De simples légendes, dit K., ne changent pas mon opinion. On ne peut pas, n'est-ce pas, exciper de ces légendes devant le tribunal? »

Le peintre dit :

« Non, on ne peut pas.

— Alors, inutile d'en parler », déclara K.

Il admettait provisoirement toutes les opinions du peintre, même quand il les trouvait invraisemblables et qu'elles en contredisaient d'autres; il n'avait pas le temps pour le moment d'examiner ni de réfuter ce qu'on lui disait; il estimerait avoir atteint tout le possible s'il arrivait à décider le peintre à l'aider de quelque façon que ce fût, même par une intervention dont le succès restât douteux. Aussi dit-il :

« Laissons donc de côté l'acquittement réel; vous aviez mentionné deux autres solutions.

— Oui : l'acquittement apparent et l'atermoiement illimité. C'est d'eux seuls qu'il peut être question, dit le peintre. Mais ne voulez-vous pas retirer votre veste avant d'aborder ce sujet ?

— C'est vrai, dit K. sentant qu'il suait fortement quand on lui rappela la chaleur. C'est presque[101] insupportable. »

Le peintre fit oui de la tête, comme s'il comprenait fort bien le malaise de K.

« Ne pourrait-on pas ouvrir la fenêtre ? demanda K.

— Non, dit le peintre; ce n'est qu'une vitre enchâssée dans le cadre, on ne peut pas l'ouvrir. »

K. s'aperçut alors qu'il n'avait cessé d'espérer depuis le début que le peintre allait se lever pour ouvrir d'un coup la fenêtre ou qu'il allait le faire lui-même. Il était prêt à respirer de tous ses poumons le pire brouillard. La sensation d'être complètement isolé de l'air dans cet endroit lui causait un vertige[102].

Il frappa légèrement de la main sur l'édredon qui se trouvait à côté de lui :

« Mais c'est désagréable et malsain ! dit-il d'une voix faible.

— Oh ! non, dit le peintre, prenant la défense de sa fenêtre ; quoique ce soit une simple vitre, comme on ne peut jamais l'ouvrir la chaleur se conserve bien mieux qu'avec une double fenêtre. Et si je veux aérer, ce qui n'est pas très nécessaire, car l'air passe par toutes les fentes, je n'ai qu'à ouvrir l'une des portes ou même toutes les deux. »

K., un peu consolé par cette explication, jeta un

regard autour de lui pour trouver la deuxième porte.
Le peintre s'en aperçut et dit :

« Elle est derrière vous, j'ai été forcé de mettre le lit
en travers. »

Ce fut alors seulement que K. remarqua la petite
porte [dans la cloison].

« Oui, tout est trop petit ici [pour un atelier], dit le
peintre, comme pour prévenir une critique de K. J'ai
été obligé de m'arranger de mon mieux. Le lit est
évidemment très mal placé devant la porte. Toutes les
fois que vient le juge dont je fais le portrait en ce
moment, il se heurte contre ce lit. Je lui ai donné [103]
une clé de cette porte pour qu'il puisse m'attendre ici
quand je n'y suis pas ; mais il arrive généralement de
grand matin quand je suis encore en train de dormir, il
m'arrache naturellement toutes les fois à mon sommeil
en ouvrant la porte à mon chevet. Vous perdriez toute
espèce de respect pour les juges si vous entendiez les
jurons avec lesquels je le reçois quand il passe sur mon
lit le matin. Je pourrais bien lui retirer la clé, mais la
situation n'en serait que pire. On n'a qu'à donner un
coup de coude pour arracher de leurs gonds toutes les
portes d'ici. »

K. se demandait depuis le début de ce discours s'il
devait retirer sa veste ; il finit par s'apercevoir qu'il ne
tiendrait pas plus longtemps s'il ne le faisait aussitôt ; il
l'enleva donc, mais la garda sur son genou pour
pouvoir la remettre tout de suite si l'entretien ne se
poursuivait pas. À peine fut-il en manches de chemise
que l'une des gamines s'écria :

« Il a déjà ôté sa veste ! »

Et on les entendit toutes se presser contre les fentes
pour voir elles-mêmes le spectacle.

« Les fillettes croient, expliqua le peintre, que je vais
faire votre portrait, et que c'est pour cela que vous
vous déshabillez.

— Ah ! voilà ! » dit K. sans grand humour, car il ne se sentait pas beaucoup mieux qu'auparavant malgré sa tenue plus sommaire.

Il demanda d'un ton grognon :

« Comment [104] appeliez-vous donc les deux autres solutions ? »

Il avait déjà oublié les termes du peintre.

« L'acquittement apparent et l'atermoiement illimité, répondit Titorelli. C'est à vous de choisir. Je peux vous aider aux deux, mais non sans peine, évidemment : leur seule différence est que l'acquittement apparent réclame un effort violent et momentané, et l'atermoiement illimité un petit effort chronique. Parlons [105] d'abord, si vous voulez, de l'acquittement apparent. Si c'est lui que vous désirez, je vais vous écrire sur un papier une attestation d'innocence. La formule de cette attestation m'a été transmise par mon père, elle est complètement inattaquable. Une fois l'attestation écrite, je ferai le tour des juges que je connais. Je commencerai donc par exemple par exhiber le certificat ce soir au juge dont je fais le portrait quand il viendra poser chez moi. Je lui présente mon papier, je lui explique que vous êtes innocent et je me porte moi-même caution de cette innocence. Ce n'est pas un simple engagement de forme, c'est une véritable caution, c'est une chose qui m'engage. »

Le regard du peintre exprimait une sorte de reproche à l'endroit de K. qui lui imposait le fardeau d'une pareille garantie [106].

« Ce serait tout à fait aimable, dit K., mais ainsi le juge vous croirait et ne m'acquitterait tout de même pas réellement ?

— C'est ce que je vous disais. D'ailleurs, il n'est pas sûr du tout que tous me croient. Bien des juges peuvent me demander de vous présenter d'abord à eux. Il faudrait alors que vous veniez. À vrai dire, dans ce cas-là, la cause est à moitié gagnée, surtout si je vous avise à l'avance de la façon dont il faut vous comporter avec eux. Ce sera moins facile avec ceux qui m'évinceront par principe, et le cas se présentera. Bien que je sois décidé à faire toutes les tentatives possibles, nous devrons renoncer à eux. Ce ne sera pas trop grave, d'ailleurs, car quelques juges ne suffisent pas à décider dans une pareille question. Quand j'aurai [107] réuni sur mon attestation un nombre suffisant de signatures, j'irai trouver le juge même qui instruit votre procès. Il est possible que j'aie déjà sa signature sur mon papier, les choses se passeront alors encore plus rapidement. Mais en général, parvenu à cette phase des opérations, on ne rencontre plus guère d'obstacles ; c'est la période où l'accusé possède le plus d'assurance. Car — c'est curieux à constater, mais c'est un fait qu'on est bien obligé d'admettre — les gens ont beaucoup plus d'assurance à ce moment qu'après celui de l'acquittement. Il n'y a plus grand-chose à faire une fois parvenu là. Le juge a sur l'attestation la garantie d'un certain nombre d'autres juges, il peut vous acquitter sans crainte et c'est ce qu'il fera certainement pour me faire plaisir à moi et obliger aussi quelques autres amis, après avoir réglé certaines formalités. Quant à vous, vous dites adieu au tribunal et [108] vous êtes libre.

— Et alors je suis libre ? dit K. avec hésitation.

— Oui, dit le peintre, mais seulement en apparence ou, pour mieux dire, provisoirement. En effet, les juges subalternes, comme ceux que j'ai pour amis, n'ont pas le droit de prononcer d'acquittement définitif ; ce droit n'appartient qu'au tribunal suprême que nous ne pouvons toucher, ni vous, ni moi, ni personne. Ce qui s'y passe, nous n'en savons rien, et, d'ailleurs, entre parenthèses, nous ne voulons pas le savoir. Les juges que nous cherchons à mettre dans notre jeu n'ont pas le grand droit de laver l'inculpé d'une accusation, ils n'ont que celui de l'en délivrer. C'est-à-dire [109] que ce mode d'acquittement vous soustrait provisoirement à l'accusation, mais sans l'empêcher de rester suspendue sur vous avec toutes les conséquences que cela peut entraîner s'il intervient un ordre supérieur. Mes relations avec la justice me permettent de vous expliquer comment la différence entre les deux acquittements se manifeste pratiquement. Pour un acquittement réel toutes les pièces du procès doivent se trouver anéanties, elles disparaissent totalement, on détruit tout, non seulement l'accusation mais encore les pièces du procès et jusqu'au texte de l'acquittement, rien ne subsiste. Il en va autrement [110] dans le cas de l'acquittement apparent. L'acte qui le statue n'introduit dans le procès aucune autre modification que celle d'enrichir les dossiers du certificat d'innocence, du texte de l'acquittement et de ses considérants. À tous autres égards la procédure se poursuit. On continue à la diriger vers les instances supérieures et à la ramener dans les petits secrétariats comme l'exige la continuité de la circulation des pièces dans les bureaux, elle ne cesse ainsi de passer par toutes sortes de hauts et de bas avec des oscillations plus ou moins amples et des arrêts plus ou moins grands... On ne peut jamais savoir le chemin qu'elle fera. À voir la situation [111] du dehors on peut parfois s'imaginer que tout est oublié depuis longtemps, que les papiers sont perdus et l'acquittement complet; mais les initiés savent bien que non. Il n'y a pas de papier qui se perde, la justice n'oublie jamais. Un beau jour — personne ne s'y attend — un juge quelconque regarde l'acte d'accusation, voit qu'il n'a pas perdu vigueur et ordonne [112] immédiatement l'arrestation. Encore ai-je admis qu'un long temps se soit écoulé entre l'acquittement et la nouvelle arrestation, ce qui est possible, et j'en pourrais citer des cas, mais il est tout aussi possible qu'en revenant du tribunal l'acquitté trouve déjà des gens qui l'attendent sur son trottoir pour l'arrêter une seconde fois. Alors évidemment adieu la liberté [113].

— Et le procès recommence à nouveau ? demanda K. presque incrédule.

— Évidemment, répondit le peintre, le procès reprend, mais il reste toujours la possibilité de provoquer un nouvel acquittement apparent ; il faut alors recommencer à ramasser toutes ses forces ; on ne doit jamais se rendre. »

Peut-être le peintre avait-il dit ces derniers mots sous l'impression du découragement que K. commençait à marquer.

« Mais, demanda K. [114] comme pour aller au-devant de certaines révélations éventuelles du peintre, le deuxième [115] acquittement n'est-il pas plus difficile à obtenir que le premier ?

— On ne peut rien dire de précis à cet égard, répondit le peintre.

« Vous pensez peut-être que les juges sont influencés en faveur de l'accusé par la seconde arrestation ? Il n'en est rien. Au moment de l'acquittement, les juges avaient déjà prévu cette seconde arrestation. Elle ne les influence donc pas. Mais leur humeur peut s'être transformée, une foule d'autres motifs peuvent avoir changé leur opinion sur le cas, il faut donc [116] s'adapter aux nouvelles circonstances pour obtenir le second acquittement ; aussi demande-t-il en général autant de travail que le premier.

— Et il n'est quand même pas définitif non plus ? dit K., niant déjà lui-même d'un mouvement de tête.

— Évidemment, dit le peintre [117], après le second acquittement vient la troisième arrestation, après le troisième acquittement la quatrième arrestation, et ainsi de suite. Cela tient à la nature de l'acquittement apparent. »

K. se tut.

« L'acquittement apparent, dit le peintre, n'a pas l'air de vous paraître avantageux ? Peut-être préféreriez-vous l'atermoiement illimité. Dois-je vous expliquer le sens de l'atermoiement illimité ? »

K. fit : oui.

Le peintre s'était renversé confortablement sur son siège, la chemise ouverte sur la poitrine et une main passée dessous dont il se caressait les flancs [118].

« L'atermoiement illimité..., dit-il, s'arrêtant un instant pour regarder devant lui comme s'il cherchait une explication parfaitement pertinente, l'atermoiement illimité maintient indéfiniment le procès dans sa première phase. Il est nécessaire pour y parvenir que l'accusé et son auxiliaire, mais particulièrement l'auxiliaire, restent en contact constant avec la justice. Je vous le répète, cela n'exige pas une aussi grande dépense de forces que l'obtention de l'acquittement apparent, mais il faut peut-être faire encore plus attention. On ne peut pas perdre des yeux le procès, il faut aller chez le juge intéressé à intervalles réguliers, y retourner à toutes les grandes occasions et chercher de toutes les façons à se conserver ses faveurs ; si on ne le connaît pas soi-même il faut faire faire pression sur lui par des juges que l'on connaît, sans renoncer pour cela toutefois à lui parler directement. Si on ne néglige [119] rien on peut se dire avec assez de certitude que le procès ne sortira pas de sa première phase. Sans doute ne cesse-t-il pas, mais l'accusé peut être à peu près aussi sûr de ne pas être condamné que s'il était en liberté. La prolongation indéfinie présente sur [120] l'acquittement apparent l'avantage d'assurer à l'accusé un avenir moins incertain ; elle le préserve de l'effroi d'une subite arrestation ; il n'a pas à craindre avec elle de se trouver soudain obligé d'assumer les pénibles démarches qu'entraîne toujours la recherche [121] de l'acquittement apparent au moment où les circonstances s'y prêtent le moins pour lui. Évidemment, l'atermoiement illimité entraîne aussi pour l'accusé certains désagréments dont il ne faut pas négliger l'importance. Je ne veux pas parler du fait qu'il ne se trouve jamais libre, il ne le serait pas non plus à proprement parler avec l'acquittement apparent. Il s'agit d'autre chose. En effet, l'instruction ne peut être suspendue sans au moins un semblant de cause. Aussi faut-il qu'elle se poursuive théoriquement. On doit donc [122] de temps en temps prendre certaines dispositions, organiser des interrogatoires, ordonner des perquisitions, etc. Il faut en un mot que le procès ne cesse de tourner dans le petit cercle auquel on a artificiellement limité son action. Cela comporte [123] évidemment pour l'accusé certains désagréments qu'il ne faudrait cependant pas vous exagérer non plus. Tout cela reste en effet apparence ; les interrogatoires par exemple sont très courts ; si on n'a pas le temps ou l'envie d'y aller, on peut s'excuser quelquefois ; on peut même, avec certains juges, régler d'avance l'emploi du temps de toute une période ; il ne s'agit au fond que de se présenter de temps à autre au magistrat pour faire son devoir d'accusé. »

Le peintre n'avait pas fini que K. remettait déjà sa veste sur son bras et se levait pour s'en aller.

« Il se lève déjà ! cria-t-on derrière la porte.

— Vous voulez déjà partir ? demanda le peintre en se levant aussi. C'est certainement l'air qui vous chasse d'ici, j'en suis fâché. J'aurais encore bien des choses à vous dire. J'ai dû me résumer beaucoup trop succinctement, mais j'espère m'être fait comprendre.

— Oh ! oui », dit K. qui avait pris la migraine à force d'efforts d'attention.

Malgré [124] cette affirmation, le peintre dit encore une

fois, en résumant, comme pour laisser K. sur une consolation :

« Les deux méthodes ont ceci de commun qu'elles empêchent la condamnation de l'accusé.

— Mais elles empêchent aussi son acquittement réel, dit K. tout bas comme s'il eût été honteux de l'avoir compris.

— Vous avez saisi le fin mot », dit le peintre [125] hâtivement.

K. mit la main sur son manteau, mais il ne put même pas se résoudre à enfiler son veston. S'il se fût écouté, il eût tout empoigné et serait parti dans la rue en bras de chemise ; les gamines elles-mêmes ne purent pas le décider à se vêtir bien qu'elles se criassent — prématurément — les unes aux autres qu'il était en train de s'habiller. Le peintre, ayant à cœur de donner une interprétation [126] à l'attitude de K., déclara :

« Vous ne vous êtes pas encore décidé entre mes propositions. Je vous approuve. Je vous aurais déconseillé moi-même de choisir immédiatement. Les avantages et les ennuis s'équivalent à un rien près. Il faut [127] tout peser minutieusement. Mais, d'autre part, on ne doit pas perdre trop de temps.

— Je reviendrai bientôt », dit K. qui, pris d'une soudaine décision, enfila sa veste, jeta son manteau sur son épaule et se précipita vers la porte, derrière laquelle les gamines se mirent alors à hurler.

K. crut les voir à travers le bois.

« Tenez-moi parole, dit le peintre sans le suivre, autrement, je viendrai à la banque pour vous interroger moi-même.

— Ouvrez-moi donc, dit K. en tirant sur la poignée que les gamines devaient retenir, car elle résista fortement.

— Voulez-vous donc, lui demanda Titorelli, que les petites vous ennuient tout le long de l'escalier ? Passez plutôt par là », et il montrait la porte qui se trouvait derrière le lit.

K., ne demandant pas mieux, revint [prestement] vers le lit. Mais, au lieu d'ouvrir, le peintre se glissa sous le meuble et demanda des profondeurs où il gisait :

« Une seconde encore seulement ! N'aimeriez-vous pas voir [128] une toile que je pourrais vous vendre ? »

K. ne voulut pas être impoli, car l'artiste s'était vraiment occupé de lui et lui avait même promis de lui continuer ses services sans qu'on eût encore parlé, par suite de la distraction de K., d'aucune espèce de dédommagement ; aussi K. ne pouvait-il éluder l'invitation ; quoique frémissant d'impatience il se fit montrer le tableau. Le peintre [129] sortit de dessous le lit un tas de toiles encore sans cadres recouvertes d'une telle poussière que, lorsqu'il souffla sur la première, K. en resta un bon moment dans un nuage et la respiration coupée [130].

« C'est une lande », dit-il à K. en lui tendant le tableau.

La toile représentait deux grêles arbres posés sur une herbe sombre à une grande distance l'un de l'autre. Au fond, le soleil se couchait dans un grand luxe de couleurs.

« Bien ! dit K., j'achète ça. »

Il avait parlé trop sèchement, aussi fut-il content quand il vit que le peintre, loin de se formaliser, lui présentait un second tableau :

« Voilà, dit-il, le pendant du premier. »

C'était peut-être bien conçu comme le pendant du premier, mais on ne remarquait pas la moindre différence ; il y avait encore les arbres, l'herbe et le coucher de soleil [131]. Mais cette similitude importait peu à K.

« Ce sont de beaux paysages, dit-il, je vous les

achète tous deux et je les prendrai dans mon bureau.

— Le motif a l'air de vous plaire ! dit le peintre en prenant un troisième tableau. Cela tombe bien, car j'ai encore ici une toile du même genre. »

La toile n'était pas du même genre, c'était exactement la même. Titorelli exploitait parfaitement cette occasion de vendre ses vieux tableaux.

« Je prends celle-là aussi, dit K. Quel est le prix des trois ?

— Nous en reparlerons une autre fois, dit le peintre. En ce moment, vous êtes pressé et nous restons de toute façon en relations. Je suis heureux de voir que ces tableaux vous plaisent, je vais vous donner tous ceux que j'ai ici. Ils représentent tous des landes, j'ai déjà peint beaucoup de landes. Bien des gens ne les aiment pas parce qu'ils trouvent ces paysages un peu tristes, mais il y en a d'autres, comme vous, qui apprécient justement cette mélancolie. »

K. n'était pas en humeur de s'occuper des expériences professionnelles du peintre-mendiant :

« Emballez-les toutes, dit-il en le coupant au beau milieu de son discours, mon domestique viendra [132] les chercher demain.

— Ce n'est pas nécessaire, dit le peintre. J'espère pouvoir trouver un porteur qui vous accompagnera tout de suite. »

Et il ouvrit enfin la porte en se penchant au-dessus du lit.

« N'hésitez donc pas, dit-il, à monter sur le matelas, personne n'entre ici autrement. »

K. n'avait pas besoin de cet encouragement pour passer sans aucun scrupule [133] ; il avait même déjà mis le pied au beau milieu de l'édredon quand, regardant par la porte ouverte, il eut un sursaut de recul :

« Qu'est-ce là ? demanda-t-il au peintre.

— De quoi êtes-vous étonné ? questionna l'autre

aussi surpris. Ce sont les bureaux de la justice. Ne
saviez-vous pas qu'il y en avait ici ? Il y en a dans
presque tous les greniers, pourquoi n'y en aurait-il pas
ici ? Mon atelier lui-même fait partie de ces locaux,
mais la justice l'a mis à ma disposition. »

K. n'était pas si effrayé d'avoir trouvé en cet endroit
les archives de la justice que de constater son ignorance de toutes les choses du tribunal. Il lui semblait
que la grande règle devait être pour un accusé de se
trouver toujours prêt à tout, de ne jamais se laisser
surprendre, de ne pas regarder à droite quand son
juge se trouvait à gauche, et c'était justement contre
cette grande règle qu'il recommençait toujours à
pécher.

Un long couloir s'étendait devant lui, d'où venait un
air auprès duquel celui de l'atelier semblait rafraîchissant. Des bancs couraient de chaque côté [134], comme
dans la salle d'attente du secrétariat dont relevait
l'affaire de K. L'installation de ces bureaux semblait
être réglée partout par des prescriptions minutieuses.
Pour le moment, il n'y avait pas grande affluence. Un
homme se tenait assis, ou plutôt à demi couché sur l'un
des bancs, le visage enfoui dans ses bras et la face
contre le bois ; il semblait être en train de dormir ; un
autre se tenait debout dans la pénombre à l'autre
extrémité du couloir. K. se redécida à grimper sur le
lit, le peintre le suivit, les toiles sous le bras. Ils ne
tardèrent pas à rencontrer un huissier — K. savait
déjà les reconnaître au bouton d'or qu'ils portaient sur
leur costume civil — et le peintre chargea cet homme
de porter les tableaux de K. ; K. titubait [135] plutôt qu'il
ne marchait, il tenait son mouchoir pressé contre sa
bouche. Ils se trouvaient déjà près de la sortie quand
les gamines se précipitèrent au-devant d'eux ; le passage par le grenier n'avait donc même pas épargné à
K. cette rencontre ! Elles avaient dû voir qu'on ouvrait

l'autre porte de l'atelier et elles avaient fait un détour
pour arriver de ce côté.

« Je ne peux plus vous accompagner, cria le peintre
en riant sous l'assaut des gamines, au revoir. Ne
perdez pas trop de temps à réfléchir. »

K. ne lui jeta pas un seul regard. Une fois dans la
rue il arrêta le premier fiacre qu'il put trouver. Il lui
tardait d'être débarrassé de l'huissier dont le bouton
d'or lui faisait mal aux yeux, bien que personne
d'autre que lui ne l'aperçût probablement. Le serviteur de la justice voulut encore monter sur le siège du
cocher, mais K. le chassa immédiatement. Midi avait
déjà sonné depuis longtemps quand la voiture [136]
s'arrêta devant la banque. K. aurait volontiers laissé
les tableaux là, mais il craignit qu'une occasion ne
l'obligeât à montrer au peintre qu'il les avait [gardés].
Aussi les fit-il monter dans son bureau où il les
enferma dans le tiroir le plus bas de sa table pour les
cacher aux yeux du directeur adjoint.

CHAPITRE VIII

M. BLOCK LE NÉGOCIANT
K. SE DÉFAIT DE SON AVOCAT [1]

K. avait tout de même fini par se décider à remercier
son avocat [2]. Il ne pouvait s'empêcher à vrai dire de se
demander s'il faisait bien d'agir ainsi, mais la conviction qu'il avait de la nécessité de ce geste l'emporta sur
ses hésitations. L'effort que lui avait coûté sa décision
l'avait cependant tellement fatigué, le jour venu de

passer à l'action, qu'il ne put travailler que très lentement au bureau et que dix heures étaient déjà passées [3] quand il se trouva devant la porte de l'avocat. Avant de sonner, il se demanda encore s'il ne vaudrait pas mieux régler cette question par lettre ou par téléphone, car il pensait que l'entrevue serait certainement très pénible. Tout bien pesé, il préféra pourtant la solution de l'entretien personnel : l'avocat, de toute autre façon, ne répondrait que par le silence ou par une formule toute faite [4], et K. ne pourrait jamais savoir — à moins que Leni ne réussît à en deviner quelque chose — comment Me Huld aurait pris la nouvelle de son évincement ni ce qui en résulterait suivant les doctes prévisions de cet expert ; tandis que s'il tenait l'avocat devant lui et le surprenait brutalement avec sa communication il arriverait facilement à déchiffrer tout ce qu'il voudrait sur son visage et dans ses réactions, même si l'autre restait avare de mots. Il n'était même pas impossible que K. revînt alors sur sa décision [5].

Comme d'ordinaire, le premier coup de sonnette fut vain.

« Leni pourrait se dépêcher un peu plus », pensa-t-il.

Mais il était déjà bien beau que nul autre ne s'en mêlât, car il y avait toujours dans ces occasions-là quelque voisin qui se mettait à protester comme le monsieur en robe de chambre du premier jour. Tout en poussant [6] le bouton pour la seconde fois, K. se retourna pour voir la porte de derrière, mais cette fois elle resta fermée aussi. Finalement, deux yeux apparurent au judas : ce n'étaient pas ceux de Leni. Quelqu'un fit tourner la poignée tout en restant appuyé contre la porte, se retourna vers l'intérieur en criant : « C'est lui », et n'ouvrit complètement qu'après.

K. poussait [7] déjà la porte car il avait entendu une

clé tourner dans la serrure du voisin ; aussi, quand le couloir s'ouvrit, pénétra-t-il comme un bolide, ce qui lui permit[8] de voir Leni — car c'était elle à qui l'on s'était adressé — s'enfuir en chemise par le corridor qui desservait les chambres. Il la suivit un instant des yeux, puis regarda l'individu qui avait ouvert. C'était un petit homme sec qui portait toute sa barbe et tenait une bougie à la main.

« Vous êtes employé ici ? demanda K.

— Non, répondit l'homme, je ne suis pas de la maison ; l'avocat n'est que mon représentant, je suis ici pour une affaire judiciaire.

— Sans veste ? demanda K. en montrant de la main l'insuffisance vestimentaire du monsieur.

— Toutes mes excuses », dit l'homme[9] en s'éclairant à l'aide de sa bougie, comme s'il ne s'était pas encore aperçu de son état.

« Leni est votre maîtresse ? » demanda K. sèchement.

Il avait un peu écarté les jambes et tenait son chapeau derrière son dos, les mains croisées. Rien que par son gros manteau de fourrure il se sentait déjà très supérieur à ce petit homme desséché...

« Oh ! ciel ! fit celui-ci en levant une main pour se défendre devant son visage terrifié.

— Non, non[10], qu'allez-vous penser là ?

— Vous avez l'air digne de foi, cependant suivez-moi », dit K.

Il lui fit signe de son chapeau et le fit passer devant lui.

« Comment vous appelez-vous donc ? lui demanda-t-il en chemin.

— Block, le négociant Block, dit le petit homme en se retournant vers K. pour se présenter ; mais K. ne lui permit pas de s'arrêter.

— C'est votre vrai nom ? demanda-t-il.

— Certainement, lui fut-il répondu, pourquoi en douteriez-vous donc ?

— Je pensais, lui répondit K., que vous pouviez avoir des raisons de taire votre véritable nom. »

Il se sentait aussi libre d'esprit que lorsqu'on cause à l'étranger avec de petites gens, gardant pour soi tout ce qui vous concerne vous-même, et ne parlant qu'avec sérénité des intérêts de l'interlocuteur, ce qui les élève à vos yeux mais permet en revanche de s'en détacher quand on veut.

À la porte du cabinet de Mᵉ Huld, K. s'arrêta, ouvrit et cria au négociant qui continuait à avancer docilement :

« Pas si vite, éclairez ici. »

Pensant que Leni pouvait s'être cachée là, il fit explorer tous les coins, mais la pièce était vide. Devant le grand portrait du juge, il arrêta son compagnon par les bretelles [11] :

« Le connaissez-vous celui-là ? » lui demanda-t-il en levant l'index.

Le négociant, de son côté, leva la bougie, regarda en l'air en clignant des yeux et répondit :

« C'est un juge.

— Un grand juge ? » demanda K. en se plaçant à côté de Block pour observer l'impression que lui produisait le tableau. Le négociant leva les yeux avec admiration.

« C'est un grand juge, fit-il.

— Vous n'y connaissez pas grand-chose, dit K. De tous les petits juges d'instruction, c'est le plus petit que l'on puisse trouver.

— Ah ! je me rappelle maintenant, dit le négociant en penchant la bougie, je l'ai déjà entendu dire moi aussi.

— Mais évidemment ! s'écria K. Je n'y pensais plus ! Évidemment vous le saviez déjà !

— Et pourquoi donc ? Et pourquoi donc ? » deman-

dait le négociant tout en gagnant la porte sous la
pression de son compagnon.

Quand ils furent [12] dans le couloir, K. lui dit :

« Vous savez où Leni s'est cachée ?

— Cachée ? dit le négociant, non ; mais elle pourrait
bien se trouver à la cuisine en train de préparer un
bouillon pour l'avocat.

— Pourquoi ne l'avez-vous pas dit tout de suite ?
demanda K.

— Je voulais vous y conduire, mais vous m'avez
rappelé, répondit le négociant comme troublé par des
ordres contradictoires.

— Vous vous croyez sans doute très malin ? Eh
bien, conduisez-moi ! »

K. n'était encore jamais allé à la cuisine ; elle était
immense et pourvue d'un grand luxe d'ustensiles : à
lui seul [13] le fourneau était trois fois plus grand qu'une
cuisinière ordinaire, mais on ne distinguait pas le
détail du reste car la pièce n'était éclairée que par une
petite lampe accrochée à l'entrée. Devant le fourneau
Leni, en tablier blanc comme toujours, vidait des œufs
dans une casserole posée sur une lampe à alcool.

« Bonsoir, Joseph ! dit-elle en jetant un regard à K.

— Bonsoir », dit K. en indiquant une chaise du
doigt au négociant qui s'y assit.

Quant à lui, s'approchant par-derrière de Leni, il se
pencha sur son épaule et lui demanda :

« Qui est cet homme ? »

Leni passa une main autour de la taille de K., tandis
que de l'autre elle continuait à battre les œufs, puis elle
le fit venir devant elle et lui dit :

« C'est un pauvre homme, un pauvre [14] négociant,
un certain Block. Tu n'as qu'à le voir ! »

Ils se retournèrent tous deux pour le regarder. Le
négociant était resté assis sur le siège que K. lui avait
indiqué, il avait soufflé la bougie dont la lumière

n'était plus nécessaire et pressait la mèche entre ses doigts pour l'empêcher de fumer.

« Tu étais en chemise », dit K. en retournant la tête de Leni vers le fourneau.

Elle se tut.

« C'est ton amant ? » demanda-t-il.

Elle voulut attraper la casserole, mais K. lui saisit les deux mains et lui dit :

« Allons, réponds. »

Elle répondit :

« Viens dans le bureau, je t'expliquerai tout.

— Non, dit K., je veux que tu t'expliques ici. »

Elle se pendit à son cou pour l'embrasser. Mais K. la repoussa et lui dit :

« Je ne veux pas que tu m'embrasses en ce moment.

— Joseph, lui dit Leni sur un ton suppliant mais en le regardant dans les yeux, tu n'es tout de même pas jaloux de M. Block ? »

Puis, se tournant vers le négociant, elle ajouta :

« Aide-moi donc, Rudi, tu vois bien qu'on me suspecte, laisse ta bougie. »

On eût pu croire qu'il n'avait pas fait attention à ce que Leni venait de lui dire, mais il était parfaitement au courant.

« Je ne vois pas pourquoi vous seriez jaloux, fit-il sans grande promptitude d'esprit.

— Je ne le vois [15] pas non plus », dit K., et il le regarda en souriant.

Leni éclata de rire et profita de l'inattention de K. pour se pendre à son bras et lui chuchoter :

« Laisse-le maintenant, tu vois bien quel homme c'est. Je me suis un peu occupée de lui parce que c'est un gros client de l'avocat, la chose n'a pas d'autre raison. Et toi ? Veux-tu lui parler aujourd'hui ? Il est très malade, mais, si tu veux, je t'annoncerai tout de même. Seulement il faudra que tu restes avec moi cette nuit. Il y a si longtemps que tu n'es plus venu nous voir ! L'avocat lui-même te demandait. Ne néglige pas ton procès. Moi aussi j'ai à te faire part de diverses choses que j'ai apprises. Mais commence toujours par enlever ton manteau. »

Elle l'aida à retirer sa fourrure, le débarrassa de son chapeau, courut au vestibule pour les pendre, puis revint en hâte et regarda où en était son lait de poule.

« Dois-je t'annoncer ou lui porter son lait d'abord ?

— Commence par m'annoncer », dit K.

Il était dépité, son intention première ayant été de discuter d'abord à fond de son dessein avec Leni ; la présence du négociant l'en avait empêché en lui en ôtant l'envie. Mais maintenant son affaire commençait à lui paraître trop importante pour qu'il permît à ce petit Block d'y jouer un rôle qui serait peut-être décisif. Aussi la rappela-t-il — elle était déjà dans le couloir.

« Porte-lui tout de même le lait d'abord ! ordonna-t-il, il faut qu'il prenne des forces pour l'entretien que nous allons avoir, car il en aura besoin.

— Vous êtes aussi un client de l'avocat ? » dit à voix basse, de son coin, le négociant sur le ton d'une constatation. Mais il fut déçu.

« Que vous importe ? » dit K.

Et Leni ajouta :

« Te tairas-tu ? Je lui apporte le lait », dit-elle en se tournant vers K. ; et elle versa le lait de poule dans une tasse. « Il n'y aura plus à craindre ensuite que de le voir s'endormir trop tôt, car il dort dès qu'il a mangé.

— Ce que je lui [16] dirai le réveillera », déclara K. constamment soucieux de faire comprendre à Leni qu'il avait l'intention de parler de choses très importantes à l'avocat.

Il voulait que ce fût Leni qui l'interrogeât la première avant d'aborder le sujet. Mais elle [17] se contentait d'exécuter ses ordres à la lettre. En passant

devant lui avec son lait de poule, elle le frôla intentionnellement et lui souffla :

« Dès qu'il aura mangé je t'annoncerai, pour te
retrouver le plus tôt possible.

— Va ! dit K.

— Sois donc plus gentil », répondit-elle en se
retournant une dernière fois sur le pas de la porte.

K. la suivit des yeux ; maintenant il était complètement décidé à se défaire de l'avocat ; il valait mieux
n'en rien dire à Leni ; elle ne connaissait pas assez
l'histoire, et elle le lui eût certainement déconseillé ; or,
si K. hésitait encore cette fois, il resterait dans
l'inquiétude par la suite et ce ne serait qu'à recommencer, car sa résolution était trop bien arrêtée. Plus il
apporterait de hâte à la mettre à exécution, plus il
éviterait de dégâts ; le négociant saurait d'ailleurs
peut-être le renseigner à ce sujet.

K. se tourna [18] vers lui ; à peine le négociant s'en fut-
il aperçu qu'il voulut se lever.

« Restez assis, dit K. en installant une chaise près
de la sienne. Êtes-vous déjà un vieux client de
l'avocat ?

— Oui, dit le négociant, un très ancien client.

— Depuis combien d'années vous assiste-t-il ?

— Je ne sais pas comment vous l'entendez, répondit
l'autre. Dans les questions que soulèvent mes affaires
— j'ai un gros commerce de grains [19] — il me conseille
depuis que je m'occupe de l'entreprise, c'est-à-dire
quelque vingt ans, et pour mon procès — c'est de lui
que vous vouliez sans doute parler — il me représente
depuis le début, il y a déjà plus de cinq ans.

« Oui, beaucoup plus, ajouta-t-il en sortant un vieux
portefeuille, j'ai tout inscrit ici ; si vous le désirez je
puis vous dire la date exacte ; on n'arrive pas à tout
retenir. Mon procès doit durer depuis bien plus
longtemps, il a commencé peu après la mort de ma

femme qui est survenue il y a plus de cinq ans et demi. »

K. se rapprocha encore de lui.

« Il s'occupe donc aussi, demanda-t-il, des questions de droit courantes ? »

Cette combinaison des affaires et du droit lui paraissait extrêmement rassurante.

« Bien sûr », dit le négociant.

Puis il souffla à K. :

« On dit même qu'il est plus capable dans ce genre d'affaires que dans les autres. »

Mais il sembla se repentir d'en avoir trop dit, car, posant une main sur l'épaule de K., il ajouta :

« Je vous en supplie, ne me trahissez pas. »

K. lui frappa sur la cuisse pour le rassurer et lui dit :

« Non, je ne suis pas un traître.

— C'est qu'il est très rancunier, fit le négociant.

— Avec un client aussi fidèle que vous, dit K., il ne fera certainement rien.

— Oh! si! dit le négociant, quand il est excité il ne connaît plus rien ; d'ailleurs on ne peut pas dire que je lui sois fidèle.

— Comment cela ? demanda K.

— Dois-je vous le confier ? demanda à son tour le négociant légèrement hésitant.

— Je pense que vous le pouvez, dit K.

— Eh bien ! fit le négociant, je vais vous confesser une partie de mon secret, mais il faudra qu'à votre tour vous m'en révéliez un aussi pour que nous restions solidaires en face de l'avocat.

— Quelle prudence ! dit K., mais soit, je vous confierai un secret qui vous rassurera complètement. En quoi consiste votre infidélité ?

— J'ai, dit le négociant hésitant, et du même ton qu'il eût avoué quelque chose de déshonorant, j'ai d'autres avocats que lui.

— Ce n'est pas bien grave, dit K. un peu déçu.

— Ici, non, dit le négociant qui respirait péniblement depuis qu'il avait fait cet aveu mais commençait tout de même à reprendre un peu confiance sous l'impression de la réflexion de K. Seulement ce n'est pas permis ; et c'est encore moins permis quand il s'agit d'avocats marrons [20]. Or c'est justement le cas. J'ai cinq avocats marrons.

— Cinq ! » s'écria K.

C'était le nombre qui le plongeait dans l'étonnement.

« Cinq avocats en plus de celui-ci ? »

Le négociant fit « oui » de la tête.

« Je suis en train de négocier avec un sixième.

— Mais pourquoi donc tant d'avocats ? demanda K.

— J'ai besoin de tous !

— Pouvez-vous m'expliquer comment ?

— C'est bien facile, dit le négociant. Avant tout — c'est bien évident — je ne veux pas perdre mon procès. Aussi ne puis-je rien négliger de ce qui risque de me servir ; même dans le cas où l'espoir est très faible je n'ai pas le droit de ne pas courir ma chance. J'ai donc consacré à mon procès tout ce que je possède. J'ai retiré tout mon argent de mon entreprise ; autrefois, mes bureaux garnissaient presque tout un étage ; aujourd'hui, je me contente dans l'arrière-maison d'une petite pièce et d'un simple apprenti. Ce n'est pas seulement le retrait de l'argent qui a causé cette régression, c'est surtout la diminution [21] de ma puissance de travail. Quand on veut faire quelque chose pour son procès on ne peut plus s'occuper de rien.

— Vous allez donc travailler vous-même à la justice ? demanda K. C'est de cela précisément que j'aimerais vous entendre parler.

— Je ne peux pas vous apprendre grand-chose à ce sujet, dit le négociant, j'avais bien essayé de le faire au début, mais j'y ai vite renoncé. C'est un travail extrêmement épuisant dont on ne tire pas grand profit ; il m'est vite devenu complètement impossible de travailler et de négocier dans les bureaux du tribunal. Le seul fait d'y rester assis et d'y attendre son tour demande déjà un gros effort, mais vous connaissez bien vous-même l'atmosphère de ces bureaux.

— Comment savez-vous donc que j'y suis allé ? demanda K.

— Je me trouvais dans la salle d'attente au moment où vous y êtes passé.

— Quelle curieuse coïncidence ! s'écria K. oubliant complètement, dans l'intérêt qu'il prenait pour ce fait, le ridicule du négociant. Vous m'avez donc vu traverser ? Vous étiez [22] dans la salle d'attente au moment où je suis passé ? Oui, en effet, j'y suis allé une fois.

— Ce n'est pas un bien grand hasard, fit le négociant, j'y suis presque tous les jours.

— Maintenant, dit K., je vais probablement y aller fréquemment moi aussi, mais j'y serai probablement reçu bien moins respectueusement que l'autre fois. Tout le monde s'était levé, on avait dû me prendre pour un juge.

— Non, dit le négociant, c'était pour l'huissier que nous nous étions levés. Pour vous, nous savions bien que vous étiez accusé. Ces nouvelles-là se répandent très vite.

— Vous le saviez déjà ? dit K. Mon attitude a dû, dans ce cas, vous paraître bien orgueilleuse. Personne n'a rien dit dans ce sens ?

— Non, fit le négociant, au contraire. Mais ce ne sont que des bêtises.

— Quelles bêtises ? demanda K.

— Pourquoi me demandez-vous cela ? dit le négociant impatienté.

« Vous avez l'air de ne pas connaître encore ces gens

et vous le prendrez peut-être mal. Il ne vous faut pas
perdre de vue qu'au cours de ces longues procédures
on parle souvent de bien des choses que la raison ne
peut plus contrôler; on est beaucoup trop fatigué, bien
des sujets vous laissent froid et on se rabat sur des
superstitions[23]. Je parle des autres, mais au fond je ne
vaux pas mieux. L'une de ces superstitions consiste à
croire qu'on peut lire l'issue du procès sur la tête de
l'accusé, et surtout dans le dessin de ses lèvres. Les
gens qui croient à de tels présages ont donc dit que
d'après vos lèvres vous ne tarderiez certainement pas à
être condamné. Je vous le répète, c'est un préjugé
ridicule que l'expérience dément dans la plupart des
cas, mais, quand on vit dans ce milieu, il est difficile
d'échapper à de telles pensées. Vous n'avez pas idée de
la force que peut avoir cette superstition. Vous avez
parlé là-bas à un homme, n'est-ce pas? Il a à peine pu
vous répondre. On peut avoir évidemment bien des
raisons de se troubler, mais l'une d'entre elles, dans ce
cas, était certainement l'aspect de votre bouche. Il a
même raconté plus tard qu'il avait cru voir sur vos
lèvres le signe de sa propre condamnation.

— Sur mes lèvres? demanda K. en sortant un
miroir de poche dans lequel il se regarda. Je ne vois
rien de particulier sur mes lèvres. Et vous?

— Moi non plus, dit le négociant, rien de rien.

— Que ces gens sont superstitieux! s'écria K.

— Ne vous l'avais-je pas dit? demanda le négociant.

— Se fréquentent-ils donc tellement? dit K. Échan-
gent-ils leurs impressions? Jusqu'ici, je me suis tenu
complètement à l'écart.

— En général, dit le négociant, ils ne se fréquentent
pas; ce serait impossible; ils sont trop! Ils ont
d'ailleurs peu d'intérêts communs. S'il arrive parfois
qu'un groupe s'en découvre, il ne tarde pas à voir qu'il

s'est trompé. Rien ne peut se faire en commun contre
le tribunal. Tout cas est [24] examiné à part ; il n'y a pas
justice plus minutieuse. On ne peut donc parvenir à
rien en se liguant. Des isolés arrivent parfois à obtenir
quelque chose en secret, mais les autres ne l'appren-
nent qu'après, personne ne sait comment la chose s'est
faite. Il n'y a pas de solidarité, on se rencontre bien de
temps en temps dans les salles d'attente, mais on y
parle peu. Les opinions superstitieuses existent déjà
depuis très longtemps et se multiplient d'elles-mêmes.

— J'ai vu, dit K., ces messieurs faire antichambre
là-bas, et leur attente m'a paru si inutile !

— L'attente n'est pas inutile, dit le négociant. Ce
qui est inutile, c'est de se mêler personnellement de
son procès. Je vous ai déjà dit qu'en dehors de
Mʳ Huld j'avais encore cinq avocats. On devrait donc
penser — c'est ce que je faisais moi-même au début —
que je peux leur laisser tout le soin de mon affaire. Ce
serait entièrement faux. C'est encore moins facile que
si je n'en avais qu'un. Vous ne me comprenez sans
doute pas ?

— Non, dit K. en posant sa main sur celle du
négociant pour le calmer, car il allait beaucoup trop
vite. Mais je vous prierai de parler un peu plus
lentement, car tout cela a beaucoup d'importance pour
moi, et je n'arrive pas bien à vous suivre.

— Vous faites bien de me le rappeler, déclara le
négociant, vous êtes un nouveau, un néophyte ; votre
procès n'a que six mois, n'est-ce pas ?

— Oui.

— J'en ai entendu parler ; quel jeune procès ! Mais
moi voilà cent mille fois que je réfléchis à ces choses,
elles sont toutes naturelles pour moi [25].

— Vous devez être heureux que votre procès soit
déjà si avancé ? » dit K., ne voulant pas lui demander
directement où en étaient ses affaires.

La réponse qu'il reçut ne fut pas plus précise que sa question.

« Oui, dit le négociant en inclinant la tête, voilà déjà cinq ans que je pousse mon procès, ce n'est pas un petit travail ! »

Puis il se tut un instant. K. épiait le retour de Leni. D'une part, il n'eût pas aimé qu'elle revînt prématurément, car il avait[26] encore beaucoup de questions à poser et ne voulait pas être surpris en entretien confidentiel avec le négociant ; mais, d'autre part, il était irrité qu'elle restât, malgré sa présence, si longtemps auprès de l'avocat ; le lait de poule ne justifiait pas une absence d'une telle durée.

« Je me rappelle encore le temps, fit le négociant — et K. fut tout de suite absorbé —, je me rappelle[27] encore le temps où mon procès avait à peu près l'âge du vôtre. Je n'avais alors pour avocat que Mᵉ Huld, mais je n'étais pas très content de lui. »

« Je vais tout savoir », pensa K. en hochant vivement la tête comme si ce geste pouvait encourager le négociant à dire tout ce qui valait d'être su.

« Mon procès, poursuivit M. Block, n'avançait pas ; on fixait bien des interrogatoires, et je m'y rendais même toujours, je réunissais des documents, je présentais tous mes livres d'affaires — ce qui n'était même pas nécessaire, comme je l'ai appris plus tard — je ne cessais d'aller trouver mon avocat, il avait même présenté plusieurs requêtes à la justice...

— Plusieurs requêtes ? demanda K...

— Mais oui, bien sûr, fit le négociant.

— Voilà, dit K., qui m'intéresse énormément, avec moi il en est encore à travailler à la première. Il n'a rien fait. Je vois maintenant qu'il me néglige honteusement.

— Il peut y avoir d'excellents motifs, dit le négociant, à ce que la requête ne soit pas encore finie. Pour les miennes, d'ailleurs, nous avons vu plus tard qu'elles n'avaient [28] servi absolument à rien. J'ai pu en lire une moi-même grâce à la complaisance d'un employé. Elle était, je l'avoue, pleine d'érudition ; mais au fond, il n'y avait rien dedans : beaucoup de latin, que je ne comprends pas, et puis des pages et des pages d'appels à la justice, ensuite [29] des flatteries pour certains fonctionnaires, qui n'étaient pas expressément nommés mais que les initiés devaient pouvoir reconnaître, après cela le propre éloge de l'avocat, un éloge à propos duquel il se roulait devant la justice avec l'humilité d'un chien, et enfin l'examen de vieux cas judiciaires qui devaient ressembler au mien [30]. Cet examen était fait, à vrai dire, autant que j'aie pu le suivre, avec le plus grand soin. Remarquez bien qu'en vous disant tout cela, je ne prétends pas juger le travail de l'avocat ; d'ailleurs la requête que j'ai lue n'en était qu'une entre bien d'autres ; mais, et c'est là le point dont je veux vous parler, de toute façon je n'ai jamais pu constater un seul progrès dans mon procès.

— Quelle sorte de progrès vouliez-vous donc constater ? demanda K.

— Votre question est fort sensée, dit le négociant en souriant ; il est bien rare en ces sortes d'affaires qu'on puisse observer un progrès, mais je ne le savais pas alors. Je suis négociant, et je l'étais à cette époque encore plus que maintenant ; j'aurais voulu des progrès tangibles, il eût fallu que tout cela s'organisât pour prendre fin ou que je visse l'affaire partie en bon chemin. Mais il ne se produisait que des interrogatoires qui se ressemblaient presque tous ; je savais d'avance les réponses ; je les connaissais comme une litanie [31] ; il m'arrivait plusieurs fois par semaine des employés de la justice au magasin, dans ma maison ou n'importe où, c'était évidemment gênant (à cet égard c'est bien mieux aujourd'hui, le téléphone me dérange

moins) ; et puis le bruit de mon procès commençait à
filtrer, des commerçants de mes amis le connaissaient,
mes parents ne l'ignoraient plus ; j'essuyais donc des
dommages de partout, mais nul signe ne m'annonçait
que les premiers débats dussent bientôt venir. J'allai
donc me plaindre à mon avocat. Il me donna de
longues explications, mais il refusa nettement de faire
quoi que ce fût dans le sens que je désirais, disant que
personne ne pouvait influer sur la date des débats et
qu'il était absolument inimaginable de demander de
les hâter dans une requête, ainsi que je l'eusse voulu,
que cela ne s'était jamais vu et ne pourrait que nuire et
à lui et à moi. Je pensais[32] que ce que celui-ci ne
voulait ou ne pouvait pas, un autre le voudrait et le
pourrait. Je cherchai donc d'autres avocats. Mais,
j'aime mieux vous le dire tout de suite : nul d'entre eux
n'a jamais demandé ni obtenu qu'on fixe une date
pour les débats ; c'est, à une réserve près, dont je vous
parlerai plus tard, une chose réellement impossible ; à
cet égard Mc Huld ne m'avait donc pas trompé ; mais
je n'ai pas eu à regretter non plus de m'être adressé à
d'autres avocats. Mc Huld a dû vous parler assez
souvent des avocats marrons et vous les a sans doute
dépeints très méprisables, ce qui est d'ailleurs exact.
Mais il lui échappe toujours, quand il se compare à
eux, une petite faute sur laquelle je voudrais attirer
votre attention au passage. Pour distinguer de ces
gens-là les avocats de sa connaissance il dit toujours
" les grands avocats " en parlant de ceux qu'il connaît.
Le terme est faux ; naturellement tout le monde peut se
dire " grand " s'il lui plaît, mais, dans le cas qui nous
occupe, c'est l'usage judiciaire qui fait autorité. Cet
usage distingue bien, outre les avocats marrons, les
grands et les petits avocats. Mais Mc Huld et ses
collègues ne sont que de petits avocats ; les grands,
dont je n'ai jamais qu'entendu parler et que je n'ai

jamais pu voir, sont d'un rang aussi supérieur à celui
des petits avocats que les petits avocats eux-mêmes
sont supérieurs à ces avocats marrons qu'ils méprisent.

— Les grands avocats ? demanda K. Qui est-ce ?
Comment peut-on les voir ?

— Vous n'avez donc, dit le négociant, jamais
entendu parler d'eux ? Il n'y a peut-être pas un accusé
qui, après en avoir entendu parler, n'ait rêvé d'eux
pendant un temps. Ne vous laissez pas aller à une
pareille faiblesse. Qui sont-ils ? Je n'en sais rien. Quant
à les voir, c'est impossible. Je ne connais pas un seul
cas dont on puisse affirmer sûrement qu'ils se soient
mêlés. Ils défendent bien quelques clients, mais cela ne
dépend pas du désir de l'accusé ; ils ne défendent que
qui ils veulent[33] ; il faut sans doute, pour qu'ils
s'occupent d'une cause, qu'elle soit déjà sortie du
ressort des petits tribunaux. D'ailleurs, il vaut mieux
ne pas penser à eux ; autrement — j'en ai fait
l'expérience personnelle — on se met à trouver les
consultations, les conseils et l'assistance des autres si
bêtes et si inutiles qu'on aimerait mieux tout envoyer
au diable, aller se coucher et ne plus rien savoir, ce qui
serait[34] naturellement encore plus stupide ; et puis on
ne resterait pas longtemps tranquille au lit.

— Vous n'avez donc jamais songé aux grands
avocats ? demanda K.

— Pas longtemps, dit le négociant en recommen-
çant à sourire. Malheureusement, on n'arrive pas à les
oublier complètement, c'est une idée qui vous tracasse
surtout la nuit. Mais à ce moment-là je voulais obtenir
des résultats qui fussent immédiats, c'est pourquoi je
suis allé trouver les avocats marrons.

— Comme vous voilà près l'un de l'autre ! » s'écria
Leni qui était revenue avec sa tasse et se tenait sur le
pas de la porte.

Ils étaient vraiment près l'un de l'autre ; au moindre

mouvement, leurs têtes se seraient cognées ; le négociant, qui n'était pas seulement petit, mais aussi
légèrement bossu, obligeait K. [35] à se tenir penché très
bas pour entendre ce qu'il disait :

« Un instant encore, cria K., pour évincer Leni un
moment, en faisant un mouvement d'impatience de la
main qu'il tenait toujours posée sur celle du négociant.

— Il a voulu [36] que je lui raconte mon procès, dit le
négociant à Leni.

— Raconte, raconte », dit celle-ci.

Elle parlait affectueusement au négociant, mais sur
un ton de condescendance. Cela ne plaisait pas à K.
Comme il venait de s'en apercevoir, l'homme avait
tout de même une certaine valeur ; il possédait principalement une expérience dont il savait fort bien
parler... Leni devait probablement mal le juger. K. fut
ennuyé de la voir retirer des mains de M. Block la
bougie qu'il n'avait cessé de tenir pendant tout ce
temps, lui essuyer les doigts du coin de son tablier,
puis s'agenouiller auprès de lui pour gratter une goutte
de cire qui avait coulé sur son pantalon.

« Vous vous apprêtiez à me parler des avocats
marrons, dit K. en écartant sans un mot la main de
Leni.

— Que veux-tu donc ? demanda Leni, en donnant
une tape à K. pour pouvoir continuer son travail.

— Parfaitement, des avocats marrons », dit le négociant en se passant la main sur le front comme s'il
réfléchissait.

K., voulant aider ses souvenirs, lui rappela :

« Vous vouliez obtenir des résultats qui fussent
immédiats, c'est pourquoi vous étiez allé trouver les
avocats marrons.

— Parfaitement », dit le négociant, mais il ne
continua pas.

« Il ne veut sans doute pas en parler devant Leni »,

pensa K., et, maîtrisant son impatience d'apprendre la suite, il cessa d'insister.

« M'as-tu annoncé ? demanda-t-il à Leni.

— Naturellement, fit-elle. Il t'attend. Maintenant, laisse Block, tu pourras lui parler plus tard, il reste ici. »

K. hésitait encore.

« Vous restez ici ? » demanda-t-il au négociant, car il voulait sa propre réponse.

Il n'admettait pas que Leni parlât de Block comme d'un absent ; il était plein contre elle, ce jour-là, d'une secrète irritation ; mais ce fut encore elle qui répondit pour Block :

« Il couche fréquemment ici.

— Il couche ici ? » s'écria K.

Il avait pensé que le négociant n'attendrait là que juste le temps nécessaire pour régler l'affaire avec l'avocat, qu'ils s'en iraient ensuite ensemble et qu'ils pourraient parler à fond tranquillement de tous les sujets qui l'intéressaient.

« Eh ! oui, dit Leni, ce n'est pas tout le monde qui peut, comme toi, mon cher Joseph, être reçu par l'avocat n'importe quand. Tu n'as pas l'air d'être étonné qu'il te reçoive à onze heures du soir malgré sa maladie. Tu trouves tout de même trop naturel ce que tes amis font pour toi. Enfin..., c'est volontiers, moi surtout. Je ne veux [37] pas d'autre remerciement que de savoir que tu m'aimes. »

« Que je t'aime ? » pensa K. dans le premier moment ; ce ne fut qu'ensuite qu'il se dit : « Ah oui, je l'aime. » Cependant, négligeant tout le reste, il déclara :

« Il me reçoit parce que je suis son client. Si l'on avait besoin d'un tiers pour se faire recevoir dans de telles conditions, on ne pourrait plus faire un pas sans avoir à mendier et à remercier.

« — Qu'il est mauvais aujourd'hui, n'est-ce pas ? » demanda Leni au négociant.

« C'est moi qui suis l'absent cette fois-ci », pensa K., et il en voulut presque à Block quand il le vit prendre à son compte l'impolitesse de Leni en disant à la jeune fille :

« L'avocat le reçoit aussi pour d'autres raisons. Son cas est plus intéressant que le mien. Et puis, son procès n'en est qu'au début, il ne peut donc être déjà gâché, et l'avocat doit avoir encore plaisir à s'en occuper. Cela changera par la suite.

— Et patati et patata, dit Leni en regardant Block avec un rire d'ironie. Voyez-moi donc ce bavard ! Il n'y a rien à croire de ce qu'il dit, tu sais, ajouta-t-elle en se tournant vers K. Il est gentil, mais il est encore plus bavard[38]. Peut-être est-ce une des raisons pour lesquelles l'avocat ne peut pas le souffrir. En tout cas, il ne le reçoit que quand ça lui chante. J'ai déjà pris grand-peine à chercher à modifier cette situation, mais il n'y a rien à y faire. Rends-toi compte : il m'arrive d'aller lui annoncer Block et il le reçoit, mais c'est trois jours après. Et si Block n'est pas là quand on lui dit de venir, tout est perdu et c'est une chose à recommencer. C'est pourquoi je lui ai permis de coucher ici, car il est déjà arrivé que l'avocat me sonnât dans la nuit pour le recevoir. Aussi[39] maintenant il est prêt même la nuit. À vrai dire, il arrive aussi que l'avocat le décommande quand il s'aperçoit qu'il est là. »

K. regarda[40] le négociant d'un air interrogateur. Mais Block opinait du bonnet ; il déclara aussi franchement qu'auparavant — peut-être son humiliation l'avait-elle rendu distrait :

« Oui, par la suite, on devient très esclave de son avocat.

— Il ne se plaint que pour faire semblant, dit Leni. Il aime beaucoup coucher ici, il me l'a avoué souvent. »

Là-dessus, elle alla ouvrir une petite porte.

« Veux-tu voir sa chambre à coucher ? » demanda-
t-elle.

K. alla voir et découvrit du seuil une pièce basse et
sans fenêtre qu'un lit étroit emplissait complètement.
Il fallait en enjamber le pied pour pouvoir se coucher
dedans. À hauteur du chevet, on voyait dans le mur
une niche dont le rebord supportait une bougie, un
encrier et un porte-plume minutieusement alignés,
ainsi qu'un paquet de papiers, probablement des
pièces du procès...

« Vous couchez dans la chambre de bonne ?
demanda K. en se tournant vers le négociant.

— C'est Leni qui me l'a offerte, répondit Block,
c'est très avantageux. »

K. le regarda [1] longuement. La première impression
que lui avait faite le négociant avait peut-être été la
bonne ; Block possédait évidemment de l'expérience,
car son procès durait déjà depuis longtemps, mais il
l'avait chèrement payée. Tout d'un coup, K. ne put
plus supporter de le voir.

« Mets-le au lit ! » cria-t-il à Leni qui sembla ne pas
comprendre.

Quant à lui, il allait se rendre chez l'avocat et se
délivrer, en le remerciant, non seulement de lui, mais
aussi de Leni et du négociant ; mais il n'avait pas
encore atteint la porte que Block l'appela à voix basse :

« Monsieur le Fondé de pouvoir ! »

K. se retourna d'un air sévère.

« Vous avez oublié votre promesse, dit Block en
tendant vers lui un visage suppliant. Vous vouliez me
dire un secret vous aussi.

— C'est vrai, dit K. en jetant un coup d'œil sur
Leni qui le regardait attentivement. Eh bien ! écoutez-
moi ; d'ailleurs, ce n'est presque plus un secret. Je vais
de ce pas remercier l'avocat.

— Il va le remercier ! » s'écria [42] le négociant qui, à ces mots, se leva d'un bond et se mit à courir à travers la cuisine en levant les bras vers le ciel.

Il ne cessait de répéter :

« Il congédie son avocat ! »

Leni voulut tout de suite aller se jeter sur K., mais le négociant se trouva sur son chemin ; elle le repoussa d'une bourrade et, les poings encore fermés, se lança aux trousses de K. ; mais il avait une grande avance. Il avait déjà mis le pied dans la chambre de l'avocat lorsque Leni le rattrapa. Il repoussa la porte derrière lui, Leni mit le pied contre le battant, le tint ouvert, saisit K. par le bras et chercha à le ramener. Mais il lui serra si violemment le poignet qu'elle fut obligée de le lâcher en poussant un soupir de douleur. Elle n'osa [43] pas rentrer tout de suite dans la chambre et K. ferma la porte à clé.

« Il y a longtemps que je vous attends », dit l'avocat du fond de son lit en reposant sur la table de nuit un acte qu'il venait de lire à la lueur de la bougie.

Puis, ayant chaussé ses lunettes, il regarda K. sévèrement. K. dit au lieu de s'excuser :

« Je ne vais pas tarder à partir. »

Comme ce n'était pas une excuse, l'avocat ne répondit pas ; il se contenta [44] de déclarer :

« À l'avenir, je ne vous recevrai plus à une heure aussi tardive.

— Vous prévenez mes désirs », dit K.

L'avocat le regarda d'un air interrogateur :

« Asseyez-vous, fit-il.

— Parce que vous le désirez, dit K. en approchant de la table de nuit une chaise sur laquelle il s'assit.

— Il m'a semblé que vous fermiez la porte à clé, dit l'avocat.

— Oui, fit K., c'était à cause de Leni. »

Il n'avait l'intention d'épargner personne. Mais l'avocat lui demanda :

« S'est-elle encore montrée importune ?

— Importune ? demanda K.

— Oui », dit l'avocat en riant ; puis il fut pris d'une quinte de toux suivie d'un nouvel accès de rire. « Vous avez pourtant bien dû remarquer déjà son importunité ? » demanda-t-il en tapotant la main que K. appuyait distraitement sur la table de nuit et que le geste de l'avocat lui fit retirer vivement. « Vous n'y accordez pas beaucoup d'importance, dit Me Huld devant le silence de K. ; tant mieux ; sans quoi, j'aurais peut-être dû m'excuser auprès de vous. C'est une bizarrerie de Leni ; je la lui ai d'ailleurs pardonnée depuis longtemps, et je ne vous en parlerais pas si vous ne veniez de fermer la porte. Cette bizarrerie — vous êtes le dernier auquel je devrais l'expliquer, mais vous avez l'air si déconcerté que je le fais tout de même — cette bizarrerie consiste en ceci que Leni trouve très beaux presque tous les accusés, elle s'accroche à tous, elle les aime tous, et il me semble bien d'ailleurs qu'elle est payée de retour ; pour me distraire, elle m'en parle parfois, quand je lui en donne la permission. Je ne suis pas si surpris de tout cela que vous le paraissez en ce moment. Quand on sait voir, on trouve réellement que tous les accusés sont beaux. C'est évidemment, si j'ose dire, un phénomène d'histoire naturelle assez curieux. Naturellement, l'accusation ne provoque[45] pas une modification tangible dans l'extérieur de l'accusé ; il n'en va pas, dans ces cas-là, comme dans les autres affaires de justice ; la plupart de nos clients conservent leur façon de vivre ordinaire, et, s'ils ont un bon avocat qui sache bien s'occuper d'eux, le procès ne les gêne pas beaucoup. Pourtant, quand on a bien l'expérience de la chose, on reconnaîtrait un accusé entre mille personnes. À quoi ? me demanderez-vous ; ma réponse

ne vous satisfera pas ; c'est à ce que les accusés sont
précisément les plus beaux. Ce ne peut être la faute qui
les embellit, puisque tous ne sont pas coupables
— c'est du moins ce que je dois dire en qualité
d'avocat —, ce ne peut être non plus la condamnation
qui les auréole d'avance, puisque tous ne sont pas
destinés à être condamnés ; cela ne peut donc tenir
qu'à la procédure qu'on a engagée contre eux et dont
ils portent en quelque sorte le reflet. À vrai dire, parmi
les beaux, il y en a aussi de plus spécialement beaux.
Mais tous sont beaux, même Block, ce pauvre malheureux. »

Quand l'avocat eut terminé, K. s'était repris complètement ; il avait même [46] hoché visiblement la tête
aux derniers mots de Mᵉ Huld pour se confirmer lui-
même dans l'idée — qu'il nourrissait depuis longtemps
— que l'avocat cherchait toujours, en débitant des
généralités sans rapport avec la question, à détourner
son attention du vrai problème qui consistait à savoir
ce que Mᵉ Huld avait pratiquement fait pour lui...
L'avocat dut [47] bien remarquer que K. lui opposait
cette fois plus de résistance que de coutume, car il se
tut pour lui permettre de parler à son tour, et, le
voyant rester muet, lui demanda :

« Veniez-vous me trouver aujourd'hui dans un
dessein particulier ?

— Oui, dit K. en mettant sa main devant la bougie
pour mieux regarder l'avocat. Je voulais vous dire que
désormais je vous retire le soin de m'assister.

— Vous ai-je bien compris ? demanda l'avocat en se
redressant à moitié, une main sur ses oreillers pour
soutenir le poids de son corps.

— Je le suppose, dit K., tendu sur sa chaise comme
un chasseur à l'affût.

— Eh bien, c'est un projet dont nous pouvons
parler, dit l'avocat au bout d'un instant.

— Ce n'est plus un projet, dit K.

— Il se peut, dit l'avocat, cependant nous n'allons rien précipiter. »

Il employait le mot « nous » comme s'il avait voulu priver K. de son libre arbitre et s'imposer à lui comme son conseiller s'il cessait d'être son représentant.

« Rien n'est précipité, dit K. [48] qui se leva lentement et passa derrière sa chaise ; c'est mûrement réfléchi et même peut-être trop ; ma décision est définitive.

— Alors, permettez-moi encore quelques mots », dit l'avocat en relevant l'édredon pour s'asseoir au bord du lit.

Ses jambes hérissées de poils blancs frissonnaient. Il pria K. de lui passer une couverture du canapé ; K. alla la chercher et dit à Mᶜ Huld :

« Vous vous exposez bien inutilement à prendre froid.

— Le motif en vaudrait la peine ! dit l'avocat en se couvrant les épaules de l'édredon et s'emmaillotant les jambes dans la couverture. Votre oncle est mon ami, et vous, au cours du temps, vous m'êtes devenu cher aussi, je l'avoue franchement, je n'ai pas à en rougir. »

Ces touchants discours du vieillard ennuyèrent extrêmement K., car ils le contraignaient à s'expliquer longuement — ce qu'il eût aimé éviter — et le déconcertaient aussi, comme il devait se l'avouer pour être franc, bien que sa décision n'en fût pas amoindrie.

« Je vous remercie, dit-il, de votre bonne amitié, je rends hommage à vos efforts. Vous vous êtes occupé [49] de mon affaire autant qu'il vous était possible et de la façon qui vous semblait la plus avantageuse pour moi, mais j'ai acquis ces derniers temps la conviction que ces efforts ne suffisaient pas. Je n'essaierai pas de convertir à mes opinions un homme qui a comme vous tellement plus d'âge et d'expérience que moi ; si je l'ai parfois tenté involontairement, je vous prie de m'en excuser, mais l'affaire [, comme vous le disiez vous-même,] est trop importante ; j'estime qu'il est nécessaire d'intervenir avec beaucoup plus d'énergie qu'on ne l'a fait jusqu'à présent.

— Je vous comprends, dit l'avocat, vous êtes impatient.

— Je ne suis pas impatient, dit K. un peu piqué et surveillant moins ses paroles. Vous avez dû remarquer qu'à ma première visite, lorsque je suis venu vous voir avec mon oncle, je m'inquiétais bien peu de mon procès ; quand on ne me le rappelait pas de force, pour ainsi dire, je l'oubliais complètement. Mais mon oncle tenait à ce que je vous charge de me représenter et je lui ai obéi pour lui faire plaisir. J'eusse dû attendre désormais que le procès me pesât moins que jamais, car, si l'on se fait représenter, c'est tout de même pour se soulager de ses propres obligations. Mais c'est [50] le contraire qui est arrivé... Mon procès ne m'a jamais causé autant de soucis que depuis que vous m'assistez. Quand j'étais seul, je ne m'en occupais pas, et j'en sentais à peine le poids ; maintenant, avec un défenseur, tout était prêt pour qu'on se mît à marcher, j'attendais votre intervention de plus en plus impatiemment, mais rien ne s'est jamais produit. Vous m'avez [51] bien donné sur la justice divers renseignements que nul autre n'aurait peut-être pu me fournir. Mais cela ne saurait me suffire quand je sens mon procès rester dans les ténèbres au moment où il devient de plus en plus menaçant. »

K. avait écarté [52] sa chaise et se tenait là les deux mains dans les poches en face de son avocat.

« Au bout d'un certain temps de métier, dit l'avocat tranquillement et à voix basse, on ne voit plus rien se produire de neuf. Que de clients se sont tenus ainsi devant moi à la même phase de leur procès et m'ont adressé le même langage !

— Eh bien ! dit K., ces clients-là n'avaient pas moins raison que moi. Cela ne réfute pas ce que j'ai dit.

— Je n'avais pas l'intention de réfuter vos paroles, dit l'avocat, mais je voulais ajouter que je me serais attendu à plus de jugement de votre part, étant donné surtout que je vous ai donné sur la justice et sur mon rôle plus de lumières qu'à mes autres clients. Et maintenant il me faut voir que malgré tout vous manquez de confiance en moi ! Vous ne facilitez pas ma tâche. »

Comme il s'humiliait devant K. ! Il n'avait plus aucun égard pour l'honneur de sa profession qui est cependant si chatouilleux sur le chapitre de la dignité ! Et pourquoi faisait-il cela ? Il semblait[53] être très occupé comme avocat ; il était riche, par surcroît, il ne pouvait donc attacher grande importance à un manque à gagner ni à la perte d'un client. De plus, il était maladif et aurait dû chercher de lui-même à se délester d'un peu de travail. Et cependant il s'accrochait à K. ! Pourquoi ? Était-ce par sympathie personnelle pour l'oncle ou bien considérait-il réellement le procès de K. comme une affaire sensationnelle dans laquelle il pouvait espérer se distinguer, soit pour K., soit — possibilité qu'on ne devait jamais exclure — pour ses amis et la justice ? Son attitude n'en disait rien à K., si brutalement qu'il examinât Mᵉ Huld. On aurait[54] presque pu croire que l'avocat masquait ses sentiments à dessein pour attendre l'effet de ses mots ; mais il interpréta sans doute le silence de K. beaucoup trop favorablement, car il poursuivit en ces termes :

« Vous n'avez certainement pas été sans remarquer que je n'occupe pas de secrétaire malgré l'importance de mon cabinet ? Autrefois, c'était différent ; il y eut un temps où je faisais travailler quelques jeunes juristes, mais aujourd'hui j'opère seul. Cela tient en partie à la

modification de ma clientèle — car je me limite de plus
en plus aux affaires du genre de la vôtre — et en partie
à l'expérience que j'ai acquise de ces questions. J'ai vu
que je ne pouvais confier à personne le soin de
s'occuper de ces travaux sans risquer de pécher contre
ma clientèle et les devoirs que j'assumais. Mais, pour
tout faire par moi-même comme je l'avais résolu, j'ai
été obligé de repousser presque toutes les demandes
des gens qui venaient me trouver et n'ai plus pu céder
qu'à ceux qui me tenaient particulièrement à cœur;
passons; sans aller chercher loin, on trouverait pas
mal d'individus qui se ruent sur mes moindres miettes.
Je suis tout de même [55] tombé malade à force de me
surmener. Mais, malgré tout, je ne regrette pas ma
décision; j'aurais peut-être dû refuser plus de causes
que je n'ai fait, mais en tout cas j'ai eu le plaisir de
vérifier que j'avais eu parfaitement raison de m'adonner complètement à celles dont je m'étais chargé; le
succès couronne mes efforts. J'ai lu un jour une très
belle formule qui caractérise parfaitement la différence
qu'il y a entre l'avocat des causes ordinaires et celui
des causes dont je m'occupe maintenant : le premier
conduit son client jusqu'au jugement par un fil, mais
l'autre le prend sur ses épaules dès le début et le porte,
sans le déposer, jusqu'au jugement et même plus loin.
C'est bien cela. Mais je me trompais peut-être un peu
quand je disais que je ne me repens jamais de cet
énorme labeur. Lorsqu'on le méconnaît trop, comme
dans votre cas, alors, alors je me prends presque à le
regretter. »

Ces discours éveillèrent chez K. plus d'impatience
que de conviction. Il devinait au ton de l'avocat ce qui
l'attendait s'il cédait; les encouragements recommen-
ceraient, on lui rappellerait que la requête avançait,
que les employés de la justice avaient l'air mieux
disposés, mais qu'il y avait aussi de grandes difficultés

qui se mettaient à la traverse..., bref, on lui ressortirait pour la centième fois tout ce qu'il savait déjà jusqu'à l'écœurement, on recommencerait à le bercer d'espoirs trompeurs et à le tourmenter de menaces imprécises. Il fallait y couper court ; c'est pourquoi il déclara :

« Que vous proposez-vous d'entreprendre pour moi si vous continuez à vous occuper de mon affaire ? »

L'avocat se résigna à cette question blessante et répondit :

« Je continuerai les démarches que j'ai déjà entreprises pour vous.

— C'est bien ce que je pensais, dit K. Il est inutile d'insister.

— Je ferai encore une tentative, dit l'avocat, comme si c'était lui qui avait à souffrir les ennuis dont K. se plaignait. Il me semble en effet que si vous en êtes venu non seulement à juger faussement de la valeur de mon assistance juridique, mais encore plus généralement à vous conduire comme vous le faites dans cette affaire, c'est qu'on vous a témoigné trop d'égards, tout inculpé que vous êtes, ou plutôt qu'on vous a traité avec négligence, une négligence apparente s'entend. Ce n'était pas sans raison, mais il vaut souvent mieux être enchaîné que libre. Si vous connaissiez la façon dont on procède avec les autres accusés, peut-être en tireriez-vous une leçon [56]. Vous allez voir, je vais appeler Block, ouvrez la porte et prenez place ici à côté de la table de nuit.

— Très ‹ volontiers ›, dit K. en faisant ce que l'avocat lui demandait.

Il était toujours prêt à s'instruire. Mais, pour ne rien laisser au hasard, il demanda encore à Mᵉ Huld :

« Vous savez que je vous retire [57] le soin de me représenter ?

— Oui, dit l'avocat. Mais c'est une décision sur laquelle vous pouvez revenir aujourd'hui même. »

Il se recoucha dans son lit, tira l'édredon jusqu'à ses genoux et se tourna du côté du mur, puis il sonna.

Leni parut au même instant ; elle jeta un coup d'œil rapide pour tâcher de voir ce qui s'était passé ; le fait que K. restait assis tranquillement au chevet de Mᵉ Huld lui parut assez rassurant. K. la regardait fixement ; elle lui adressa un sourire.

« Va chercher Block », dit l'avocat.

Mais au lieu d'y aller, elle se contenta de crier sur le seuil :

« Block ! l'avocat ! »

Puis, profitant probablement de ce que l'avocat restait tourné vers le mur sans s'inquiéter de ce qui se passait, elle se glissa derrière la chaise de K. De ce moment elle ne cessa de le déranger en se penchant sur le dossier ou en lui caressant les cheveux et les joues, très tendrement à vrai dire et avec beaucoup de prudence.

À bout de patience, K. essaya de l'en empêcher en l'attrapant par une main qu'elle finit par [58] lui abandonner après une certaine résistance.

Block était arrivé aussitôt appelé, mais il restait sur le seuil et semblait se demander s'il devait entrer. Il levait les sourcils et penchait la tête comme pour épier, attendant sans doute que l'ordre fût répété. K. aurait voulu l'encourager à approcher, mais il avait décidé de rompre définitivement non seulement avec l'avocat, mais avec toute cette maison ; aussi resta-t-il immobile. De son côté, Leni se taisait. Block, voyant qu'après tout on ne le chassait pas, entra sur la pointe des pieds, l'air anxieux, les mains crispées derrière le dos. Il avait laissé la porte ouverte pour pouvoir repartir à la première alerte...

Il ne vit pas K. Il n'avait d'yeux que pour le haut édredon sous lequel il ne pouvait pourtant même pas apercevoir l'avocat qui s'était étroitement rencogné

contre le mur. Mais Mᵉ Huld fit entendre sa voix :
« Block est ici ? » demandait-il.

Cette question atteignit Block — qui avait déjà fait
du chemin — en pleine poitrine, puis en plein dos ; il
chancela, et, s'arrêtant, l'échine courbée, il déclara[59] :

« Pour vous servir.

— Que veux-tu ? demanda l'avocat. Tu viens à un
bien mauvais moment.

— Ne m'a-t-on pas appelé ? » demanda Block,
s'interrogeant lui-même plutôt qu'il n'interrogeait
l'avocat.

Il levait les mains pour se protéger et se tenait prêt à
décamper.

« On t'a appelé, fit l'avocat, cela n'empêche pas que
tu viens à un mauvais moment. »

Et il ajouta au bout d'un silence :

« Tu viens toujours à un mauvais moment. »

Depuis que l'avocat parlait, Block ne regardait plus
le lit ; ses yeux se perdaient dans la contemplation d'on
ne savait trop quel coin de la chambre ; il ne jetait que
de loin en loin un coup d'œil furtif sur le lit, comme si
le regard que l'avocat lui lançait parfois de côté avait
été trop aveuglant. Il ne lui était[60] d'ailleurs pas moins
difficile d'écouter, car Mᵉ Huld parlait contre le mur, à
voix basse et très rapidement.

« Voulez-vous que je m'en aille ? demanda Block.

— Puisque tu es là, dit l'avocat, tu peux rester. »

On eût pu croire que l'avocat, loin de satisfaire son
client, l'avait menacé de le battre, car Block se mit
alors à trembler réellement.

« Je suis allé[61] hier, dit l'avocat, voir le troisième
juge, mon ami, et j'ai amené petit à petit la conversation sur toi. Veux-tu savoir ce qu'il m'a dit ?

— Oh ! oui, je vous en prie », dit Block.

Et comme l'avocat ne se pressait pas de répondre,
il répéta sa prière en s'inclinant comme s'il allait

se mettre à genoux. Mais K. le tança vertement :
« Que fais-tu là ? » lui cria-t-il.

Et comme Leni avait cherché à l'empêcher de
parler, il lui saisit l'autre main. Ce n'était pas un geste
d'amitié, aussi se mit-elle à gémir en cherchant à lui
échapper.

Ce fut Block [62] qui fut puni de l'exclamation de K.
Mᵉ Huld lui demanda :

« Qui est ton avocat ?

— C'est vous.

— Et outre moi ? demanda l'avocat.

— Personne, dit Block.

— N'obéis donc à personne qu'à moi. »

Block était parfaitement d'accord ; il toisa K. d'un
regard méchant et secoua vivement la tête en le
regardant. Si l'on avait voulu traduire ce geste par des
paroles, on n'aurait abouti qu'à de grossières insultes.
Et c'était avec cet homme que K. avait voulu s'entretenir [amicalement] de sa propre affaire !

« Je ne te dérangerai plus, dit K., renversé sur son
siège. Agenouille-toi, rampe à quatre pattes, et fais
tout ce que tu voudras. Je ne m'en inquiéterai pas. »

Mais Block avait le sentiment de l'honneur, avec
K. tout au moins, car il alla sur lui en agitant les
poings et lui cria aussi fort qu'il osait en présence de
l'avocat :

« Vous n'avez pas le droit de me parler ainsi, ce
n'est pas permis. Pourquoi m'offensez-vous ? et ici,
pour comble, devant M. l'Avocat qui ne nous tolère
vous et moi que par pitié ! Vous ne m'êtes pas
supérieur, vous êtes accusé, vous aussi, vous avez aussi
un procès. Mais, si vous restez un monsieur tout de
même, moi aussi je suis un monsieur, si ce n'est pas un
plus grand que vous. Et je veux qu'on me parle en
s'adressant à moi comme tel, et surtout vous. Si vous
vous croyez préféré parce que vous avez le droit de

rester assis ici et d'écouter tranquillement pendant que je rampe à quatre pattes (pour employer votre expression), je vous rappelle le vieux dicton : " Il est meilleur pour un homme suspect de s'agiter que de se reposer, car celui qui se repose risque toujours sans le savoir de se trouver sur l'un des plateaux et d'être pesé dans la balance avec le poids de ses péchés. " »

K. ne dit rien ; il restait là, tout étonné, devant le trouble du client. Combien de fois ce Block n'avait-il pas changé d'attitude rien que pendant la dernière heure ! Était-ce le procès qui le ballottait ainsi de droite et de gauche sans lui permettre de distinguer qui était ami ou ennemi ? Ne voyait-il[63] donc pas que l'avocat l'humiliait intentionnellement et à seule fin de faire parade de sa puissance devant K., peut-être pour essayer de le subjuguer aussi ? Mais si Block n'était pas capable de s'en rendre compte ou s'il craignait Me Huld à tel point que l'intelligence de la situation ne lui servît à rien, comment se faisait-il qu'il restât tout de même assez malin ou assez hardi pour tromper l'avocat en lui taisant tous ceux qu'il avait pris en dehors de lui pour l'assister ? Et comment[64] osait-il attaquer K. qui pouvait à chaque instant trahir son dangereux secret ? Mais il osait bien pis, car, s'étant dirigé vers le lit de Me Huld, il alla jusqu'à se plaindre de K.[65] :

« Monsieur l'Avocat, lui dit-il, avez-vous entendu comment cet homme m'a parlé ? On peut compter les heures qu'a duré son procès et il voudrait déjà me donner des conseils, à moi qui en ai un depuis cinq ans. Il ose même m'insulter. Il ne sait rien et il m'insulte, moi qui ai étudié si scrupuleusement, dans la mesure où me le permettent mes faibles forces, ce qu'exigent les convenances, le devoir et les traditions judiciaires.

— Ne t'inquiète de personne, dit l'avocat, et fais ce qui te paraît juste.

— Certainement, dit Block, comme pour s'encourager lui-même, et, risquant un rapide coup d'œil sur l'avocat, il s'agenouilla tout près du lit.

— Je suis à genoux, mon avocat », s'écria-t-il.

Mais l'avocat se tut. Block caressa prudemment l'édredon d'une main. Dans le silence qui régnait Leni, s'arrachant des mains de K., déclara :

« Tu me fais du mal. Laisse-moi. Je vais trouver Block. »

Elle se dirigea vers Block et s'assit sur le bord du lit. Block fut tout heureux de sa venue, il la pria immédiatement, par une pantomime agitée, de s'entremettre[66] pour lui auprès de l'avocat. Visiblement, il avait besoin des déclarations de Mᵉ Huld, mais c'était peut-être simplement pour les faire exploiter par ses autres défenseurs. Leni devait savoir comment il fallait prendre l'avocat ; elle montra la main de Mᵉ Huld et avança ses lèvres comme pour un baiser. Block aussitôt exécuta un baisemain et le répéta même deux fois sur l'invitation de Leni. Mais l'avocat se taisait toujours. Alors Leni se pencha sur lui — on vit son corps se dessiner magnifiquement dans ce mouvement — et, profondément inclinée sur le visage de Mᵉ Huld, elle caressa ses longs[67] cheveux blancs. Ce geste arracha tout de même une réponse au vieillard :

« Je tremble de le lui dire », déclara-t-il.

Et on le vit secouer la tête, peut-être était-ce pour mieux sentir la pression de la main de Leni. Block écoutait, la tête penchée, comme s'il faisait une chose défendue.

« Pourquoi trembles-tu donc ? » demanda Leni.

K. avait l'impression d'assister à un dialogue préparé d'avance qui avait dû se répéter et se répéterait encore souvent et qui ne pouvait garder de nouveauté que pour Block.

« Comment s'est-il conduit aujourd'hui ? » demanda l'avocat au lieu de répondre.

Avant de parler, Leni jeta les yeux sur Block ; elle le
laissa un moment tendre les bras vers elle et se tordre
les mains dans un geste de supplication. Finalement,
elle hocha gravement la tête, puis, se tournant vers
l'avocat, elle déclara :

. « Il s'est tenu tranquille, il a bien travaillé. »

Un vieux négociant était là, un homme qui portait
une grande barbe et qui suppliait une jeune fille de lui
accorder un bon point ! Quelles que fussent ses arrière-
pensées, rien ne pouvait le justifier aux yeux de qui
assistait à cette scène ; [K. ne comprenait pas [68]
comment l'avocat avait pu essayer de le gagner par ce
spectacle. S'il n'avait pas réussi à le rebuter jusque-là,
cette scène à elle seule aurait suffi ;] il en avilissait le
spectateur. Tel était donc le résultat de cette méthode
de l'avocat — à laquelle K. fort heureusement ne
s'était pas exposé longtemps : le client finissait par en
oublier tout le monde et par ne plus espérer se traîner
jusqu'à la fin de son procès que par ce honteux
labyrinthe. Ce n'était [69] plus là un client, c'était le
chien de l'avocat. Si celui-ci avait commandé d'entrer
sous le lit en rampant et d'y aboyer comme du fond
d'une niche, il l'aurait fait avec plaisir.

K. écoutait et pesait les mots tout en restant
supérieur à la scène, comme s'il avait été chargé de
retenir exactement tout ce qui se disait ici pour en
référer en haut lieu.

« Qu'a-t-il fait [70] tout le jour ? demanda l'avocat.

— Pour qu'il ne me dérange pas, répondit Leni, je
l'ai enfermé à clé dans la chambre de bonne où il se
tient en général. J'ai pu le voir de temps en temps par
la lucarne. Il est resté tout le temps à genoux sur son
lit, il avait posé sur le rebord de la fenêtre les écrits que
tu lui as prêtés et il n'a pas cessé de les lire. Cela m'a

fait bonne impression ; car la fenêtre ne donne que sur
une cour sombre où il n'y a presque pas de lumière.
Comme il lisait quand même j'ai trouvé que c'était une
grande marque de docilité.

— Je suis heureux de cette bonne nouvelle, dit
l'avocat. Mais a-t-il lu intelligemment ? »

Pendant tout ce dialogue, Block ne cessait de remuer
les lèvres ; sans doute formulait-il les réponses qu'il
espérait de Leni.

« Je ne peux pas, déclara Leni, vous répondre avec
certitude. Mais, en tout cas, j'ai vu qu'il lisait sérieusement. Il a lu toujours la même page en suivant les
lignes du doigt. Toutes les fois que j'ai regardé, il
soufflait comme si cette lecture lui causait de grandes
difficultés. Les écrits [71] que tu lui as prêtés doivent être
très difficiles à comprendre.

— Oui, dit l'avocat, ils le sont ; je ne crois pas non
plus qu'il y comprenne grand-chose. Ils ne sont
destinés qu'à lui donner une idée de la difficulté du
combat auquel je me livre pour sa défense. Et pour qui
me suis-je plongé dans ce difficile combat ? Pour... —
c'est presque ridicule à dire — pour un Block. Il faut
qu'il apprenne à comprendre ce que cela signifie. A-t-il
étudié sans arrêt ?

— Presque sans arrêt, répondit Leni. Une seule fois
il m'a demandé de l'eau pour boire. Je lui ai passé un
verre par la lucarne. Puis, à huit heures, je l'ai laissé
sortir et je lui ai fait manger un morceau. »

Block effleura K. du regard comme si l'on venait de
raconter de lui quelque chose d'extrêmement glorieux
et qui dût vivement impressionner les auditeurs. Il
avait l'air empli d'espoir, il reprenait un peu d'aisance,
il se remuait de temps en temps sur ses genoux. Il n'en
fut que plus saisissant de voir comment il se figea aux
prochains mots de l'avocat.

« Tu le loues, dit en effet Me Huld, mais c'est

précisément ce qui me rend si difficile de parler. Car le juge [72] ne s'est prononcé favorablement ni sur Block ni sur son procès.

— Il ne s'est pas prononcé favorablement ? dit Leni. Comment cela est-il possible ? »

Block la regarda avec une telle fixité qu'on eût cru qu'il lui supposait le pouvoir de retourner encore à son avantage les paroles que le juge venait pourtant de laisser tomber depuis longtemps.

« Non [73], dit l'avocat, il ne s'est pas prononcé favorablement. Il a même eu l'air d'être désagréablement surpris quand je me suis mis à parler de Block. " Ne me parlez pas de Block, m'a-t-il dit. — C'est mon client, lui ai-je répondu. — Vous le laissez abuser de vous, m'a-t-il redit. — Je ne le crois pas, ai-je répondu. Block travaille avec beaucoup de zèle à son procès, il ne cesse pas de s'occuper de son affaire ; il habite presque chez moi pour se tenir mieux au courant. C'est un zèle qu'on ne trouve pas toujours. Évidemment, personnellement il est plutôt désagréable, il a de fort vilaines manières, et il est sale par-dessus le marché, mais du point de vue processif il est vraiment impeccable. " En disant impeccable, j'exagérais avec intention. Mais il m'a répondu : " Block est simplement malin [74]. Il a amassé beaucoup d'expérience et il sait faire traîner son procès en longueur. Mais son ignorance est encore bien plus grande que sa malice. Que dirait-il s'il apprenait que son procès n'a pas encore commencé, que le coup de sonnette du début n'a même pas été donné ? "

« Silence, Block », ajouta-t-il, car Block se mettait à se lever sur des genoux vacillants pour demander sans doute une explication.

C'était la première fois que l'avocat s'adressait directement à lui d'une façon un peu détaillée. M⁰ Huld regardait d'une prunelle fatiguée, moitié dans le vide [75], moitié vers Block, qui se laissa retomber lentement sur les genoux sous l'impression de ce regard.

« Ces déclarations du juge, continua Me Huld, n'ont aucune importance pour toi. Ne t'effraie donc pas au moindre mot. Si cela se répète, je ne t'en dirai plus rien. On ne peut pas lâcher une phrase sans que tu nous regardes comme si on prononçait ta condamnation. Rougis d'avoir une telle conduite devant mon client. Tu ébranles la confiance qu'il a placée en moi. Que veux-tu donc ? Ne vis-tu pas encore ? Ne restes-tu pas sous ma protection ? Stupide peur ! Tu as lu je ne sais où que la condamnation tombait dans bien des cas à un moment complètement imprévu et de n'importe quelle bouche ; à beaucoup de réserves près [76], ce n'est pas faux évidemment, mais il est tout aussi exact que ton inquiétude me répugne et que j'y vois un regrettable manque de confiance. Qu'ai-je donc dit ? J'ai répété les paroles d'un magistrat. Tu sais bien que les opinions les plus diverses s'accumulent autour des litiges. Ce juge [77], par exemple, fait commencer le procès à un autre moment que moi. Divergence de points de vue, c'est tout. À un certain moment du procès, une vieille tradition veut qu'on donne un coup de sonnette. Aux yeux de ce juge, c'est alors que commencent seulement les choses. Je ne peux pas te dire présentement tout ce qui réfute cette opinion, d'ailleurs tu ne le comprendrais pas, qu'il te suffise de savoir que bien des arguments l'infirment. »

Embarrassé, Block se mit à gratter la peau de la descente de lit. Sa crainte des déclarations du juge lui faisait oublier par moments l'esclavage où il était par rapport à l'avocat ; il ne pensait plus alors qu'à soi et retournait les paroles du juge dans tous les sens.

« Block, dit Leni sur un ton de remontrance en le tirant légèrement en l'air par le col de son veston, laisse maintenant cette peau de bête et écoute l'avocat. »

CHAPITRE IX

À LA CATHÉDRALE

K. se trouva chargé de montrer quelques monuments artistiques à un client italien très utile à la banque et qui venait[1] pour la première fois dans la ville. C'était une mission qui l'eût certainement fort honoré en d'autres temps, mais qu'il n'accepta cette fois qu'à contrecœur, car il n'arrivait plus à sauver son prestige à la banque qu'au prix des plus grands efforts. Toute heure qu'il passait hors du bureau lui causait d'énormes soucis ; il ne pouvait plus employer son temps de travail aussi utilement qu'autrefois ; il ne parvenait à passer bien des heures qu'en faisant semblant de s'occuper ; son inquiétude[2] n'en était que plus grande quand il n'était pas à la banque. Il croyait voir alors le directeur adjoint, qui était toujours aux aguets, venir faire de petites visites dans son bureau, s'asseoir à sa table, perquisitionner dans ses papiers, recevoir des clients avec lesquels K. se trouvait depuis longtemps en relations presque amicales, les détourner de leur conseiller habituel et trouver même dans le travail de M. le Fondé de pouvoir de ces fautes dont K. se sentait maintenant menacé de toutes parts et qu'il ne pouvait plus éviter. Aussi, toutes les fois qu'on le chargeait de sortir pour aller voir quelque client ou même pour un petit voyage — ce qui s'était répété

souvent ces derniers temps par un pur effet du hasard
— il pensait toujours, si honorable que fût la mission,
qu'on ne cherchait qu'à l'éloigner afin de contrôler son
travail ou qu'on pensait pouvoir se passer facilement
de lui. Il aurait d'ailleurs pu sans grande difficulté
échapper à toutes ces missions, mais il ne l'osait pas,
car, si légèrement que ses craintes fussent fondées, il
les eût avouées en refusant. Aussi se donnait-il[3]
toujours l'air d'accepter de bon cœur ces sorties. À la
veille d'un dur voyage de deux jours il avait même
caché un grave refroidissement pour qu'on ne le
remplaçât pas en objectant le mauvais temps. C'était
en revenant, fou de névralgies, qu'il avait appris qu'on
le destinait à escorter le gros client italien[4]. La
tentation de refuser avait été grande cette fois-là,
d'autant plus qu'il ne s'agissait pas d'un travail
strictement professionnel ; le devoir mondain qu'il
aurait à remplir avait évidemment une grande importance, mais non pour lui : il savait bien qu'il ne
pouvait se maintenir que par des succès d'affaires et
que, s'il n'y réussissait pas, personne ne lui tiendrait
compte d'avoir plongé dans le plus grand ravissement
ce monsieur qui venait d'Italie ; il ne voulait pas
s'éloigner un seul jour du théâtre de son travail,
redoutant trop de ne pouvoir plus rentrer, crainte qu'il
reconnaissait lui-même extrêmement exagérée mais
qui l'oppressait malgré tout[5]. Il n'arrivait cependant à
trouver aucun prétexte qui fût plausible. Sans être
grande, sa connaissance de l'italien suffisait pour
guider un touriste, et le grand malheur était surtout
qu'on lui savait à la banque quelques connaissances
artistiques dont on s'était exagéré l'importance en
apprenant qu'il avait été un temps membre du comité[6]
de protection des monuments artistiques de la ville —
c'était d'ailleurs pour des raisons d'affaires. On avait
su que l'Italien était un grand amateur d'art et on

avait trouvé tout naturel de choisir K. pour l'escorter.

Ce matin-là, le temps était sale et pluvieux lorsqu'il arriva au bureau, fâché déjà de la journée[7] qui l'attendait ; il était venu dès sept heures pour pouvoir expédier tout de même un peu de travail en attendant son visiteur. Il se trouvait[8] très fatigué, car il avait passé la moitié de la nuit à étudier une grammaire italienne pour se remettre au courant, et la fenêtre à laquelle il n'avait que trop accoutumé de s'asseoir depuis quelque temps l'attirait beaucoup plus que son bureau, mais il résista à la tentation et se mit à la besogne. Malheureusement, le domestique arriva juste à ce moment pour annoncer que M. le Directeur envoyait voir si M. le Fondé de pouvoir était déjà là et lui faisait demander de bien vouloir venir au salon de réception où attendait le monsieur d'Italie.

« J'y vais », dit K.

Il enfonça un petit dictionnaire dans sa poche, mit sous son bras un album des curiosités de la ville qu'il avait déjà préparé à l'intention de l'étranger et se dirigea vers le bureau du directeur en passant par celui de l'adjoint. Il se félicitait d'être venu si tôt et de pouvoir se trouver sur-le-champ à la disposition de la banque, car on ne devait pas s'attendre sérieusement à le rencontrer là si matin.

Naturellement, le bureau du directeur adjoint était encore aussi désert qu'en pleine nuit ; le domestique avait dû venir chercher son chef et ne pas trouver âme qui vive.

Lorsque K.[9] entra au salon, les deux messieurs quittèrent les fauteuils profonds dans lesquels ils étaient assis ; le directeur sourit aimablement, visiblement charmé de l'arrivée de K., et opéra immédiatement les présentations : l'Italien serra énergiquement la main de K. et parla en riant de quelqu'un qui se levait au chant du coq. K. ne comprit pas bien à qui se

rapportait cette allusion ; l'Italien avait employé un
mot étrange dont il ne saisit le sens qu'au bout d'un
instant. Il répondit par quelques phrases de politesse ;
l'étranger les prit encore en riant, il caressait nerveusement sa grosse moustache gris-bleu. Cette moustache
devait être parfumée, on était presque tenté de la
toucher et de la sentir. Quand ils furent [10] tous assis et
qu'on eut abordé les préliminaires, K. s'aperçut avec
un grand malaise qu'il ne comprenait l'Italien que par
moments. Quand ce monsieur parlait lentement, il
saisissait à peu près tout ; mais ce n'était qu'une
exception ; la plupart du temps les discours coulaient
de sa bouche comme d'une source ; il agitait la tête en
même temps comme s'il en eût été ravi. Quand il
parlait à cette vitesse il s'embrouillait régulièrement
dans un dialecte qui n'avait [11] plus rien d'italien pour
K. mais que le directeur comprenait et parlait même
couramment, ce que K. [, à vrai dire,] aurait dû
prévoir car le client était du sud de l'Italie où le
directeur avait passé quelques années. K. s'aperçut
qu'il lui serait très difficile de s'entendre avec l'étranger dont le français n'était pas plus intelligible que
l'italien ; et puis sa barbe empêchait de voir le
mouvement des lèvres qui aurait peut-être aidé l'auditeur. K. commença donc à prévoir une foule de
désagréments mais renonça provisoirement à essayer
de comprendre — en présence du directeur qui le
faisait si facilement, l'effort était bien inutile — et il se
contenta de regarder d'un air chagrin l'aisance que
l'Italien gardait tout en restant plongé au fond de son
fauteuil ; il tiraillait fréquemment son petit veston
collant et une fois, en levant les bras et en faisant
tourner les mains, il essaya de représenter [12] quelque
chose que K. n'arriva pas à comprendre bien qu'il se
penchât en avant pour observer plus attentivement.
Finalement, la fatigue reprit K. ; il ne suivit plus que

passivement, en observant machinalement les yeux, les alternances du discours, et, à son grand effroi, il se surprit à temps sur le point de se lever, de tourner le dos et de partir tant il était distrait et las. Mais l'Italien [13], ayant enfin regardé sa montre, se leva rapidement et, après avoir pris congé du directeur, s'approcha de K. si près que celui-ci dut reculer son fauteuil pour conserver la liberté de ses mouvements. Le directeur, lisant certainement dans ses yeux la détresse où il se trouvait en face de cet Italien, se mêla alors à la conversation, et si finement qu'il eut l'air de ne donner que de petits conseils alors qu'en réalité il expliquait brièvement à K. [14] tout ce que disait le client qui ne cessait de lui couper la parole.

K. apprit ainsi que l'Italien avait encore quelques affaires à régler et que, faute de temps pour tout, il abandonnait l'intention de visiter toutes les curiosités ; il préférait se limiter — si K. était du même avis : le dernier mot lui revenait — à explorer la cathédrale, mais à fond [15]. Il se disait extrêmement heureux d'avoir à faire cette visite en compagnie d'un homme aussi aimable qu'érudit — c'était pour K., qui ne s'occupait malheureusement que de ne pas l'écouter [16] pour pouvoir saisir au vol les paroles du directeur — et le priait de bien vouloir se trouver à la cathédrale deux heures plus tard, c'est-à-dire à dix environ, si ce moment lui convenait. Il espérait pouvoir venir sûrement à ce moment-là.

K. répondit dans le sens demandé, l'Italien serra la main du directeur, puis celle de K., puis encore celle du directeur, et partit escorté des deux hommes ; il n'était plus tourné vers eux qu'à moitié mais [17] il continuait à parler ; à la porte, K. resta encore un instant avec le directeur qui avait l'air plus souffrant ce jour-là et qui crut devoir s'excuser auprès de lui ; il dit à K. en le gardant tout près qu'il avait eu [18] d'abord l'intention d'accompagner lui-même l'Italien, mais — il ne donna pas de raison plus précise — qu'il avait mieux aimé lui envoyer K.

Si K. ne comprenait pas très bien dès le début, qu'il n'en fût pas déconcerté, il ne tarderait [19] pas à le faire, et s'il ne pouvait pas tout saisir ce ne serait pas un grand malheur, car l'Italien n'attachait pas une telle importance à être compris. K. parlait d'ailleurs un italien excellent et se tirerait merveilleusement d'affaire. Ce fut là-dessus que K. partit. Il passa [20] le temps qui lui restait encore à chercher dans le dictionnaire et à copier sur un carnet les mots rares dont il avait besoin pour l'explication de la cathédrale [21]. C'était un travail horriblement ennuyeux ; des domestiques apportaient le courrier, des employés venaient pour poser des questions, et, voyant K. plongé dans son labeur, restaient sur le seuil de la porte mais ne repartaient pas qu'on ne les eût entendus ; quant au [22] directeur adjoint, ne voulant pas perdre l'occasion de déranger K., il arrivait à chaque instant, lui prenait le dictionnaire de la main et le feuilletait visiblement sans aucun motif ; des clients apparaissaient dans la pénombre de l'antichambre toutes les fois que la porte s'ouvrait et s'inclinaient en hésitant, car ils voulaient se faire apercevoir mais ils n'étaient pas sûrs qu'on les vît. Ce petit univers dont K. était le centre évoluait autour de lui pendant qu'il rassemblait les mots dont il allait avoir besoin, les cherchait dans le dictionnaire, s'exerçait à les prononcer puis essayait finalement de les apprendre par cœur. Mais sa mémoire, si bonne autrefois, semblait l'avoir abandonné ; il lui en venait par moments une telle fureur contre cet Italien qui lui donnait pareil labeur qu'il enterrait son dictionnaire sous les papiers avec la ferme résolution de cesser de se préparer ; mais il ne tardait pas à reconnaître qu'il ne pourrait tout de même pas rester en face des œuvres d'art de la cathédrale à faire les cent pas sans rien dire en compagnie de l'étranger et il ressortait le dictionnaire avec encore plus de fureur.

Juste au moment où il allait partir — il était neuf heures et demie — le téléphone l'appela ; c'était Leni qui venait lui dire bonjour et lui demander de ses nouvelles ; K. la remercia hâtivement et lui dit qu'il ne pouvait pas lui parler davantage parce qu'il était obligé de se rendre à la cathédrale.

« A la cathédrale ! s'écria Leni.

— Mais oui, dit K., à la cathédrale.

— Pourquoi donc à la cathédrale ? » dit Leni.

K. chercha à le lui expliquer rapidement, mais à peine avait-il commencé que Leni déclara brusquement :

« On te harcèle ! »

Cette compassion qu'il ne demandait pas et qu'il n'avait pas attendue ne plut pas à K., il prit donc congé en deux mots ; mais, en raccrochant le récepteur, il dit, moitié pour lui, moitié pour la jeune fille qui ne l'entendait plus :

« Oui, c'est vrai, on me harcèle ! »

Cependant, le temps avait passé, et il risquait presque maintenant d'être en retard. Il fila en automobile ; il avait eu juste le temps de se rappeler au dernier moment le recueil de photographies qu'il n'avait pas eu l'occasion de donner le matin et il était allé le chercher. Il le garda sur ses genoux, et ne cessa pendant tout le trajet de tambouriner avec impatience sur cet album. Quoique la pluie se fût un peu calmée, le temps restait froid, humide et sombre ; on verrait mal dans la cathédrale, et avec la longue station qu'il faudrait faire sur ces dalles glacées, le refroidissement de K. s'aggraverait considérablement.

La place de la cathédrale était complètement vide, K. se rappela que tout enfant il avait déjà remarqué

que les maisons de cette place étroite avaient toujours
les rideaux baissés. Avec le temps qu'il faisait ce jour-
là c'était une chose qu'on comprenait plus facilement.
La cathédrale paraissait vide comme la place ; personne n'avait l'idée d'y venir à cette heure-là. Il
parcourut les deux nefs latérales et n'y trouva qu'une
vieille femme emmitouflée dans un fichu qui se tenait
agenouillée devant la statue de la Vierge [qu'elle fixait
des yeux]. Il aperçut aussi de loin un sacristain boiteux
qui disparut par une porte dans un mur. K. avait été
ponctuel ; dix heures sonnaient juste au moment où il
entrait, mais l'Italien n'était pas encore là. Il revint
donc à l'entrée principale, y resta un instant, perplexe,
puis fit le tour de la cathédrale sous la pluie pour voir
si le client de la banque ne l'attendait pas par hasard à
une autre porte. Il ne le trouva nulle part. Le directeur
s'était donc trompé sur l'heure ? Allez comprendre cet
Italien ! Quoi qu'il en fût, K. devait commencer par
attendre au moins une demi-heure [23]. Comme il était
fatigué il chercha à s'asseoir et rentra dans la cathédrale où il trouva sur une marche un petit morceau de
tapis qu'il poussa de la pointe du soulier jusqu'au pied
du banc le plus proche ; il s'enveloppa plus étroitement
de son manteau, releva son col et s'assit. Pour se
distraire il ouvrit l'album et se mit à le feuilleter, mais
il ne tarda pas à y renoncer, car il faisait si sombre
qu'on ne pouvait pas distinguer le moindre détail du
bas-côté le plus voisin.

Un grand triangle de flammes de cierges brillait au
loin sur le maître-autel. K. n'aurait pas su dire s'il les
avait déjà vues [auparavant]. Peut-être venait-on à
peine de les allumer. Les sacristains sont silencieux par
profession, on ne les remarque pas. En se retournant
par hasard il aperçut derrière lui, à quelques pas,
contre un pilier, un grand cierge qui brûlait aussi. Si
beau que ce fût c'était insuffisant pour éclairer les

sculptures qui se trouvaient presque toutes dans
l'ombre des bas-côtés; l'obscurité n'était qu'accrue
par ces lumières. L'Italien avait donc agi avec autant
de discernement que d'impolitesse en ne venant pas; il
n'aurait rien pu voir. On aurait été obligé de se
contenter d'explorer quelques statues pouce par pouce
avec la lampe de poche de K. [24].

Pour voir ce que cette méthode donnait, K. se
dirigea vers une petite chapelle latérale, monta quelques marches et, se penchant sur la balustrade de
marbre, éclaira le bas-relief de l'autel. La lumière du
tabernacle contrariait celle de la lampe électrique. La
première chose qu'il aperçut ou devina fut un grand
chevalier cuirassé de son armure qui était sculpté sur
l'un des bords du bas-relief.

Il s'appuyait sur son épée qu'il avait plantée devant
lui dans le sol nu — d'où ne sortait que de loin en loin
une petite tige d'herbe — et semblait observer attentivement une scène qui devait se passer devant ses yeux.
On était étonné de voir qu'il restait ainsi sur place sans
s'approcher. Peut-être montait-il la garde. K., qui
n'avait plus vu de bas-relief depuis longtemps, s'attarda à examiner le chevalier, bien qu'il fût constamment contraint de cligner des yeux car il ne pouvait
supporter la lumière verte de la lampe. En en prome-
nant le rayon sur le reste de l'autel il découvrit une
mise au tombeau conforme au modèle courant et qui
était d'ailleurs de facture récente. Il rentra alors sa
lampe et retourna à sa place.

Il devait être devenu inutile d'attendre encore
l'Italien, mais dehors il pleuvait sûrement à torrents,
et comme K. trouvait l'église moins froide qu'il n'avait
pensé d'abord, il décida de rester là pour le moment.
La grande chaire se dressait près de lui. Sur son petit
toit rond, on avait disposé obliquement deux croix d'or
nues qui se touchaient [25] par la pointe. Le revêtement

extérieur de l'appui et la partie qui le séparait de la colonne étaient ornés de pampres verts parmi lesquels s'ébattaient de petits anges.

K. s'avança près de la chaire et l'examina sous toutes ses faces. La sculpture de la pierre était extrêmement fouillée, l'ombre profonde qui régnait entre les feuillages et celle qu'ils portaient sur le fond semblaient incrustées dans le relief; K. mit sa main dans l'un des creux et tâta prudemment la pierre; il ne s'était [26] jamais aperçu de l'existence de cette chaire. À ce moment-là un hasard lui fit remarquer, derrière la première rangée de bancs, un bedeau qui se tenait debout, dans une longue robe noire et flottante et s'occupait à regarder une tabatière dans sa main gauche.

« Que [me] veut cet homme? pensa K. Lui serais-je suspect? Cherche-t-il un pourboire? »

Mais quand le bedeau vit que K. le remarquait, il lui montra on ne sait quel endroit, du bout de son index qui maintenait encore contre le pouce une petite prise de tabac. Son geste était presque incompréhensible, K. attendit encore un instant, mais le bedeau ne cessa pas son geste et confirma en hochant la tête qu'il donnait une indication.

« Que veut-il donc? » se demanda K. à voix basse.

N'osant appeler en ces lieux, il sortit son porte-monnaie et traversa la première rangée de bancs pour rejoindre l'homme. Mais l'autre fit non de la main, haussa les épaules et partit en boitillant. C'était en marchant d'une façon semblable à ce boitillement rapide que K. essayait dans son enfance d'imiter le mouvement d'un cavalier sur son cheval.

« Quel enfant! pensa K., il a juste encore assez de raison pour le service [27] de l'église. Comme il s'arrête quand je m'arrête! Comme il m'épie quand je repars! »

Il le suivit en souriant tout le long de la nef latérale presque jusqu'à hauteur du maître-autel. Le vieux ne cessait de lui montrer quelque chose, mais K. se refusait à regarder, pensant que le geste du bedeau n'avait d'autre but que de l'empêcher de le suivre. Finalement il le laissa, ne voulant pas trop l'inquiéter ; il ne fallait pas l'effaroucher si l'Italien devait encore venir.

En repassant par la grande nef pour retrouver la place à laquelle il avait laissé son album, il remarqua contre un pilier qui touchait presque les bancs du chœur une petite chaire supplémentaire, toute simple, en pierre blanche et nue. Elle était si petite que de loin elle avait l'air d'une niche encore vide destinée à recevoir une statue [de saint]. Le prédicateur ne pouvait sûrement pas s'éloigner de l'appui d'un seul pas. De plus, la voûte de pierre de la chaire commençait extrêmement bas et s'élevait sans aucun ornement, mais suivant une telle courbe qu'un homme de taille moyenne ne pouvait pas se tenir droit dans la tribune et se trouvait obligé de rester constamment penché en dehors de l'appui. Le tout semblait organisé pour le supplice du prédicateur, on ne comprenait pas à quoi cette chaire pouvait servir alors qu'on en avait à sa disposition une autre qui était si grande et ornée avec tant d'art.

Cette petite chaire n'aurait d'ailleurs pas frappé K. si elle n'avait été éclairée par une lampe du genre de celles qu'on allume avant le sermon. Allait-il y avoir un sermon ? Dans cette église vide ? K. regarda l'escalier de la chaire qui montait en spirale autour du pilier et qui était si étroit qu'on eût dit qu'il n'avait pas été construit pour l'usage des hommes mais simplement comme motif ornemental. Pourtant, sur les derniers degrés — K. en sourit d'étonnement — un prêtre se tenait bien là, une main posée sur la rampe et

prêt à monter l'escalier, le regard dirigé sur K. Il fit
même un signe de tête, sur quoi K. se signa et
s'inclina, ce qu'il aurait dû faire plus tôt. Le prêtre prit
un petit élan et se mit à monter à pas courts et rapides.
Allait-il donc vraiment commencer un sermon ? Le
bedeau de tout à l'heure était-il moins privé de raison
qu'il n'en avait l'air ? Avait-il voulu amener K. au
prédicateur, ce qui s'expliquait en effet dans une église
aussi déserte ? Mais n'y avait-il pas d'autre part,
devant une statue de la Vierge, une vieille femme
qu'on aurait dû amener aussi, et, s'il devait se donner
un sermon, pourquoi n'y préludait-on pas par les
orgues ? Mais les orgues se taisaient et ne scintillaient
que faiblement du haut des ténèbres où elles nichaient
sous la voûte.

K. se demanda[28] s'il ne devait pas se dépêcher de
s'en aller ; s'il ne le faisait pas maintenant il devrait y
renoncer pour tout le temps du sermon ; il serait obligé
de rester, et c'était une telle perte de temps ! Il y avait
déjà longtemps qu'il pouvait ne plus se considérer
comme tenu d'attendre[29] l'Italien, il regarda sa montre ; elle marquait onze heures. Mais pouvait-on
vraiment prêcher dans ce désert ? K. pouvait-il représenter à lui seul tout le troupeau des fidèles ? Et s'il
n'était qu'un touriste de passage ? Au fond, n'en était-
il pas un ? Il n'était pas imaginable qu'on allât prêcher
maintenant, un jour de semaine, à onze heures, par le
plus horrible des temps. L'abbé[30] — ce jeune homme
brun au visage rasé ne pouvait être qu'un abbé — ne
montait sûrement là-haut que pour éteindre cette
lampe qu'on avait dû allumer par erreur.

Mais il n'en était pas ainsi ; au contraire, ayant
examiné la lampe, il en remonta la mèche, puis se
retourna lentement vers l'appui et en saisit le rebord
[anguleux] des deux mains. Il resta un instant dans
cette position, regardant à l'entour sans remuer la tête.

K. s'était reculé et se tenait maintenant devant le
premier banc, les bras posés sur l'accoudoir. Il vit dans
le flou, quelque part, le bedeau [31] qui s'accroupissait
paisiblement, le dos voûté comme un homme qui a fini
son travail. Quel silence [régnait maintenant] dans
cette cathédrale ! Mais il fallait que K. le troublât ; il
n'avait pas [32] l'intention de rester ; si l'abbé était obligé
de venir prêcher dans l'église à une heure déterminée,
sans tenir compte du public, il n'avait qu'à le faire ; il y
réussirait tout aussi bien sans l'assistance de K., car la
présence de ce seul auditeur n'accroîtrait sûrement pas
beaucoup l'effet de la prédication. K. se mit donc
lentement en mouvement, traversa la nef le long du
banc, en tâtonnant de la pointe des pieds, arriva dans
l'allée centrale et redescendit sans accroc, à ceci près
que les dalles de pierre résonnaient au moindre pas et
que les voûtes répétaient le bruit de sa marche en plus
sourd, suivant les lois d'une infatigable progression,
avec des échos variés.

Il se sentait [33] un peu perdu en traversant sous les
yeux du prêtre ces longues rangées de bancs vides ; la
taille de la cathédrale lui semblait juste à la limite de
ce que l'homme peut supporter. En passant devant son
ancienne place il saisit au vol son album sans s'arrêter
un seul instant.

Il était sur le point de quitter la zone des bancs [34]
et approchait déjà de l'espace libre qui le séparait
de la sortie quand il entendit pour la première fois la
voix du prêtre. C'était une voix puissante et cultivée.
Comme elle [35] résonna dans l'église, toute prête à la
recevoir ! Mais ce n'étaient pas les fidèles que l'ecclésiastique appelait [ainsi], il n'y avait pas à s'y tromper ni à chercher d'échappatoires ; il venait d'appeler :
Joseph K.

K. s'arrêta net, les yeux au sol. [Provisoirement,] il
était encore libre, il pouvait encore avancer et s'échap-

per par l'une des trois petites portes ténébreuses qu'il
découvrait à quelques pas de lui [36]. Cela signifierait
qu'il n'avait pas compris ou tout au moins que, s'il
avait compris, il ne se souciait pas de ce qu'on lui
disait. Tandis que, s'il se retournait, c'était fini, il était
pris, il avouait qu'il avait bien compris, qu'il était bien
celui qu'on appelait et qu'il était prêt à obéir.

Si le prêtre avait répété, K. serait [37] certainement
parti, mais, comme le silence dura aussi longtemps
qu'il attendit, il tourna légèrement la tête pour voir ce
que faisait l'abbé. L'abbé était resté en chaire aussi
calme qu'auparavant, mais on voyait nettement qu'il
avait remarqué le geste de K. Il eût été désormais
enfantin de ne pas se retourner complètement. K.
exécuta donc un demi-tour et vit que le prêtre lui
faisait signe de se rapprocher. Comme tout était net
maintenant il se rendit vers la chaire à grands pas — à
la fois par curiosité et pour hâter le terme de l'affaire.
Il s'arrêta [38] à la hauteur des premiers bancs, mais la
distance était encore trop grande aux yeux du prêtre
qui lui montra du bout de l'index en tendant le bras
une place tout près de la chaire. K. obéit ; à l'endroit
indiqué il était déjà obligé de renverser fortement la
tête pour voir son interlocuteur.

« Tu es Joseph K., dit l'abbé [, et il leva le bras dans
une direction imprécise].

— Oui », dit K. en songeant avec quelle franchise il
prononçait autrefois son nom.

Depuis quelque temps, au contraire, ce lui était un
vrai supplice ; et maintenant tout le monde savait ce
nom [39].

Qu'il était beau de n'être connu qu'une fois qu'on
s'était présenté !

« Tu es accusé, dit l'abbé d'une voix extrêmement
basse.

— Oui, dit K., on m'en a avisé.

— Alors, tu es celui que je cherche, dit l'abbé. Je suis l'aumônier de la prison.

— Ah ! bien, dit K.

— Je t'ai fait venir ici, dit l'abbé, pour te parler.

— Je ne le savais pas, dit K. J'étais venu ici pour montrer la cathédrale à un Italien.

— Laisse là l'accessoire, dit l'abbé. Que tiens-tu dans ta main ? Est-ce un livre de prières ?

— Non, répondit K., c'est un album des curiosités de la ville.

— Lâche-le », lui dit l'abbé.

K. le jeta si violemment qu'il se déchira en claquant et roula sur le sol [40].

« Sais-tu que ton procès va mal ? demanda l'abbé.

— C'est bien ce qu'il me semble, dit K. Je me suis donné beaucoup de mal, mais jusqu'ici sans résultat ; à vrai dire, ma requête n'est pas encore terminée.

— Comment penses-tu que cela finira ? dit l'abbé.

— Autrefois, je pensais, dit K., que mon procès finirait bien, mais maintenant j'en doute parfois. Je ne sais pas comment il finira. Le sais-tu, toi ?

— Non, dit l'abbé, mais je crains qu'il ne finisse mal. On te tient pour coupable. Ton procès ne sortira peut-être pas du ressort d'un petit tribunal. Pour le moment, on considère du moins ta faute comme prouvée.

— Mais je ne suis pas coupable ! dit K. ; c'est une erreur. D'ailleurs, comment un homme peut-il être coupable ? Nous sommes tous des hommes ici, l'un comme l'autre.

— C'est juste, répondit l'abbé, mais c'est ainsi que parlent les coupables.

— Es-tu prévenu contre moi, toi aussi ? demanda K.

— Je n'ai pas de prévention contre toi, répondit l'abbé.

— Je te remercie, dit K. Mais tous ceux qui

s'occupent du procès ont une prévention contre moi.
Ils la font partager à ceux qui n'ont rien à y voir, ma
situation devient de plus en plus difficile.

— Tu te méprends sur les faits, dit l'abbé. La
sentence ne vient pas d'un seul coup, la procédure y
aboutit petit à petit.

— Voilà donc où j'en suis, dit K.[41] en laissant
retomber la tête.

— Que vas-tu faire maintenant pour ton procès ?
demanda l'abbé.

— Je vais encore chercher de l'aide, dit K. en
relevant la tête pour voir ce que l'ecclésiastique en
pensait. Il y a certaines possibilités que je n'ai pas
encore exploitées.

— Tu vas trop chercher l'aide des autres, et surtout
celle des femmes, lui répondit l'abbé d'un air désap-
probateur. Ne t'aperçois-tu donc pas qu'elles ne sont
pas d'un vrai secours ?

— Parfois, dit K.[42], et même souvent, je pourrais te
donner raison, mais pas toujours. Les femmes ont une
grande puissance. Si j'arrivais à décider quelques
femmes que je connais à se liguer pour travailler en ma
faveur je finirais bien par aboutir. Surtout avec cette
justice où l'on ne trouve guère que des coureurs de
jupons. Montre une femme au loin au juge d'instruction, il renversera sa table et l'accusé pour pouvoir
arriver à temps. »

L'abbé pencha la tête vers l'appui ; c'était la première fois qu'il semblait oppressé par le toit de la
chaire. Quel temps pouvait-il faire dehors ? Ce n'était
plus une journée grise, c'était déjà la pleine nuit. Nulle
couleur des grands vitraux n'arrivait à couper du
moindre reflet l'ombre des murs.

Et c'était pourtant maintenant que le sacristain se
mettait à éteindre l'un après l'autre tous les cierges du
maître-autel.

« M'en veux-tu ? demanda K. à l'abbé. Tu ne sais peut-être pas quelle justice tu sers. »

Il ne reçut pas de réponse.

« Je n'ai parlé que de mes expériences », dit K.

Mais nulle réponse ne vint encore de là-haut.

« Je ne voulais pas t'offenser », dit K.

Mais l'abbé lui cria d'en haut :

« Ne vois-tu donc pas à deux pas ? »

Il avait crié dans la colère, mais en même temps comme un homme qui, voyant tomber quelqu'un, crie lui-même involontairement parce qu'il se sent effrayé.

Et maintenant ils se taisaient tous deux. L'abbé ne pouvait certainement pas distinguer K. dans les ténèbres qui régnaient en bas de la chaire alors que K. le voyait nettement dans la lumière de la petite lampe. Pourquoi l'abbé ne descendait-il pas ? Il n'avait pas tenu de sermon, mais donné simplement à K. quelques indications qui lui feraient probablement plus de tort que de bien s'il en tenait scrupuleusement compte. Pourtant, la bonne intention de l'abbé paraissait hors de doute.

K. pourrait s'entendre avec lui s'il descendait de sa chaire, il n'était pas impossible que le prêtre lui donnât un conseil acceptable et décisif qui lui montrerait, par exemple, non comment on pouvait influencer la procédure, mais comment on pouvait sortir de l'encerclement du procès, comment on pouvait le contourner et vivre en dehors de lui. Cette possibilité devait forcément exister, K. avait souvent pensé à elle dans les derniers temps. Mais si l'abbé la connaissait, la révélerait-il quand on l'en prierait ? N'appartenait-il pas lui-même à la justice ? N'avait-il pas lui-même fait violence à la douceur de son naturel pour vitupérer rudement K. lorsqu'il avait attaqué le tribunal ?

« Ne veux-tu pas descendre ? demanda K. Il n'y a pas de sermon à faire. Viens vers moi.

« — Oui, maintenant je peux venir », dit l'abbé.

Il se repentait peut-être d'avoir crié. En décrochant la lampe il dit :

« J'étais obligé de commencer par parler de loin. Quand je ne le fais pas je me laisse trop facilement influencer et j'en oublie mon ministère. »

K. l'attendit au pied de l'escalier. L'abbé lui tendit la main au passage avant même d'être en bas.

« Peux-tu me donner un peu de temps ? demanda K.

— Autant que tu voudras », dit l'abbé en tendant à K. la petite lampe pour la lui faire porter.

Même de près il conservait dans toute sa personne une certaine solennité.

« Tu es très aimable pour moi », dit K.

Ils allaient et venaient l'un à côté de l'autre dans les ténèbres du bas-côté.

« Tu es une exception parmi les gens de justice. J'ai plus de confiance en toi qu'en aucun d'entre eux quoique j'en connaisse beaucoup. Avec toi, je peux parler franchement.

— Ne te méprends pas, dit l'abbé.

— Sur quoi me méprendrais-je donc ? demanda K.

— C'est sur la justice que tu te méprends, lui dit l'abbé, et il est dit de cette erreur dans les écrits qui précèdent la Loi : " Une sentinelle se tient postée devant la Loi ; un homme [de la campagne] vient un jour la trouver et lui demande la permission de pénétrer [dans la Loi]. Mais la sentinelle lui dit qu'elle ne peut pas le laisser entrer en ce moment. L'homme réfléchit et demande alors s'il pourra entrer plus tard. 'C'est possible, dit la sentinelle, mais pas maintenant.' La sentinelle s'efface devant la porte, ouverte comme toujours, et l'homme se penche pour regarder à l'intérieur [à travers la porte]. La sentinelle, le voyant faire, rit et dit : 'Si tu en as tant envie essaie donc d'entrer malgré ma défense. Mais dis-toi bien que je suis puissant. Et je ne suis que la dernière des sentinelles. Tu trouveras à l'entrée de chaque salle des sentinelles de plus en plus puissantes ; dès la troisième, même moi, je ne peux plus supporter leur vue.' L'homme [de la campagne] ne s'était pas attendu à de telles difficultés, il avait pensé que la Loi devait être accessible à tout le monde et en tout temps, mais maintenant, en observant mieux la sentinelle, son manteau de fourrure, son grand nez pointu et sa longue barbe rare et noire à la tartare, il se décide à attendre quand même jusqu'à ce qu'on lui permette d'entrer. La sentinelle lui donne un escabeau et le fait asseoir à côté de la porte. Il reste [assis là des jours et des] années. Il multiplie les tentatives pour qu'on lui permette d'entrer et fatigue la sentinelle de ses prières. La sentinelle lui fait subir parfois de petits interrogatoires, l'interroge sur son village et sur beaucoup d'autres sujets, mais ce ne sont que des questions indifférentes comme les posent les grands seigneurs et pour finir elle dit toujours qu'elle ne peut pas le laisser entrer. L'homme, qui s'est abondamment pourvu pour son voyage de toutes sortes de provisions, emploie tout, si précieux que ce soit, pour soudoyer la sentinelle. Et la sentinelle prend bien tout, mais en disant : 'Je n'accepte que pour que tu ne puisses pas penser que tu as négligé quelque chose.' Pendant ses longues années d'attente, l'homme ne cesse presque jamais d'observer la sentinelle. Il en oublie les autres gardiens, il lui semble que le premier est le seul qui l'empêche d'entrer dans la Loi. Et il maudit bruyamment la cruauté du hasard pendant les premières années ; plus tard, en devenant vieux, il ne fait plus que grommeler. Il retombe en enfance, et comme, au cours des longues années où il a étudié la sentinelle, il a fini par connaître jusqu'aux puces de son col de fourrure, il prie les puces elles-mêmes de l'aider à fléchir le gardien. Finalement, sa vue s'affaiblit et il ne sait si la nuit se fait vraiment autour de lui ou s'il est trompé par ses yeux. Mais maintenant il discerne dans l'ombre l'éclat d'une lumière qui brille [inextinguiblement] à travers les portes de la Loi. Il n'a plus pour longtemps à vivre désormais. Avant sa mort, tous ses souvenirs viennent se presser dans son cerveau pour lui imposer une question[43] qu'il n'a pas encore adressée [à la sentinelle]. Et, ne pouvant redresser son corps raidi, il fait signe au gardien de venir. Le gardien se voit obligé de se pencher très bas sur lui, car la différence de leurs tailles s'est extrêmement modifiée. 'Que veux-tu[44] donc encore savoir? demande-t-il, tu es insatiable. — Si tout le monde cherche à connaître la Loi, dit l'homme, comment se fait-il que depuis si longtemps personne que moi ne t'ait demandé d'entrer?' Le gardien voit que l'homme est sur sa fin et, pour atteindre son tympan mort, il lui rugit à l'oreille : 'Personne[45] que toi n'avait le droit d'entrer ici, car cette entrée n'était faite que pour toi, maintenant je pars, et je ferme [la porte]'. "

— Le gardien a donc trompé l'homme, dit aussitôt K. que l'histoire avait vivement intéressé.

— Ne te hâte pas de juger, dit l'abbé, n'adopte pas sans réflexion les opinions des étrangers. Je t'ai raconté l'histoire dans le texte de l'Écriture. On n'y dit pas que l'homme ait été trompé.

— C'est pourtant évident, dit K. Le gardien n'a parlé que quand il a été trop tard.

— Il n'avait pas[46] encore été interrogé, dit l'abbé, songe aussi qu'il n'était qu'une simple sentinelle et que comme sentinelle il a fait tout son devoir.

— Pourquoi crois-tu qu'il ait fait tout son devoir? demanda K. Il ne l'a pas fait. Son devoir était peut-être d'éloigner les étrangers, mais il aurait dû laisser passer cet homme auquel l'entrée était destinée.

— Tu ne respectes pas assez l'Écriture, tu changes
l'histoire, dit l'abbé. L'histoire contient, au sujet de
l'entrée [dans la Loi], deux importantes déclarations
du gardien, l'une au début, l'autre à la fin. La
première dit qu'il ne pouvait laisser entrer l'homme à
ce moment, et l'autre : " Cette entrée n'était faite que
pour toi. " S'il y avait une contradiction entre ces deux
explications tu aurais peut-être raison, le gardien
aurait trompé l'homme. Mais il n'y a pas de contradiction. [Au contraire.] La première explication annonce
même la deuxième. On pourrait presque dire que le
gardien outrepassait son devoir en permettant à
l'homme d'envisager la possibilité de pénétrer plus
tard. Il semble qu'à ce moment-là son devoir ait été
simplement de refuser l'entrée à l'homme et, de fait,
bien des exégètes s'étonnent que le gardien ait pu
laisser passer une telle allusion car il paraît aimer
l'exactitude et fait scrupuleusement son devoir. Il
veille de longues années sans abandonner son poste et
ne ferme la porte que tout à fait à la fin ; il a conscience
de l'importance de sa mission car il dit : " Je suis
puissant ", et il respecte ses supérieurs puisqu'il
déclare : " Je ne suis que la dernière des sentinelles. "
Il n'est pas bavard puisqu'il ne pose de longtemps que
des questions indifférentes, comme dit le texte de
l'Écriture ; il n'est pas vénal puisqu'il dit quand il
accepte des cadeaux : " Je ne les prends que pour que
tu ne puisses pas penser que tu as négligé quelque
chose " ; il ne se laisse ni émouvoir ni irriter quand il
s'agit de l'accomplissement de son devoir puisqu'il est
dit de l'homme : " Il fatigue la sentinelle de ses
prières " ; enfin, son physique lui-même annonce un
caractère pédant, car il a un grand nez pointu et une
longue barbe rare et noire à la tartare. Peut-on
trouver [47] plus fidèle portier ? Mais il est dans son

caractère d'autres traits qui sont extrêmement favorables à celui qui demande l'entrée et qui nous expliquent en tout cas que le gardien ait pu outrepasser son devoir en laissant percer l'allusion dont je parlais au sujet des possibilités que l'homme du pays pouvait avoir plus tard de pénétrer au cœur de la Loi. On ne saurait nier en effet que ce portier ne soit un peu naïf et vaniteux — ce qui découle de naïf dans une certaine mesure. Quelque exactes que soient ses déclarations au sujet de sa puissance et de celle des autres gardiens, dont il dit qu'il ne pourrait lui-même soutenir la vue, quelque exactes, dis-je, que soient ces déclarations, le ton [48] sur lequel il les fait montre que sa façon de voir est troublée par la naïveté et l'orgueil. Les glossateurs disent à ce propos qu'on peut à la fois comprendre une chose et se méprendre à son sujet. De toute façon on est forcé d'admettre que, si faiblement que se manifestent cet orgueil et cette naïveté, ils réduisent l'efficacité de la surveillance de l'entrée, il y a des trous dans le caractère [49] du gardien. Il faut ajouter à cela que le portier semble être aimable par nature. Il ne reste pas toujours [personnage] officiel. Il plaisante dès le début en invitant l'homme à entrer malgré la défense qu'il maintient [expressément], puis, au lieu de le renvoyer, il lui donne, dit-on, lui-même un escabeau et le fait asseoir à côté de la porte. La patience avec laquelle il souffre pendant des années les insistances de l'homme le montre accessible à la pitié, comme aussi les petites conversations qu'il engage, les présents qu'il accepte et la générosité avec laquelle il permet à l'homme de maudire à ses côtés la cruauté du hasard qu'il représente pourtant ici, lui le portier. Tous n'auraient pas agi ainsi. Et finalement ne s'abaisse-t-il pas vers l'homme [50] sur un simple signe pour lui donner la possibilité de poser sa suprême question ? On ne peut relever de traces d'impatience que dans les mots : " Tu

es insatiable " ; encore le portier sait-il qu'à ce moment
tout est fini ; bien des gens vont même plus loin et
disent que cette parole exprime une sorte d'admiration
amicale, bien qu'à vrai dire légèrement condescen-
dante. De toute façon le personnage du gardien se
présente tout autrement que tu ne le pensais.

— Tu connais mieux l'histoire que moi et depuis
plus longtemps », dit K.

Puis ils se turent un instant, au bout duquel K.
déclara :

« Tu penses donc que l'homme n'a pas été trompé ?

— Ne te méprends pas à mes paroles, répondit
l'abbé. Je me contente d'exposer les diverses thèses en
présence. N'attache pas trop d'importance aux gloses.
L'Écriture est immuable et les gloses ne sont souvent
que l'expression du désespoir que les glossateurs en
éprouvent. Dans le cas que nous considérons, il y a
même des commentateurs qui voudraient que ce fût le
gardien qui eût été trompé.

— Voilà qui va loin, dit K. Et comment le prou-
vent-ils ?

— Cette affirmation, dit l'abbé, s'appuie sur la
naïveté du portier. On dit qu'il ne connaît pas
l'intérieur de la Loi, mais seulement le chemin qu'il
fait devant la porte. Les glossateurs tiennent pour
enfantine l'idée qu'il a de l'intérieur et pensent qu'il
redoute lui-même ce dont il veut faire peur à l'homme ;
et qu'il le redoute même plus que l'homme, car celui-ci
ne demande qu'à entrer, même quand on lui a parlé
des terribles sentinelles, tandis que le gardien, lui, ne
veut pas entrer, du moins n'en est-il pas question.
D'autres disent bien qu'il faut qu'il soit déjà entré,
puisqu'il a été pris au service de la Loi et que
l'engagement n'a pu se passer qu'à l'intérieur. Mais on
a le droit de leur répondre qu'il peut aussi bien avoir
été nommé de l'intérieur sans entrer et que de toute

façon il ne saurait être allé bien loin puisqu'il ne peut
déjà plus soutenir la vue de la troisième sentinelle.
D'ailleurs, il n'est dit nulle part qu'au cours des
nombreuses années pendant lesquelles l'homme
attend, le portier raconte jamais quoi que ce soit de
l'intérieur si l'on excepte sa réflexion au sujet des
sentinelles. Il se pourrait évidemment qu'il lui fût
défendu d'en parler, mais il n'en dit rien non plus. On
conclut de tout cela qu'il ignore et l'apparence et
l'importance de l'intérieur et qu'il se trompe à leur
sujet. Et il se trompe aussi sur l'homme de la
campagne, car il est inférieur à cet homme et il ne le
sait pas. Qu'il le traite en inférieur, cela se voit à
nombre de passages dont tu dois te souvenir encore.
Mais qu'en réalité il lui soit [lui-même] inférieur, la
thèse que je t'expose ici déclare que c'est tout aussi net.
D'abord l'homme libre est supérieur à l'homme lié. Or
l'homme qui est venu est libre, il peut aller où il lui
plaît; il n'y a que l'entrée de la Loi qui lui soit
défendue, et encore par une seule personne, celle du
gardien. S'il s'assied [sur un escabeau] à côté de la
porte et passe sa vie à cet endroit, il le fait volontairement; l'histoire ne mentionne pas qu'il y ait jamais été
contraint. Le gardien, par contre, est lié à son poste
par son devoir; il n'a pas le droit de s'éloigner à l'extérieur, ni non plus, selon toute apparence, de pénétrer
à l'intérieur, même s'il le veut. De plus, s'il est au service de la Loi, il ne la sert qu'en ce qui concerne cette
entrée; il ne sert donc effectivement que pour cet
homme auquel l'entrée[51] est destinée, et c'est encore
une raison de voir en lui son subalterne. Il faut
admettre qu'il a dû faire son service inutilement bien
des années — tout un âge d'homme pour ainsi dire —
car il est dit qu'un homme vient, un homme mûr par
conséquent, ce qui suppose que le gardien a dû
attendre très longtemps avant de remplir son office,

attendre, pour être précis, autant qu'il a pu plaire à
l'homme qui est venu quand il a voulu. Et il n'est pas
jusqu'à la fin de sa faction qui ne dépende de cet
homme puisqu'elle ne cesse qu'à la mort du visiteur ; il
lui reste donc [52] subordonné jusqu'au bout. Or le texte
montre à chaque instant que le gardien semble ignorer
tout cela. Les glossateurs n'y voient d'ailleurs rien de
surprenant, car il se trompe, à leur avis, encore plus
grossièrement sur un autre point, savoir sur son propre
métier. Ne dit-il pas en effet à la fin : "Maintenant je
pars et je ferme [la porte] ? " Mais il était dit au début
que la porte de la Loi était ouverte comme toujours ;
or, si elle est ouverte " toujours ", c'est-à-dire indépen-
damment de la durée de la vie de l'homme auquel elle
est destinée, la sentinelle elle-même ne pourra pas la
fermer. Ici les opinions divergent. D'aucuns disent que
le gardien, en déclarant qu'il va fermer la porte, ne
veut que donner une réponse, d'autres qu'il veut
souligner son devoir, d'autres enfin qu'il cherche
[encore au dernier moment] à plonger l'homme dans
un dernier remords, dans un dernier regret. Mais un
grand nombre de glossateurs sont d'accord pour
affirmer qu'il ne pourra pas fermer la porte. Ils
pensent même, qu'à la fin tout au moins, la sentinelle
reste inférieure en savoir à l'homme, car l'homme voit
l'éclat qui brille à travers la porte de la Loi, alors que
le gardien reste toujours le dos tourné à l'entrée en sa
qualité de sentinelle et ne témoigne par aucune
déclaration qu'il ait remarqué un changement.

— Voilà qui est bien fondé, dit K., qui avait suivi
certains passages de l'explication de l'abbé en les
répétant à mi-voix. Voilà qui est bien fondé, et je crois
moi aussi maintenant que le gardien est dupe. Mais
cela ne supprime pas ma première opinion qui coïn-
cide même en partie avec celle que je viens d'acquérir.
Peu importe en effet que le gardien voie clair ou non.

Je disais que l'homme est trompé. Si le gardien voit clair, on pourrait en douter, mais s'il est trompé, l'homme aussi doit l'être à plus forte raison. Le gardien [53] cesse dans ce cas d'être un trompeur, mais il apparaît si naïf qu'on devrait le chasser immédiatement. Songe en effet que si l'erreur où il se trouve ne lui nuit pas, elle est mille fois dangereuse pour l'homme.

— Tu touches ici à la thèse opposée, lui dit l'abbé. Certains commentateurs déclarent en effet que l'histoire ne donne à personne le droit de juger le portier. Quel qu'il nous apparaisse, il n'en reste pas moins un serviteur de la Loi ; il appartient donc à la Loi ; il échappe donc au jugement humain. Et dans ce cas on doit cesser aussi de le croire inférieur à l'homme. Car le seul fait d'être lié par son service à une entrée — fût-ce une seule — de la Loi, le place incomparablement plus haut que l'homme qui vit dans le monde, si librement que ce soit. C'est la première fois que l'homme vient à la Loi, le gardien, lui, s'y trouve déjà. C'est la Loi qui l'emploie ; douter de la dignité [54] du gardien, ce serait douter de la Loi.

— Je ne suis pas de cet avis, dit K. en hochant la tête. Car si on l'adopte, il faut croire tout ce que dit le gardien. Or ce n'est pas possible, tu en as longuement exposé les raisons toi-même.

— Non, dit l'abbé, on n'est pas obligé de croire vrai tout ce qu'il dit, il suffit qu'on le tienne pour nécessaire.

— Triste opinion, dit K., elle élèverait le mensonge à la hauteur d'une règle du monde [55]. »

K. termina sur cette observation, mais ce n'était pas son jugement définitif. Il était trop fatigué pour pouvoir approfondir jusque dans ses dernières conséquences toute la portée de cette histoire, et puis elle poussait sa pensée dans des voies inaccoutumées, elle

l'incitait à des préoccupations fantastiques mieux
faites pour être discutées par les gens de justice que par
lui [56]. L'histoire du début était devenue méconnaissa-
ble, il ne voulait plus que l'oublier ; l'abbé le souffrit
avec beaucoup de tact et accepta sa réflexion sans dire
un mot, bien qu'elle ne concordât pas avec [57] son
propre sentiment.

Ils continuèrent un moment à se promener en
silence ; K. ne lâchait pas l'abbé d'un pas, car les
ténèbres l'empêchaient de se diriger. La lampe [58] qu'il
portait à la main était éteinte depuis longtemps. Il vit
scintiller un moment, juste en face de lui, la statue
d'argent d'un grand saint qui rentra aussitôt dans
l'ombre. Pour ne pas rester complètement seul avec
l'abbé [59], il lui demanda :

« Ne sommes-nous pas arrivés près de l'entrée
principale ?

— Non, dit l'abbé, nous en sommes loin. Veux-tu
déjà t'en aller ? »

Bien que K. n'y eût pas pensé sur le moment, il dit
aussitôt :

« Certainement ; je suis obligé de partir. Je suis
fondé de pouvoir d'une banque où l'on m'attend, je ne
suis venu que pour montrer la cathédrale à l'un de nos
clients étrangers.

— Eh bien ! va, dit l'abbé en lui tendant la main.

— C'est que je n'arrive pas à me retrouver tout seul
dans ce noir, dit K.

— Rejoins le mur de gauche, dit l'abbé, et suis-le
sans jamais le lâcher, tu trouveras une sortie. »

L'abbé s'était à peine éloigné de quelques pas, mais
K. criait déjà très fort :

« Attends encore, s'il te plaît.

— J'attends, dit l'abbé.

— N'as-tu plus rien à me demander ? demanda K.

— Non, dit l'abbé.

— Tu étais si aimable pour moi tout à l'heure, dit K. Tu m'expliquais tout, mais maintenant tu me laisses comme si tu ne te souciais pas de moi.

— Mais tu m'as dit qu'il te fallait partir, répondit l'abbé.

— Mais oui, fit K., comprends-le.

— Comprends d'abord toi-même qui je suis, dit l'abbé.

— Tu es l'aumônier des prisons », dit K. en se rapprochant de lui.

Il n'avait pas besoin de revenir à la banque aussi tôt qu'il l'avait dit [60] ; il pouvait fort bien rester encore.

« J'appartiens donc à la justice, dit l'abbé. Dès lors, que pourrais-je te vouloir ? La justice ne veut rien de toi. Elle te prend quand tu viens et te laisse quand tu t'en vas. »

CHAPITRE X

[FIN]

La veille de son trente et unième anniversaire de naissance — c'était vers neuf heures du soir, l'heure du calme dans les rues — deux messieurs [1] se présentèrent chez K. En redingote, pâles et gras, et surmontés de hauts-de-forme qui semblaient vissés sur leur crâne. Chacun voulant laisser passer l'autre le premier, ils échangèrent à la porte de l'appartement quelques menues politesses qui reprirent en s'amplifiant devant [2] la chambre de K.

Bien qu'on ne lui eût pas annoncé la visite, K., vêtu de noir lui aussi, s'était assis près de sa porte dans l'attitude d'un monsieur qui attend quelqu'un et s'occupait d'enfiler des gants[3] neufs dont les doigts se moulaient petit à petit sur les siens. Il se leva immédiatement et regarda curieusement les deux messieurs.

« C'est donc vous qui m'êtes envoyés ? » demanda-t-il.

Les messieurs firent oui de la tête et se désignèrent réciproquement, tenant leurs gibus à la main. K. s'avouait que ce n'était pas cette visite qu'il attendait. Il se dirigea[4] vers la croisée et regarda encore une fois dans la rue sombre. De l'autre côté, presque toutes les fenêtres restaient noires comme la sienne ; beaucoup avaient les rideaux baissés. À une fenêtre éclairée de l'étage, de petits enfants jouaient ensemble derrière une grille et, encore incapables de quitter leur place, tendaient leurs menottes l'un vers l'autre.

« Ce sont de vieux acteurs de seconde zone qu'on m'envoie, se dit K. en se tournant vers eux pour s'en convaincre encore une fois. On cherche à en finir avec moi à bon marché. »

Puis, se plantant brusquement en face d'eux, il leur demanda :

« À quel théâtre jouez-vous ?

— Théâtre ? » dit l'un des messieurs en demandant conseil à l'autre du regard.

L'autre se comporta[5] comme un muet luttant contre son organisme rebelle.

« Ils ne sont pas préparés à être interrogés », se dit K.

Et il alla chercher son chapeau.

À peine dans l'escalier, les deux messieurs voulurent se pendre à ses bras, mais il leur dit :

« Dans la rue, dans la rue, je ne suis[6] pas malade ! »

Aussitôt la porte franchie, ils s'accrochèrent à ses bras de la plus bizarre façon : K. ne s'était encore

jamais promené ainsi avec personne. Ils collaient leurs
épaules par-derrière contre les siennes, et, au lieu de
lui donner le bras, enlaçaient ceux de K. dans toute
leur longueur en lui maintenant les mains en bas par
une prise irrésistible qui était le fruit d'un long
entraînement. K. marchait entre eux tout raide ; ils
formaient maintenant à eux trois un tel bloc qu'on
n'aurait pu écraser l'un d'entre eux sans anéantir les
deux autres. Ils réalisaient une cohésion qu'on ne peut
guère obtenir en général qu'avec [7] de la matière
morte.

En passant sous les becs de gaz, K. tenta à plusieurs
reprises, si difficile que ce fût avec ces gens qui le
serraient, de voir ses compagnons mieux qu'il ne
l'avait pu dans la pénombre [8] de sa chambre. « Ce sont
peut-être des ténors », pensait-il en voyant leurs gros
doubles mentons. La propreté de leurs visages le
dégoûtait. On voyait encore la main savonneuse qui
s'était promenée dans les commissures de leurs pau-
pières, qui avait frotté leurs lèvres supérieures et gratté
les fentes de leurs mentons.

À cet aspect, K. s'arrêta, les autres en firent autant ;
ils étaient au bord d'une place vide [et déserte] ornée
de pelouses.

« Pourquoi est-ce précisément vous qu'on a
envoyés ? » cria-t-il plutôt qu'il ne le demanda.

Les messieurs ne devaient pas savoir que répondre ; ils attendirent en laissant pendre leur bras libre, comme les infirmiers quand le malade veut se
reposer.

« Je n'irai pas plus loin », dit K. pour essayer.

Cette fois-ci, les messieurs n'avaient pas besoin de
répondre ; il leur suffisait de ne pas desserrer leur prise
et d'essayer de déplacer K. en le soulevant ; mais K.
résista. « Je n'aurai plus besoin de beaucoup de forces,
je vais toutes les employer là », pensa-t-il. Il songeait à

ces mouches qui s'arrachent les pattes en cherchant à échapper à la glu. « Ces messieurs vont avoir du travail », se dit-il.

À ce moment, Mlle Bürstner surgit par un petit escalier du fond d'une ruelle encaissée. Peut-être, après tout, n'était-ce pas elle, mais la ressemblance était grande. D'ailleurs, peu importait à K. que ce fût bien Mlle Bürstner. Il ne songea qu'à l'inutilité[9] de sa résistance. Il n'y avait rien de bien héroïque à résister, à causer des difficultés aux deux messieurs et à chercher en se défendant à jouir d'un dernier semblant de vie. Il se mit en marche, et la joie qu'en éprouvèrent les deux messieurs se refléta sur son propre visage. Ils le laissaient maintenant choisir la direction et K. les mena sur les traces de la jeune fille, non pour la rattraper, ni non plus pour la voir le plus longtemps qu'il le pourrait, mais simplement pour ne pas oublier l'avertissement qu'elle représentait pour lui.

« La seule chose que je puisse faire maintenant, se disait-il — et le synchronisme de ses pas et de ceux des deux messieurs confirmait ses pensées — la seule chose que je puisse faire maintenant c'est de garder jusqu'à la fin la clarté de mon raisonnement. J'ai toujours voulu dans le monde mener vingt choses à la fois, et, pour comble, dans un dessein[10] qui n'était pas toujours louable. C'était un tort ; dois-je montrer maintenant que je n'ai rien appris d'une année de procès ? Dois-je partir comme un imbécile qui n'a jamais rien pu comprendre ? Dois-je laisser dire de moi qu'au début de mon procès je voulais le finir et qu'à la fin je ne voulais que le recommencer ? Je ne veux pas qu'on dise cela. Je suis heureux qu'on m'ait donné ainsi ces deux messieurs à demi muets qui ne comprennent rien, et qu'on m'ait laissé le soin de me dire à moi-même ce qu'il faut. »

La jeune fille venait d'entrer dans une ruelle latérale, mais K. pouvant se passer d'elle maintenant,
s'abandonna à ses compagnons. Complètement d'accord désormais, ils s'engagèrent tous les trois sur un
pont baigné par le clair de lune ; les messieurs
obéissaient déjà docilement à ses moindres mouvements ; quand il se tourna vers le parapet, ils suivirent
son indication et firent front à la rivière[11]. L'eau qui
brillait et frissonnait dans la lumière de la lune se
divisait autour d'une petite île sur laquelle se pres-
saient des [arbres et des arbustes aux] feuillages épais.
Sous les arbres couraient des allées de gravier qu'on
ne pouvait voir, bordées de confortables bancs sur
lesquels K. s'était souvent délassé et prélassé en
été.

« Je ne voulais pas m'arrêter », dit-il à ses deux
compagnons, un peu honteux de leur docilité.

L'un des deux sembla faire à l'autre, derrière lui, un
léger reproche au sujet de cet arrêt qui prêtait à
malentendus, puis ils poursuivirent leur chemin.

Ils arrivèrent à des rues qui montaient et où l'on
découvrait, tantôt près tantôt loin, des sergents de ville
arrêtés ou en train de faire les cent pas. L'un d'entre
eux, qui portait une grosse moustache et qui tenait la
main sur la garde de son sabre, s'approcha intentionnellement de ce groupe qui lui paraissait suspect. Les
messieurs firent halte ; l'agent semblait déjà ouvrir la
bouche, mais K. entraîna de force ses deux compagnons. Il se retourna plusieurs fois prudemment pour
voir si le sergent de ville suivait ; mais dès qu'ils eurent
tourné un coin qui les cacha, il se mit à courir grand
train, et les messieurs furent obligés d'en faire autant
au prix du pire essoufflement.

Ils arrivèrent[12] donc rapidement hors de la ville qui
finissait de ce côté-là presque sans transition dans les
champs. Une petite carrière déserte et abandonnée

s'ouvrait tout près d'une maison d'extérieur encore très urbain. Ce fut là que les messieurs stoppèrent, soit qu'ils se fussent assigné ce but depuis le départ, soit qu'ils fussent trop épuisés pour pouvoir avancer encore. Ils lâchèrent K. qui attendit en silence, enlevèrent leurs hauts-de-forme et essuyèrent de leur mouchoir leur front en sueur tout en examinant la carrière. Le clair de lune baignait tout avec ce calme et ce naturel qui n'est donné à nulle autre lumière.

Après avoir échangé quelques politesses pour régler la question des préséances — les messieurs[13] semblaient avoir reçu leur mission en commun — l'un d'entre eux s'approcha de K. et lui retira sa veste, son gilet et sa chemise. K. frissonna involontairement : le monsieur lui donna dans le dos une petite tape d'encouragement, puis il plia soigneusement les vêtements comme des choses dont on aura encore besoin dans un temps qu'on ne peut pas prévoir. Pour ne pas[14] exposer K. immobile à la fraîcheur de l'air nocturne, il le prit ensuite sous le bras et lui fit faire les cent pas pendant que l'autre monsieur cherchait dans la carrière un endroit qui pût convenir. Lorsque cet endroit fut trouvé, le monsieur fit signe à son collègue qui amena K. jusque-là. C'était tout près de la paroi ; il s'y trouvait encore une pierre arrachée. Les messieurs assirent K. sur le sol, l'inclinèrent contre la pierre[15] et posèrent sa tête dessus. Malgré tout le mal qu'ils se donnaient et malgré toute la complaisance qu'y mettait K., sa position restait extrêmement contrainte et invraisemblable. Aussi l'un des messieurs pria-t-il l'autre de lui confier pour un instant le soin de disposer K. tout seul, mais les choses n'en allèrent pas mieux. Ils finirent par le laisser dans une position qui n'était même pas la meilleure de celles qu'ils avaient déjà obtenues. L'un des messieurs ouvrit ensuite sa

redingote et sortit d'un fourreau accroché à une
ceinture qu'il portait autour du gilet un long et mince
couteau de boucher à deux tranchants, le tint en l'air
et vérifia les deux fils dans la lumière. Ce furent alors
les mêmes horribles politesses que précédemment ;
l'un des deux, allongeant la main au-dessus de K.,
tendit à l'autre le couteau, l'autre le lui rendit de la
même façon. K. savait très bien maintenant que son
devoir eût été de prendre lui-même l'instrument
pendant qu'il passait au-dessus de lui de main en main
et de se l'enfoncer dans le corps. Mais il ne le fit pas, au
contraire ; il tourna son cou encore libre et regarda
autour de lui. Il ne pouvait pas soutenir son rôle
jusqu'au bout, il ne pouvait pas décharger les autorités
de tout le travail ; la responsabilité de cette dernière
faute incombait à celui qui lui avait refusé le reste de
forces qu'il lui aurait fallu pour cela. Ses regards
tombèrent sur le dernier étage de la maison qui
touchait la carrière. Comme une lumière qui jaillit les
deux battants d'une fenêtre s'ouvrirent là-haut ; un
homme — si mince et si faible à cette distance et à
cette hauteur — se pencha brusquement dehors, en
lançant les bras en avant. Qui était-ce ? Un ami ? Une
bonne âme ? Quelqu'un qui prenait part à son malheur ? Quelqu'un qui voulait l'aider ? Était-ce un seul ?
Étaient-ce tous ? Y avait-il encore un recours ? Existait-il des objections qu'on n'avait pas encore soule-
vées ? Certainement. La logique a beau être inébranlable, elle ne résiste pas à un homme qui veut vivre. Où
était le juge qu'il n'avait jamais vu ? Où était la haute
cour à laquelle il n'était jamais parvenu ? Il leva les
mains et écarquilla les doigts.

Mais l'un des deux messieurs venait de le saisir à la
gorge ; l'autre lui enfonça le couteau dans le cœur et l'y
retourna par deux fois. Les yeux mourants, K. vit
encore les deux messieurs penchés tout près de son

visage qui observaient le dénouement joue contre
joue.

« Comme un chien ! » dit-il, c'était comme si la
honte dût lui survivre.

Chapitres inachevés
ou marginaux

LE PROCUREUR

Malgré la connaissance des hommes et l'expérience du monde que K. s'était acquises par ses longues années de banque, la société que formaient ses compagnons de table lui avait toujours paru digne d'une extraordinaire considération, et il ne se dissimulait pas que ce fût pour lui un grand honneur d'appartenir à une telle société. Elle se composait presque exclusivement de juges, de procureurs et d'avocats; on y souffrait aussi quelques jeunes [fonctionnaires et] secrétaires des études ou des parquets, mais ils étaient relégués au bas bout de la table et n'avaient le droit de se mêler aux débats que directement interrogés. Ces interrogations, d'ailleurs, n'avaient généralement pour but que d'amuser la société; le procureur Hasterer surtout, le voisin ordinaire de K., aimait à provoquer ainsi la confusion de cette jeunesse. Dès qu'il plaquait au milieu de la table, avec les cinq doigts écartés, sa grande main couverte de poils, tout le monde dressait l'oreille. Et quand ensuite, au bout de la table, un des clercs essayait de répondre, mais, ou n'avait même pas réussi à déchiffrer le sens de la question, ou regardait pensivement dans sa bière, ou, au lieu de parler, agitait seulement les mâchoires ou même — et c'était le pire — défendait un point de vue ou faux ou non homologué dans un torrent inendigable de paroles, les vieux messieurs se détendaient sur leurs sièges et semblaient commencer à éprouver enfin une vraie sensation de confort. Ils conservaient le monopole des propos réellement techniques et sérieux.

K. avait été[1] introduit dans cette société par un avocat, le représentant juridique de la banque. Il y avait eu toute une période pendant laquelle il s'était trouvé obligé de conférer au bureau avec cet avocat jusqu'à une heure avancée de la soirée ; les circonstances l'avaient ainsi amené à prendre son repas du soir à la table habituelle de son interlocuteur et il avait pris plaisir à la compagnie qui s'y trouvait. Il n'y voyait que des gens instruits, considérés, et puissants en un certain sens, dont la distraction consistait à résoudre des problèmes ardus qui n'avaient que des rapports lointains avec l'existence ordinaire et à s'y donner un grand mal. S'il n'y pouvait intervenir que faiblement, il y trouvait la possibilité[2] d'apprendre un grand nombre de choses qui le serviraient tôt ou tard à la banque et de nouer avec le parquet ces relations personnelles qui sont toujours utiles. La sympathie, d'ailleurs, paraissait réciproque. Il ne tarda pas à être classé comme un homme expert en affaires et — même si la chose n'alla pas sans quelque soupçon d'ironie — son opinion fit loi dans sa spécialité. Il ne fut pas rare que deux des messieurs, jugeant différemment d'un point de droit commercial, lui demandassent son avis sur la matière de la cause, et que son nom revînt alors dans les discours et les contre-discours, qu'il figurât jusque dans des quintessences de raisonnement que K. ne pouvait plus suivre depuis longtemps. À vrai dire[3], petit à petit il s'ouvrit à beaucoup de choses, et d'autant mieux qu'il avait en son voisin, le procureur Hasterer, un excellent conseil qu'il fréquentait aussi sur le plan de l'amitié[4]. Il le raccompagnait assez souvent chez lui. Mais il lui fallut très longtemps pour s'habituer à se promener bras dessus bras dessous avec cet homme gigantesque qui aurait pu le cacher dans son manteau sans que personne s'en aperçût.

Avec le temps cependant ils finirent par se trouver sur un pied qui effaçait toute différence[5] d'âge, de métier et d'éducation. Ils se fréquentaient comme s'ils s'étaient connus de toujours, et s'il arrivait par hasard que l'un des deux parût supérieur [à l'autre], ce n'était pas Hasterer, mais K., son expérience pratique se laissant rarement réfuter, car elle était directement puisée à des sources qu'on n'atteint pas du siège des juges.

Cette amitié[6], naturellement, fut vite connue de toute la table ; on ne se rappela plus guère qui avait introduit K., c'était maintenant Hasterer qui le couvrait ; si le droit de K. de s'asseoir là se heurtait un jour à un doute, il pourrait se réclamer hautement d'Hasterer[7]. Il en acquit une position singulièrement privilégiée, Hasterer étant craint autant que respecté. Hasterer avait en effet un raisonnement juridique d'une puissance et d'une souplesse prodigieuses, encore que nombre de ces messieurs ne lui fussent pas inférieurs sur ce point, mais surtout nul ne l'égalait pour la violence avec laquelle il défendait son opinion. K. avait l'impression que si Hasterer ne pouvait convaincre l'adversaire, il l'épouvantait tout au moins ; dès qu'il tendait l'index, beaucoup reculaient déjà. Il semblait que l'adversaire ne sût plus qu'il était avec des collègues, de bons amis, qu'il ne s'agissait que de théorie, et que rien, de toute façon, ne pouvait lui arriver ; il perdait l'usage de la voix et rien que pour secouer la tête il lui fallait déjà du cran. Quand l'adversaire était assis très loin, c'était un pénible spectacle, et Hasterer reconnaissait que nulle entente n'était possible à cette distance si, par exemple, il repoussait son assiette pleine et se levait lentement pour aller chercher l'homme. Ses voisins, dans ces occasions, se penchaient en arrière pour observer ses traits. Ce n'étaient d'ailleurs que des incidents relativement rares ; il ne pouvait guère s'enflammer qu'à propos de questions juridiques, et surtout celles qui touchaient des procès dirigés par lui. S'il s'agissait de tout autre chose il était calme et amical, son rire aimable, et sa passion allait au boire et au manger. Il arrivait même qu'il n'écoutât pas ce qui se disait, se tournât vers K. [8], un bras sur le dossier de sa chaise, et l'interrogeât sur la banque, ou se mît à parler de son propre travail ou des dames de sa connaissance qui lui donnaient presque autant de besogne que le tribunal. On ne le voyait causer ainsi avec nul autre de ces messieurs, et bien souvent, quand on avait une prière à lui adresser — en général c'était en vue d'organiser une réconciliation avec quelque confrère — on venait d'abord trouver K. et lui demander de s'entremettre, ce qu'il faisait toujours volontiers et avec un facile succès. D'ailleurs il n'abusait jamais de ses relations avec Hasterer ; extrêmement poli, modeste avec tout le monde, il avait l'art, plus important encore que politesse et modestie, de discerner très justement toutes les nuances dans la hiérarchie de ces messieurs et de traiter chacun selon son rang. À vrai dire Hasterer ne cessait de l'y former ; ce code secret de la hiérarchie était le seul dont il ne violât pas les lois dans l'emportement des pires disputes. Et c'est pourquoi il ne s'adressait jamais aux jeunes messieurs du bas bout — qui étaient encore presque sans grade — que d'une façon générale, non comme à des individus mais

comme à un bloc[9] d'un seul tenant. Or, c'étaient
justement ceux-là qui lui rendaient le plus d'honneurs,
et quand il se levait, à onze heures, pour rentrer à son
domicile, il s'en trouvait toujours quelqu'un de déjà
prêt pour l'aider à mettre son lourd manteau, et un
autre qui ouvrait la porte avec une profonde révérence,
et continuait, évidemment, pour K., quand K. quittait
la salle à la suite d'Hasterer.

Les premiers temps K. n'allait qu'un instant dans la
direction d'Hasterer, ou Hasterer dans celle de K.,
mais[10] par la suite, en règle générale, Hasterer invita
K., à la fin de ces soirées, à venir chez lui un moment.
Ils y passaient encore une heure à fumer des cigares en
face d'un verre de schnaps. Hasterer prenait tant de
plaisir à ces soirées qu'il ne voulut même pas y
renoncer pendant les quelques semaines où habita
chez lui un personnage féminin du nom d'Hélène.
C'était une grosse femme sur le retour, à [la] peau
jaunâtre, avec des boucles brunes qui frisottaient
autour du front. K. ne la vit d'abord qu'au lit ; elle s'y
tenait couchée sans vergogne, occupée à lire en général
un de ces romans qui se publient par fascicules, et ne
s'inquiétait en rien de la conversation. C'était seulement quand il se faisait tard qu'elle s'étirait, bâillait et,
si elle ne pouvait attirer autrement l'attention, lançait
sur Hasterer un de ses fascicules. Hasterer se levait[11]
alors en souriant et K. prenait congé.

Par la suite, à vrai dire, lorsque Hasterer commença
à se fatiguer de cette Hélène, elle troubla sensiblement
les réunions. Elle attendait les deux messieurs en
grande tenue, une tenue, généralement, qu'elle trouvait sans doute à la fois très luxueuse et très seyante,
mais qui était en réalité une vieille robe de bal
surchargée de fioritures, et qui frappait surtout désagréablement par plusieurs étages de longues franges
dont elle s'entourait à titre ornemental. K. ignorait

l'aspect exact de cette toilette ; il refusait pour ainsi dire de regarder, restant assis pendant des heures, les yeux baissés, tandis qu'Hélène se promenait dans la chambre en se balançant sur les hanches, ou s'asseyait à côté de lui, essayant même, lorsque sa position devint de plus en plus intenable, de rendre Hasterer jaloux de lui par une préférence marquée. Ce n'était qu'urgence, non méchanceté, si elle s'appuyait sur la table en dévoilant un dos gras et dodu et si elle rapprochait [12] son visage de K. pour l'obliger à lever les yeux [sur elle]. Elle n'obtint d'autre résultat que d'empêcher K. d'accepter désormais les invitations d'Hasterer ; lorsqu'il revint quand même, au bout de quelque temps, Hélène était à jamais congédiée ; K. prit la chose comme allant de soi. Ils prolongèrent longtemps la soirée ce jour-là, et fraternisèrent solen-nellement sur l'initiative d'Hasterer, si bien que sur le chemin du retour, K. se sentait un peu étourdi par la boisson et la fumée.

Le lendemain matin, à la banque, le directeur, au cours d'un entretien d'affaires, fit la remarque qu'il croyait avoir vu K. la veille au soir. S'il ne s'était pas trompé K. se promenait [13] bras dessus bras dessous avec le procureur Hasterer. Le directeur semblait trouver cela si curieux qu'il nomma même — c'était d'ailleurs dans le ton de sa précision habituelle — l'église sur le côté de laquelle [14], près de la fontaine, cette rencontre avait eu lieu. S'il eût voulu raconter un mirage, il n'aurait pu s'exprimer autrement. K. lui expliqua que le procureur était en effet de ses amis et qu'ils avaient passé la veille devant l'église. Le direc-teur sourit avec étonnement et pria K. de prendre un siège. C'était là l'un de ces instants à cause desquels K. aimait [tant] le directeur, un de ces instants pendant lesquels, chez cet homme faible, malade, toussotant, surchargé de besognes et des plus graves

responsabilités, se faisait jour un certain souci du
bonheur et de l'avenir de K., souci qu'on pouvait à
vrai dire qualifier de froid et de superficiel selon
l'expression de certains employés qui avaient fait la
même expérience dans le bureau du directeur ; sans
doute n'était-ce qu'un moyen de s'attacher, pour des
années, au prix de deux minutes, des auxiliaires
précieux. Quoi qu'il en fût, dans ces instants, K. était
vaincu par le directeur [15]. Peut-être aussi le directeur
parlait-il avec K. un peu autrement qu'avec les autres ;
non qu'il parût faire abstraction de la supériorité de
son rang pour se mettre sur le pied de K. — cela c'était
plutôt le ton courant de ses relations dans le travail —
non, cette fois c'était la situation de K. qu'il semblait
avoir oubliée pour parler avec lui comme avec un
enfant ou comme avec un jeune homme ignorant qui
cherche à obtenir un poste pour la première fois de sa
vie et qui a provoqué on ne sait trop comment la
sympathie de son directeur.

K. n'eût sans doute souffert ce ton ni du directeur ni
d'un autre, s'il n'y avait senti vraiment la manifestation d'une sollicitude ou si, du moins, la possibilité
d'une sollicitude du genre de celle qui lui apparaissait
au cours de semblables instants ne l'eût séduit et
comme envoûté. Il reconnaissait [16] sa faiblesse ; peut-
être venait-elle de ce qu'il y avait en lui [en effet
quelque chose] d'enfantin, car il n'avait jamais connu
la sollicitude d'un père (le sien étant mort bien trop
jeune), il était parti de chez lui très tôt et avait toujours
repoussé plutôt que provoqué la tendresse de sa mère
qu'il n'avait pas vue depuis deux ans et qui habitait
toujours là-bas à demi aveugle maintenant, dans sa
petite ville.

« Je ne savais rien de cette amitié », dit le directeur,
et l'amabilité d'un léger sourire adoucit seule la
sévérité de ces mots.

POUR L'ÉPISODE ELSA

[ELSA]

Un jour, peu avant de partir, K. fut appelé au
téléphone et invité à se rendre au parquet sur-le-
champ. On le mettait soigneusement en garde contre
la tentation de ne pas obéir. Les réflexions inouïes
auxquelles il se livrait, disant que les interrogatoires
étaient inutiles, n'avaient pas de résultat et n'en
pouvaient avoir, qu'il ne s'y rendrait plus, qu'il ne
tiendrait plus compte d'aucune convocation par lettre
ou téléphone et qu'il jetterait les messagers à la porte,
tout cela avait été enregistré et lui avait déjà beaucoup
nui. Pourquoi cette indocilité ? Ne s'évertuait-on pas à
régler son affaire, une affaire si compliquée, sans
jamais regarder au temps, à la dépense ? Voulait-il
contrarier ce travail de gaieté de cœur et provoquer les
mesures violentes qu'on lui avait épargnées jusqu'ici ?
La convocation de ce jour représentait une dernière
tentative. Qu'il en fît à sa tête, mais qu'il réfléchît bien
que la haute justice ne pouvait entendre raillerie.

[Or,] K. avait[1] promis à Elsa de lui rendre visite ce
soir-là et, ne fût-ce que pour cette raison, ne pouvait se
rendre au tribunal ; il fut heureux de pouvoir se
justifier ainsi de ne pas y aller, encore que cette
justification ne dût jamais trouver son emploi, et qu'il
se fût[2] sans doute également abstenu [de se rendre au
tribunal] même s'il n'avait pas eu la moindre obligation. Quoi qu'il en soit, fort de son droit, il demanda
au téléphone ce qui se produirait s'il ne venait pas.

« On saura vous trouver, lui fut-il répondu. — Et serai-je puni de n'être pas venu de mon plein gré ? demanda-t-il en souriant, curieux de ce qu'il allait entendre. — Non, lui dit-on. — Parfait, dit K., mais quelle raison aurais-je alors d'obéir à la convocation d'aujourd'hui ? — On n'aime pas en général provoquer les mesures violentes de la justice », dit la voix qui devint plus faible et s'éteignit. « Il est très imprudent au contraire de ne pas le faire, pensa K. tout en s'en allant, il faut essayer de savoir [par expérience] ce que sont ces mesures violentes. »

Il se rendit chez Elsa sans une hésitation. Confortablement rencogné dans la voiture, les mains dans les poches de son manteau — il commençait déjà à faire froid — il regardait la rue s'agiter à ses pieds. Ce n'était pas sans satisfaction qu'il se disait que le tribunal[3], s'il était vraiment en fonction, [se trouvait] en ce moment [à cause de lui dans] de sérieuses difficultés. Il n'avait pas dit clairement s'il viendrait ou ne viendrait pas ; le juge l'attendait donc, et peut-être toute une foule ; le seul K. ne paraîtrait pas, pour la déception de la galerie. Sans se soucier de la justice il se rendait où il voulait. Il se demanda un moment s'il n'avait pas par distraction donné l'adresse du tribunal à son cocher et lui lança bruyamment celle d'Elsa ; le cocher approuva de la tête : c'était bien ce qu'on lui avait dit. A partir de ce moment-là K. cessa petit à petit de penser au tribunal, et l'idée de la banque se mit comme autrefois à l'accaparer tout entier.

[LA SOIRÉE AU THÉÂTRE]

Une pluie fine tombait quand ils quittèrent le théâtre. Déjà fatigué par la pièce et la mauvaise représentation, K. se sentit complètement abattu à l'idée qu'il devrait encore héberger son oncle. Il tenait beaucoup, ce jour-là justement, à s'entretenir avec F. B. ; une occasion de la rencontrer se serait peut-être présentée, et si l'oncle était là ce serait impossible. Il y avait bien encore un train de nuit qu'il eût pu prendre, mais le décider à partir le soir même, quand le procès de son neveu le préoccupait tellement, il ne fallait pas y songer. Malgré son peu d'espoir, il essaya pourtant :

« Mon oncle, dit-il, je crains vraiment d'avoir bientôt besoin de ton aide. je ne vois pas encore exactement en quoi, mais ce sera sûrement nécessaire.

— Tu peux compter sur moi, répondit l'oncle. Au fond je ne cesse de songer à la façon dont on pourrait t'aider.

— Tu es bien toujours le même, dit K. ; mais je ne voudrais pas indisposer ma tante quand je te demanderai de revenir.

— Ton affaire [1], dit l'oncle, a bien plus d'importance que ces petits désagréments.

— Je ne suis pas de ton avis, dit K. Quoi qu'il en soit, je ne veux pas t'enlever à ma tante sans nécessité, et je prévois que j'aurai besoin de toi les jours prochains ; en attendant ne veux-tu pas rentrer ?

— Demain ?

— Oui, demain, dit K. Ou même maintenant. Par le train de nuit. Ce serait le plus pratique. »

COMBAT
AVEC LE DIRECTEUR ADJOINT

[CONFLIT
AVEC LE DIRECTEUR ADJOINT]

Un matin K. se sentit plus frais et plus résistant que d'ordinaire. Ce fut à peine s'il songea au tribunal ; mais quand l'idée lui en vint, il lui sembla soudain qu'il pourrait facilement saisir cette immense organisation, dont l'œil n'eût pu embrasser [1] les limites, par quelque endroit, évidemment caché, qu'il fallait commencer par trouver à tâtons, et qu'ensuite il arracherait le tout et le mettrait aisément en pièces. Dans cet état extraordinaire il céda à la tentation d'inviter [2] le directeur adjoint à venir conférer avec lui, dans son bureau, d'une affaire de service qui pressait depuis quelque temps. Dans ces occasions-là, le directeur adjoint faisait toujours comme si ses rapports avec K. ne s'étaient modifiés en rien depuis plusieurs mois.

Il vint aussi paisiblement qu'aux temps anciens de l'émulation quotidienne [3], écouta posément les explications de K., manifesta son intérêt par de petites remarques familières, sur le ton de la camaraderie, et ne troubla K. que par le fait — mais fallait-il nécessairement y découvrir une intention ? — que rien ne le détourna de la question essentielle et qu'il s'ouvrit jusqu'au fond de l'âme à ce problème professionnel, alors que les pensées de K., en face de ce modèle du devoir, se mirent [4] à voltiger aussitôt en tous sens, l'obligeant à abandonner presque sans aucune

résistance l'affaire au directeur adjoint. À un moment
ce fut si sérieux que K. ne s'en rendit compte qu'en
voyant son interlocuteur se lever et retourner à son
bureau sans mot dire. Il ne sut ce qui était arrivé [5] ; il se
pouvait que la discussion fût parvenue normalement à
son terme, il se pouvait tout aussi bien que le directeur
adjoint eût brisé subitement parce que K. l'avait
froissé sans s'en douter ou avait dit quelque sottise, ou
parce que le directeur adjoint s'était parfaitement
rendu compte que K. n'écoutait pas et pensait à autre
chose. Il se pouvait même, qui plus est, que K. eût pris
une décision ridicule ou que le directeur adjoint lui en
eût extorqué une telle et qu'il [6] la fît exécuter en ce
moment en toute hâte pour nuire à K.

On ne revint d'ailleurs pas sur l'affaire ; K. ne
voulut pas la réchauffer et le directeur adjoint n'en
lâcha plus un mot ; d'ailleurs on n'en perçut nulle
conséquence visible.

De toute façon K. n'avait pas été effrayé par
l'incident [7] ; dès que l'occasion s'en présentait et qu'il
se sentait la moindre force il était déjà à la porte du
directeur adjoint pour lui rendre visite ou lui demander de venir. Ce n'était plus le moment de se cacher de
lui comme il le faisait autrefois. Il n'espérait plus de
succès rapide et décisif qui le délivrât d'un seul coup
de tout souci et rétablît automatiquement les relations [8] sur leur ancien pied. K. se rendait compte qu'il
ne fallait pas lâcher ; s'il reculait, comme l'exigeaient
peut-être les circonstances, il risquait de ne plus
pouvoir avancer. Il ne fallait pas permettre au directeur adjoint de se figurer que K. était fini ; le directeur
adjoint n'avait pas le droit de rester tranquille dans
son bureau avec cette imagination, il fallait l'y inquiéter. Il fallait qu'il apprît le plus souvent possible que
K. vivait et que, comme tout ce qui vit, et quelque
inoffensif qu'il semblât aujourd'hui, il pouvait vous

surprendre un jour par de nouvelles facultés. K. se
disait bien parfois qu'avec cette méthode il ne combat-
tait que pour l'honneur, car il n'avait nul bénéfice à
retirer de s'opposer [9] constamment au directeur adjoint
dans l'état de faiblesse où il était ; cela ne le menait
qu'à confirmer l'ennemi dans le sentiment de sa force,
à lui fournir la possibilité de faire des observations et
de prendre des mesures selon les circonstances du
moment. Mais K. n'aurait pas pu changer son attitude ; dominé par des illusions, il éprouvait assez
souvent la conviction que c'était précisément maintenant qu'il pouvait se mesurer [10] sans crainte avec le
directeur adjoint ; les pires expériences ne lui ensei-
gnaient rien ; dix fois vaincu il pensait gagner à la
onzième, bien que tout tournât régulièrement à sa
confusion. Quand il revenait épuisé de telles rencontres, en sueur et la tête vide, il ne savait si c'était
l'espoir ou le désespoir qui l'avait poussé au combat ;
la fois suivante, ce n'était plus de nouveau que l'espoir,
l'espoir total, qui l'emportait à tire-d'aile devant le
bureau du directeur adjoint.

Ce matin-là l'espoir se montra particulièrement
justifié. Le directeur adjoint étant entré lentement,
avait porté la main à son front et s'était plaint de maux
de tête. K., qui avait voulu d'abord répondre un mot à
ce sujet, réfléchit et se lança tout de suite dans les
détails professionnels sans tenir aucun compte des
maux de tête [du directeur adjoint]. Mais, soit que ces
maux de tête ne fussent pas très violents, soit que
l'intérêt de la chose les eût chassés pour quelque
temps, le directeur adjoint, au cours de l'entretien,
cessa de se tenir le front et répondit, comme toujours,
avec une promptitude brillante, quasi sans réflexion,
comme un élève modèle qui, les questions à peine
posées, répond déjà, K., cette fois-là, se montra de
force à faire face et marqua des points plusieurs fois,

mais l'idée des maux de tête du directeur adjoint ne cessait de lui causer une gêne, comme s'ils eussent été non pas un handicap mais au contraire un avantage, une supériorité de l'ennemi. Ah! que le directeur adjoint les supportait avec grâce! qu'il les dominait brillamment! Il lui arrivait [11] de sourire sans que ses paroles y fussent pour rien, comme s'il se glorifiait d'avoir des maux de tête mais de n'en être en rien gêné dans le fonctionnement de sa pensée. On parlait de tout autre chose, et en même temps se déroulait une conversation muette dans laquelle le directeur adjoint ne niait certes pas la violence de ses maux de tête, mais ne cessait de rappeler que c'étaient des maux de tête parfaitement innocents, par conséquent tout différents de ceux dont K. souffrait ordinairement. Et K. avait beau contredire, la façon dont le directeur adjoint venait à bout de ses maux de tête le réfutait. Mais en même temps elle lui fournissait un exemple. Il pouvait lui aussi se fermer aux soucis qui n'étaient pas de sa profession. Il suffisait de se tenir à la tâche plus strictement encore que d'habitude, d'organiser une tâche nouvelle qui réclamerait des soins [12] constants, de resserrer par des visites et des voyages des relations un peu relâchées avec le monde des affaires, d'écrire au directeur des rapports plus fréquents et de chercher à obtenir de lui des missions particulières.

C'était ainsi ce jour-là. Le directeur adjoint entra immédiatement, et resta debout près de la porte, essuya son lorgnon — une nouvelle habitude — regarda K. puis, pour ne pas s'occuper de lui de trop ostensible façon, examina aussi la pièce tout entière avec un peu plus d'attention. On aurait dit qu'il profitait de l'occasion pour mesurer son acuité visuelle. K. résista à ses regards; il esquissa même un sourire et l'invita à prendre place. De son côté il se jeta dans son fauteuil, le rapprocha le plus possible du siège du directeur adjoint, prit les papiers qu'il lui fallait sur son bureau et commença son rapport. Le directeur adjoint, d'abord, parut à peine prêter l'oreille. Le bureau de K. était bordé d'une petite balustrade sculptée. Le meuble était d'un travail parfait et la balustrade tenait solidement dans le bois. Mais le directeur adjoint faisait comme s'il venait de découvrir une partie moins bien encastrée et cherchait à y remédier en commençant par tapoter avec l'index pour détacher la balustrade. K. fit donc mine d'interrompre son rapport, ce que le directeur adjoint ne souffrit pas, car, dit-il, il entendait tout, comprenait tout et ne laissait rien échapper. Mais, tandis que K. ne pouvait lui arracher nulle observation objective, la balustrade semblait demander des mesures [13] particulières, car le directeur adjoint ayant sorti son canif, prenait maintenant la règle de K. comme levier et essayait de soulever la balustrade, pour pouvoir vraisemblablement la replanter ensuite plus profond. K. avait introduit dans son rapport une position d'un genre tout nouveau dont il se promettait beaucoup d'effet sur le directeur adjoint en y arrivant dans sa lecture, il ne put s'imposer une pose, tant son propre travail le prit, ou plutôt, tant il fut heureux de retrouver à sa lecture la conscience de plus en plus rare qu'il signifiait encore quelque chose à la banque et que ses pensées avaient la force de le justifier. Peut-être même cette façon de se défendre était-elle [14] la meilleure non seulement à la banque mais devant le tribunal, bien meilleure que toutes celles qu'il avait essayées ou qu'il projetait d'adopter.

Dans la hâte de son discours K. n'avait pas pu trouver le temps d'inviter formellement le directeur adjoint à se détourner de son travail sur la balustrade ; deux ou trois fois seulement, sans cesser sa lecture, il

avait promené sa main libre au-dessus de l'objet dans
un geste apaisant, pour montrer, presque à son insu,
que cette balustrade n'avait aucun défaut et que,
même si elle en avait, écouter en ce moment était plus
important, plus convenable aussi, que toute réparation
du bureau. Mais, comme il arrive souvent aux gens
vifs dont le travail n'occupe que le cerveau, cet
ouvrage manuel avait enflammé l'ardeur du directeur
adjoint ; toute une partie de la balustrade était effectivement soulevée, et il s'agissait maintenant de [15] faire
rentrer les colonnettes dans les trous qui correspon-
daient. C'était le plus dur. Le directeur adjoint fut
obligé de se lever et d'essayer avec les deux mains
d'enfoncer la balustrade dans la table. Mais il eut beau
y employer toute sa force, l'opération ne réussit pas.
K., qui lisait, et coupait sa lecture d'un grand nombre
de commentaires, ne s'était que vaguement rendu
compte que le directeur adjoint venait de se lever [16].
Encore qu'il n'eût jamais perdu de vue le travail
accessoire de son interlocuteur, il avait pensé que son
geste devait trouver quelque motif dans le rapport, et
s'était levé à son tour, tendant le papier, le doigt sous
un chiffre, à son rival. Mais le directeur adjoint
venait [17] de se rendre compte que les mains ne
suffisaient pas, et, prenant une prompte décision,
s'asseyait de tout son poids sur la petite balustrade.
Cette fois ce fut un succès ; les colonnettes entrèrent en
grinçant dans leurs trous, mais l'une d'elles fut fractu-
rée dans l'impétuosité du choc [18], et la fragile moulure
du haut se cassa en deux à un endroit.

« Mauvais bois », dit, vexé, le directeur adjoint [19].

LA MAISON

Sans lier d'intention précise à la question qu'il se posait, K., à diverses occasions, avait cherché à savoir où se trouvait le siège du service d'où lui était venue sa première citation. Il l'apprit sans difficulté. Titorelli aussi bien que Wolfahrt lui dirent du premier coup le numéro de la maison. Par la suite, Titorelli compléta le renseignement avec le sourire réservé aux projets secrets qu'on oubliait de soumettre à son appréciation, en expliquant que ce service n'avait pas la moindre importance, que son seul rôle était de transmettre, et qu'il n'était que l'organe le plus superficiel de la Haute Chambre des mises en accusation qui, elle, était inabordable. Si donc on désirait quelque chose de cette Chambre — on désirait toujours mille choses, mais il était souvent plus sage de ne pas les dire — il fallait s'adresser, bien sûr, au service inférieur dont nous venons de parler, mais on n'arriverait jamais soi-même jusqu'à la Chambre et on ne pourrait jamais non plus lui faire parvenir sa requête.

K. connaissait [1] déjà la nature du peintre, aussi ne le contredit-il pas et ne lui demanda-t-il pas d'autres explications ; il se contenta d'opiner du bonnet et d'enregistrer ses paroles. Il lui sembla, comme assez souvent les derniers temps, que Titorelli remplaçait largement l'avocat en matière de tracasserie. La seule différence était que K. dépendait moins de lui et pouvait l'envoyer promener quand il voulait ; que Titorelli était extrêmement loquace, voire bavard, encore qu'il lui fût arrivé de l'être davantage ; et qu'enfin K., de son côté, pouvait le tourmenter fort bien.

Ce fut ce qu'il fit, parlant de la maison du ton d'un homme qui en sait plus long qu'il n'en veut dire, comme s'il y avait déjà noué des relations mais que l'affaire ne fût pas assez mûre pour qu'on l'éventât sans danger, puis, quand Titorelli le pressait de questions, détournant la conversation et n'y revenant plus de longtemps. Ces petits succès lui faisaient plaisir ; il y puisait l'idée que maintenant il comprenait bien mieux les gens de l'entourage de la justice, qu'il pouvait jouer avec eux, s'insinuait presque dans leurs rangs, acquérait, tout au moins pendant quelques instants, ce point de vue supérieur d'où ils voyaient les choses, les découvrant, pour ainsi dire, du haut de la première marche de l'escalier du tribunal sur laquelle ils étaient juchés. Qu'importait qu'il perdît sa place au bout du compte à l'endroit (en bas) où il était ? Une chance de salut resterait encore là-haut ; il n'y avait qu'à se glisser parmi ces gens ; s'ils n'avaient pu l'aider dans son procès, par manque de poids ou pour toute autre raison, ils pouvaient du moins l'accueillir et le cacher ; il ne leur était même pas possible, si K. réfléchissait à tout et opérait secrètement, de refuser de l'aider ainsi, surtout Titorelli dont il était devenu un intime et un bienfaiteur.

K. ne se berçait pas chaque jour de tels espoirs ; en général il distinguait encore très bien et se gardait[2] de négliger ou de se dissimuler la moindre difficulté, mais parfois — [en particulier] dans la prostration qui l'accablait le soir après le travail — il cherchait un encouragement dans le plus mince et, qui plus est, le plus équivoque incident de la journée. Couché alors en général sur le divan[3] de son bureau — il ne pouvait plus quitter le bureau sans s'être reposé une heure sur le divan — il opérait le montage de ses observations. Il ne les[4] limitait pas scrupuleusement aux gens qui avaient des liens avec le tribunal, son demi-sommeil mêlait tout le monde : il oubliait l'immense travail qu'avait à fournir la justice, il lui semblait qu'il était le seul accusé et que tous les autres, pêle-mêle, allaient et venaient comme les employés et les juristes dans les couloirs d'un tribunal ; les plus obtus avaient eux-mêmes le menton contre la poitrine, les lèvres retroussées et le fixe regard de la réflexion qui médite sur de lourdes responsabilités. Les locataires de Mme Grubach ne cessaient de revenir à part, en groupe compact, les têtes se touchant et la bouche grande ouverte, comme le chœur de l'accusation. Parmi eux beaucoup d'inconnus, car il y avait déjà [5] longtemps que K. ne se souciait plus du tout des affaires de la pension.

À cause de tous ces inconnus il ne pouvait s'occuper du groupe sans malaise ; et il devait pourtant le faire quand il y cherchait Mlle Bürstner [6]. Ayant promené son regard sur ces gens, il avait vu soudain briller deux yeux qu'il ne connaissait pas et qui avaient retenu son attention. Il n'avait pas trouvé alors Mlle Bürstner, mais quand il revint à la charge afin d'éviter toute erreur, il l'aperçut au beau milieu du groupe, les bras passés derrière deux messieurs qui se tenaient à ses côtés. Cela l'impressionna très peu, d'autant moins que cette image n'avait rien de neuf pour lui : c'était le souvenir ineffaçable de la photo d'une scène de plage [7] qu'il avait vue une fois chez Mlle Bürstner. Quoi qu'il en fût, ce tableau éloigna K. du groupe, et, quitte à y revenir encore assez souvent, il se mit à parcourir [8] à grands pas le bâtiment du tribunal dans tous les sens. Il en connaissait toujours à fond toutes les pièces ; des couloirs perdus, qu'il n'avait jamais pu voir, lui semblaient familiers comme s'il y avait passé sa vie, et de nouveaux détails s'imprimaient sans cesse dans son cerveau avec la plus douloureuse netteté ; par exemple cet étranger qui se promenait dans une antichambre ; il était vêtu en toréador, la taille dégagée comme au

couteau ; son petit boléro, court et raide, était fait de
dentelles jaunâtres en gros fil, et l'homme, sans cesser
un instant sa promenade, ne cessait de s'offrir à
l'étonnement de K. K. tournait tout autour de lui, le
buste penché en avant, et le regardait avec des yeux
écarquillés. Il connaissait tous les dessins de la den-
telle, toutes les franges qui avaient un défaut, tous les
mouvements du boléro, et pourtant ses regards ne s'en
rassasiaient pas. Ou plutôt ils étaient rassasiés depuis
longtemps ou, plus exactement encore, il n'avait
jamais voulu regarder, mais il ne pouvait s'en empêcher. « Que de mascarades l'étranger nous présente ! »
pensait-il en ouvrant les yeux encore plus grands. Et il
resta à la suite de cet homme jusqu'au moment où il
se retourna et plongea son visage dans le cuir du
divan.

Il demeura longtemps dans cette position, et cette
fois se reposa entièrement. Il continuait à réfléchir sans
doute, mais dans le noir, et sans que rien le dérangeât.
C'est à Titorelli qu'il aimait le mieux penser. Titorelli
était assis sur un siège ; K. se tenait à genoux devant
lui, il lui passait la main sur les bras et le cajolait de
mille façons. Titorelli savait où K. voulait en venir,
mais faisait comme s'il l'ignorait, ce qui tourmentait
un peu K. Mais K. savait de son côté qu'en fin de
compte il obtiendrait tout ce qu'il voudrait : Titorelli
était un caractère léger, un être facile à gagner auquel
manquait le sens exact du devoir, et il était même
incroyable que la justice se fût commise avec cet
homme. Si la cuirasse avait un défaut quelque part, il
était là, K. le comprit. Il ne se laissa pas égarer par le
rire [9] effronté que Titorelli, la tête haute, adressait à la
cantonade ; il maintint sa demande et s'aventura
jusqu'à caresser les joues de Titorelli. Il n'y mettait
nulle passion excessive mais plutôt quelque négli-

gence ; étant sûr de gagner, il faisait durer le plaisir.
Qu'il était simple de duper le tribunal ! Titorelli,
comme s'il eût obéi à une loi de la nature, finit enfin
par se pencher vers K., et ferma lentement les yeux
avec une expression d'amitié pour lui montrer qu'il
était prêt à accéder à sa demande ; il lui tendit la main
et prit vigoureusement celle que K. mit dans la sienne.
K. se leva un peu ému, il sentait naturellement la
solennité de la minute, mais Titorelli n'admettait plus
la solennité ; lui passant le bras derrière le dos, il
l'entraînait à toute allure. En un instant ils furent au
tribunal ; ils y sautaient les marches quatre à quatre,
non seulement grimpant mais dévalant aussi, volant
du bas en haut, comme du haut en bas, sans nul effort,
légers tel un esquif[10] sur l'onde. Et au moment précis
où K. regardait ses pieds et en venait à la conclusion
que cette belle façon de se mouvoir ne pouvait plus
appartenir à la basse existence qu'il menait jusqu'a-
lors, juste à ce moment, au-dessus de sa tête penchée,
s'opéra la métamorphose. La lumière qui, l'instant
d'avant, arrivait encore de derrière, changea et tout à
coup arriva de devant : une cataracte éblouissante de
lumière. K. leva les yeux, Titorelli lui adressa un signe
de tête et lui fit tourner les talons. K. se retrouva[11]
dans le corridor du tribunal, mais tout y était plus
tranquille et plus simple. Nul détail singulier n'y
frappait plus les yeux ; il embrassa tout d'un regard, se
dégagea de Titorelli et alla son chemin. Il portait ce
jour-là un costume neuf, un long vêtement de couleur
foncée, voluptueusement léger et chaud. Il savait ce
qui lui était arrivé, mais il en était si heureux qu'il ne
voulait pas se l'avouer encore. Dans un angle du
corridor, où de grandes fenêtres étaient ouvertes d'un
côté, il trouva sur un tas ses anciens vêtements, sa
jaquette noire, son pantalon aux raies cérémonieuses,
et là-dessus, étalée, sa chemise aux bras tremblants[12].

VISITE DE K. À SA MÈRE

L'idée lui vint soudain à table, au repas de midi, de rendre visite à sa mère. Le printemps tirait sur sa fin, de sorte qu'il y avait trois ans qu'il ne l'avait [pas] vue. À cette époque-là elle lui avait demandé de venir pour son anniversaire ; il l'avait fait malgré bien des difficultés et lui avait même promis de passer tous les ans ce jour-là auprès d'elle ; il venait d'y manquer deux fois de suite. Pour se rattraper, au lieu d'attendre la journée traditionnelle, ce qui n'eût pris pourtant que quinze jours, il allait s'embarquer tout de suite. Il se disait bien qu'il n'y avait pas de raison urgente ; au contraire, le cousin qui tenait un commerce dans la petite ville de Mme K., et qui administrait l'argent que K. envoyait à sa mère, en adressait de plus rassurantes que jamais (il en donnait régulièrement tous les deux mois). La vue de Mme K. était bien près[1] de s'éteindre ; mais K. s'y attendait déjà depuis des années après ce qu'avaient dit les médecins, et l'état général s'était amélioré ; divers inconvénients de l'âge, loin de s'être aggravés, se trouvaient en régression ; en tout cas elle s'en plaignait moins. Cela tenait, selon le cousin, à ce que dans les dernières années — K. en avait déjà observé les symptômes au cours de son dernier passage avec un sentiment proche de la répulsion — elle était devenue excessivement pieuse. Le cousin avait peint au vif dans une lettre[2] cette vieille femme, qui ne faisait jusqu'alors que se traîner péniblement, sortant bravement à son bras pour aller le dimanche à l'église. Et K. pouvait l'en croire; le cousin était timoré et ses nouvelles exagéraient plutôt le mauvais que le bon.

Quoi qu'il en fût, cette fois-ci, sa décision était bien prise : il partirait; il avait constaté nouvellement chez lui, entre autres choses déplaisantes, une pitoyable et molle tendance à céder à tous ses désirs : pour une fois sa mauvaise habitude tournerait au profit du bien.

Il s'approcha[3] de la fenêtre pour réunir un peu ses idées, fit immédiatement desservir et envoya le domestique à Mme Grubach pour aviser celle-ci de son départ et prendre une valise dans laquelle elle mettrait ce qu'elle jugerait utile; puis il donna quelques instructions à M. Kühne pour la durée de son absence, sans se fâcher, cette fois, ou à peine, de le voir, avec une grossièreté qui était déjà devenue habitude, écouter[4] ses discours la tête de côté, comme s'il savait fort bien ce qu'il avait à faire et ne souffrait ces instructions que comme une formalité; et pour finir[5] il se rendit chez le directeur. Quand il sollicita un congé de deux jours parce qu'il était obligé de voir sa mère, le directeur lui demanda naturellement si Mme K. était malade : « Non », dit K. sans plus s'expliquer. Il se tenait debout au milieu de la pièce, les mains croisées derrière le dos. Il réfléchissait, le front plissé. Ne s'était-il pas trop hâté dans ses préparatifs de départ ? N'était-il pas mieux de rester ? Qu'allait-il donc chercher là-bas ? Ne partait-il pas par sensiblerie ? Ne risquait-il pas, par cette sensiblerie, de manquer une affaire d'importance, de laisser passer une occasion d'intervenir qui pouvait se produire chaque jour, à toute heure, depuis des semaines, maintenant que son procès semblait en veilleuse et qu'il n'en apprenait plus rien ? Et, de plus, ne s'exposait-il pas à faire peur à sa vieille mère, ce qu'il ne voulait pas, bien sûr, mais

qui pouvait fort bien se produire malgré lui, maintenant que tant de choses arrivaient de cette façon ? Sa
mère ne le réclamait pas. Autrefois les lettres du cousin
étaient remplies de ses invitations pressantes, mais [6] ce
n'était plus le cas depuis longtemps. Par conséquent ce
n'était pas sa mère qui était la cause de son voyage,
c'était bien clair. Et si c'était quelque espoir personnel,
K. était complètement fou et il irait chercher là-bas, au
bout du compte, le désespoir pour salaire de sa folie.
Mais, tout comme si ces doutes n'eussent pas été les
siens mais des doutes que des étrangers eussent
cherché à lui inspirer, il persista, se réveillant littéralement dans son intention [7] de partir. Le directeur,
entre-temps — par hasard, ou plutôt par égard pour
K. — s'était penché sur un journal. Il releva les yeux,
se leva, tendit la main à K. et, sans autre question, lui
souhaita bon voyage.

Ensuite K. attendit encore le domestique en faisant
les cent pas dans son bureau ; il éloigna par son
mutisme le directeur adjoint qui venait à tout instant
se renseigner sur la cause de ce voyage, et, dès qu'il
fut [8] en possession de sa valise, se hâta de descendre
pour prendre la voiture qu'il avait commandée
d'avance. Il se trouvait dans l'escalier lorsque surgit en
haut à la dernière minute, tenant une lettre commencée, l'employé Kullich qui, sans doute, désirait quelque explication. K. lui fit de la main signe de s'en aller,
mais, épais comme l'était ce grand homme blond à
grosse tête, il s'y méprit et se précipita derrière K. par
une série de bonds mortels. K. en conçut [9] une telle
irritation que, quand Kullich le rattrapa sur le perron,
il lui prit la lettre des mains et la déchira. Lorsqu'il se
retourna, ensuite, dans la voiture, Kullich, qui n'avait
pas encore compris sa faute, était toujours à la même
place, regardant les chevaux qui partaient, à côté du
portier qui saluait très bas. K. restait donc l'un des

hauts employés de la banque; s'il eût voulu le nier le portier l'eût contredit. Sa mère le prenait même, quoi qu'il pût objecter, pour le directeur en personne, et cela depuis des années. Dans son esprit à elle il ne baisserait pas, quelques dommages que sa réputation eût déjà soufferts [10]. Peut-être était-ce bon signe que, juste avant de partir, il se fût persuadé qu'il pouvait encore arracher une lettre des mains d'un employé dont les relations s'étendaient jusqu'au tribunal, qu'il pût la déchirer sans excuse, sans en avoir les doigts brûlés.

... À vrai dire [11], il n'avait pu faire ce qu'il aurait aimé le mieux : donner deux claques retentissantes sur les grosses joues pâles de Kullich. D'autre part il est très bon, naturellement, que K. haïsse Kullich [12], et non seulement Kullich, mais encore Rabensteiner et Kaminer. Il croit qu'il les a toujours haïs; c'est seulement quand ils ont apparu dans la chambre de Mlle Bürstner qu'il a commencé à les remarquer, mais sa haine date de plus vieux. Et dans les derniers temps K. souffre presque de cette haine, car il ne peut l'assouvir; comment avoir prise sur eux? Ce sont les employés du degré le plus bas, et les dernières des nullités; ils n'avanceront [13] pas, sauf par la force de l'ancienneté, et, même à l'ancienneté, plus lentement que tout autre, aussi est-il à peu près impossible de leur mettre un bâton dans les roues; nulle main étrangère ne saurait élever sur leur route obstacle égal à la sottise de Kullich, la paresse de Rabensteiner, la rampante servilité du répugnant Kaminer. La seule chose que l'on pourrait entreprendre contre eux serait de provoquer leur renvoi, ce serait même très facile, il suffirait de quelques mots de K. au directeur, mais K. recule devant cette solution. Peut-être l'adopterait-il si le directeur adjoint, qui favorise ouvertement ou en secret tout ce que K. déteste, devait intervenir pour eux, mais, fait étrange, il y a là exception, le directeur adjoint, ici, veut comme K. [14].

UN RÊVE

Joseph K. rêvait :

C'était un beau jour ; il allait se promener. Mais à peine avait-il fait deux pas qu'il se trouva dans le cimetière. Il y avait là des allées compliquées qui serpentaient de la façon la plus gênante, mais il glissa sur l'une d'elles, comme sur un courant rapide, avec un équilibre [1] parfait. Il aperçut de loin une tombe fraîchement recouverte près de laquelle il voulut s'arrêter. Ce tertre exerçait une sorte d'attraction sur lui et il pensait ne pouvoir jamais y arriver assez vite. Mais par moments il ne le voyait qu'à peine ; il lui était caché par des drapeaux dont les étoffes se tordaient et battaient violemment les unes contre les autres ; on ne voyait pas les porte-drapeau, mais il semblait, autour de ce tombeau, régner une grande liesse.

Il regardait encore au loin quand il vit soudain le même tertre au bord de l'allée, à côté de lui et même déjà presque derrière lui. Il se hâta de sauter sur le gazon. Comme l'allée continuait à filer sous le pied qui s'y appuyait, il trébucha et tomba juste devant la tombe sur les genoux. Deux hommes, de l'autre côté du tertre, levaient une pierre tombale qu'ils tenaient chacun d'un côté ; à peine K. apparut-il qu'ils jetèrent la pierre en terre où elle se ficha aussi raide que si elle y eût été cimentée. Aussitôt sortit d'un buisson un troisième personnage que K. reconnut tout de suite pour un artiste. Il n'était vêtu que d'un pantalon et d'une chemise mal boutonnée ; sur la tête il avait un béret de velours ; à la main il tenait un crayon ordinaire avec lequel, en s'approchant, il se mit à décrire des figures dans l'air.

Ensuite il écrivit sur le haut de la pierre ; la pierre était très haute, il n'eut pas à se baisser, mais il fut obligé de se pencher en avant, car le tertre, sur lequel il ne voulait pas marcher, le séparait de cette pierre. Il se tint donc sur la pointe des pieds et s'appuya de la main gauche contre la surface de la pierre. Par un travail particulièrement adroit il réussit à obtenir des lettres d'or avec son crayon ordinaire ; il écrivait : « Ci-gît... » Chacune des lettres apparaissait pure, nette et belle, bien gravée et d'un or parfait. Quand il eut écrit les deux mots, il retourna ses yeux vers K. ; K., très curieux des progrès de l'inscription, ne s'inquiéta pas de l'homme, il ne regardait que la pierre. L'homme se remit effectivement en devoir de continuer, mais il ne put, on ne sait quelle difficulté s'y opposait, il laissa tomber son crayon et se retourna encore vers K. Cette fois, K. le regarda et remarqua qu'il se trouvait en grand embarras, mais ne pouvait en dire la cause. Sa vivacité précédente avait complètement disparu. K. en devint lui-même embarrassé ; ils échangèrent des regards impuissants ; il y avait là quelque vilain malentendu que nul des deux ne pouvait dissiper. La petite cloche de la chapelle du cimetière se mit à sonner à ce moment, hors de saison ; mais, l'artiste ayant agité la main en l'air, elle se tut. Au bout d'un moment elle reprit ; très doucement cette fois-ci, puis, sans signal particulier, elle s'arrêta immédiatement ; on eût dit qu'elle voulait simplement essayer sa voix. K. ne pouvait se consoler de la [fâcheuse] situation de l'artiste ; il se mit à pleurer et sanglota longtemps, le visage dans les mains. L'artiste attendit que K. se fût calmé, puis, ne voyant pas d'échappatoire, se décida à continuer son travail. Le premier trait qu'il inscrivit fut une délivrance pour K., mais l'artiste ne réussit visiblement à l'achever qu'avec la plus grande répugnance ; l'écriture n'était d'ailleurs plus aussi belle, elle semblait surtout manquer d'or, le trait était pâle et incertain mais la lettre fut très grande [2]. C'était un J, il allait être fini quand l'artiste frappa furieusement du pied dans le tertre ; la terre en vola tout autour. K. comprit enfin le graveur ; il n'était plus temps de le retenir ; il creusait déjà de tous ses doigts dans la terre, qui n'offrit presque aucune résistance ; tout semblait prêt ; la mince croûte de terre n'était là que pour l'illusion ; un grand trou aux parois à pic s'ouvrait immédiatement au-dessous, dans lequel K. s'enfonça, renversé sur le dos par un léger courant. Or, tandis qu'il plongeait au cœur de cet abîme insondable, la nuque encore redressée, son nom se dessina là-haut comme un éclair avec d'immenses arabesques [3] sur la pierre. Ravi de ce spectacle, il se réveilla.

DOSSIER

NOTICE BIOGRAPHIQUE

1883. *3 juillet.* Naissance de Franz Kafka, à Prague. Son père, Hermann Kafka, qui possède un magasin de nouveautés très prospère, exerce sur la famille une tyrannie, dont son fils aura fort à souffrir. Cinq autres enfants naîtront par la suite, mais seules trois sœurs survivront.

1893-1901. Études secondaires au lycée allemand de la Vieille Ville. On sait que Kafka commence à écrire dès ses années de lycée, mais il détruira tous ces manuscrits de jeunesse.

1901-1906. Études à l'Université de Prague. Après quelques hésitations, Kafka se décide pour des études de droit.

1904. Fin probable de la rédaction de la première version de *Description d'un combat.*

1906-1907. Rédaction du récit fragmentaire *Préparatifs de noce à la campagne* et de quelques-uns des textes brefs qui constitueront le recueil *Regard (Betrachtung).*

1907-1908. Kafka aux *Assicurazioni generali,* à Prague.

1908. Première publication dans une revue : huit courtes pièces qui figureront plus tard dans le recueil *Regard.*
30 juillet : entrée à l'*Institut d'assurances contre les accidents du travail,* à Prague.

1909. Kafka commence à tenir assez régulièrement son *Journal.*

1911. Voyage avec Max Brod en Suisse, en Italie, puis à Paris.

1912. Rédaction d'une première version du roman qui deviendra *L'Oublié (L'Amérique).*
Septembre. Rencontre avec Felice Bauer, chez les parents de Max Brod. Kafka conçoit immédiatement le projet de l'épouser. Début d'une intense correspondance avec elle.
Nuit du 22 au 23 septembre. Rédaction du *Verdict.*
Novembre-décembre. Rédaction de *La Métamorphose.*

1913. *Juin*. Kafka, pour la première fois, demande à Felice Bauer de lui accorder sa main.

1914. Les difficultés s'accumulent dans les relations avec Felice Bauer. Grete Bloch, une amie de Felice, intervient comme intermédiaire.

1ᵉʳ juin. Fiançailles avec Felice Bauer, célébrées à Berlin.

12 juillet. Le « tribunal de l'Askanischer Hof » : rupture des fiançailles.

Automne. Rédaction du *Procès* et de *La Colonie pénitentiaire*.

1915. La correspondance avec Felice Bauer reprend, mais selon un rythme plus paisible. Différentes rencontres, la plupart décevantes, ont lieu entre Kafka et elle.

1917. Kafka rédige la plupart des récits qui constituent le recueil *Un médecin de campagne*.

Juillet. Secondes fiançailles avec Felice Bauer.

Nuit du 9 au 10 août. Hémoptysie.

Automne. Kafka part en convalescence à Zürau (au nord-ouest de la Bohême), chez sa sœur Ottla.

Décembre : rupture définitive avec Felice Bauer.

1918-1919. Période peu féconde littérairement. Nombreuses réflexions métaphysiques et religieuses dans les journaux intimes.

1919. *Novembre. Lettre à son père*.

1919-1920. Relations amoureuses avec Julie Wohryzek.

1920. Les séjours en sanatorium se multiplient ; Kafka ne peut que rarement accomplir son travail professionnel.

À partir d'avril. Correspondance avec Milena Jesenská, la traductrice de Kafka en tchèque.

1922. Rédaction du *Château* et de quelques-uns des derniers récits, comme *Un artiste de la faim*.

1923. Rencontre avec Dora Dymant, qui sera la compagne de Kafka pendant ses derniers mois.

Rédaction du *Terrier*.

1924. Rédaction de *Joséphine la cantatrice*.

3 juin. Mort de Kafka au sanatorium de Kierling, près de Vienne.

11 juin. Enterrement de Kafka à Prague.

BIBLIOGRAPHIE

La bibliographie consacrée à Kafka est immense et on a vite fait de s'y perdre. On ne mentionnera donc ici que les titres de quelques ouvrages généraux, qui restent aujourd'hui utiles.

Les trois ouvrages les plus considérables consacrés à Kafka sont (par ordre alphabétique) :

Wilhelm EMRICH : *Franz Kafka*, Bonn, 1958.

Heinz POLITZER : *Franz Kafka der Künstler*, Francfort-sur-le-Main, 1965 (une première édition de ce livre avait paru en Amérique sous le titre *Franz Kafka. Parable and Paradox*, Cornell University Press, 1962).

Walter H. SOKEL : *Franz Kafka. Tragik und Ironie*, Munich-Vienne, 1964.

Parmi les ouvrages plus anciens, certains seront consultés encore avec profit. D'abord, bien entendu :

Max BROD : *Franz Kafka. Eine Biographie*, Prague, 1937 (une 2ᵉ édition à New York, en 1947). — Traduction française : *Franz Kafka. Souvenirs et documents*, Paris, 1945, plusieurs fois réédité.

ainsi que :

Max BROD : *Verzweiflung und Erlösung im Werk F. Kafkas*, Francfort-sur-le-Main, 1959.

et, du même auteur :

Franz Kafkas Glauben und Lehre (Winterthur, 1948), qui contient en appendice l'étude de Felix WELTSCH : *Religiöser Humor bei Franz Kafka*.

Un ouvrage collectif qui aborde de nombreux problèmes de biographie et d'interprétation sera utile. Il s'agit de : *Kafka-Handbuch*, hg. v. H. Binder, 2 vol., Stuttgart, 1979.

Sur la jeunesse de Kafka, un livre indispensable est :
Klaus WAGENBACH : *Franz Kafka, eine Biographie seiner Jugend, 1883-1912*, Berne, 1958.
Du même auteur, en collaboration avec J. BORN, L. DIETZ, M. PASLEY et P. RAABE : *Kafka-Symposion*, Berlin, 1965.

On lira aussi avec profit les réflexions de :
Martin WALSER : *Beschreibung einer Form*, Munich, 1961.

On s'aidera à l'occasion de :
Hartmut BINDER : *Kafka. Kommentar zu sämtlichen Erzählungen*, Munich, 1975.

On s'orientera un peu à travers la bibliographie, grâce à :
Peter U. BEICKEN : *Franz Kafka. Eine kritische Einführung in die Forschung*, Francfort, 1975.

Parmi les interprétations anciennes, beaucoup ont perdu de leur valeur. On retiendra cependant encore :
Theodor ADORNO : *Aufzeichnungen zu Kafka*, in *Prismen. Kulturkritik und Gesellschaft*, Berlin, Francfort-sur-le-Main, 1955.
Günther ANDERS : *Franz Kafka. Pro und Contra*, Munich, 1951.
Walter BENJAMIN : *Franz Kafka. Zur 10. Wiederkehr seines Todestages*, in *Schriften*, vol. II, Francfort-sur-le-Main, 1955.
Herbert TAUBER : *Franz Kafka. Eine Deutung seiner Werke*, Zurich, New York, 1941.

On a publié une bonne anthologie de textes critiques sur Kafka sous le titre *Franz Kafka*, éditée par H. Politzer, Darmstadt, 1973.
Une série de jugements de Kafka sur lui-même et sur son œuvre dans la série *Dichter über ihre Dichtungen : Franz Kafka*, édité par E. Heller et J. Beug, Munich, 1969.

Parmi les ouvrages en langue française, on citera d'abord :
Marthe ROBERT : *Kafka* (Paris, 1960) dans la collection « La Bibliothèque idéale », qui constitue une très bonne introduction à la vie et à l'œuvre.

et, du même auteur :
Seul comme Franz Kafka, Paris, 1979.

Les nombreuses publications plus anciennes en langue française sont aujourd'hui un peu périmées. On fera toutefois une exception pour :

Claude-Edmonde MAGNY : *Kafka ou l'écriture de l'absurde* et *Procès en canonisation*, dans *Les Sandales d'Empédocle*, Neuchâtel, 1945.

ainsi que pour la bonne étude de :

Maja GOTH : *Franz Kafka et les lettres françaises* (1928-1955), Paris, 1957.

et que pour les divers articles de :

Maurice BLANCHOT sur Kafka maintenant réunis dans le volume *De Kafka à Kafka*, Paris, 1981.

Les ouvrages de M. CARROUGES (*Kafka contre Kafka*, Paris, 1962) et de R. ROCHEFORT (*Kafka ou l'Irréductible Espoir*, Paris, 1947) pourront toujours être lus avec profit.

Une bonne anthologie de la littérature critique sur Kafka a été procurée par Claudine RABOIN, dans la collection « Les Critiques de notre temps » (Paris, 1973).

Cette liste est délibérément sommaire ; elle ne cherche pas à épuiser une littérature innombrable.

En dehors des ouvrages d'ensemble sur Kafka et parmi les nombreux textes consacrés plus particulièrement au *Procès*, voici les titres les plus importants :

ALLEMANN (Beda) : « Der Prozeß », in *Der deutsche Roman*, édité par B. von Wiese, Düsseldorf, 1963, t. II, p. 234-290.

FREY (Gesine) : *Der Raum und die Figuren in F. Kafkas Roman « Der Prozeß »*, Marbourg, 1965, p. 215.

KAISER (Gerhard) : « F. Kafkas Prozeß. Versuch einer Interpretation », in *Euphorion 52*, 1958, p. 23-49.

KUDSZUS (W.) : « Erzählhaltung und Zeitverschiebung in Kafkas Prozeß und Schloß », in *Deutsche Vierteljahresschrift*, 38, 1964, p. 192-207.

ST. LEON (R.) : « Religious Motives in Kafka's " Der Prozeß " », in *Journal of the Australasian Universities Language and Literature Association*, 1963, p. 21-38.

VOLKMANN-SCHLUCK (K. H.) : « Bewußtsein und Dasein in Kafkas " Prozeß " », in *Die Neue Rundschau*, 62, 1951, p. 38-48.

Sur le chapitre premier :

H. IDE : « Franz Kafka " Der Prozeß ". Interprétation des ersten Kapitels », in *Jahrbuch der wittheit zu Bremen*, 1962, p. 19-57.

Sur le chapitre III, outre H. Politzer (*loc. cit.*, p. 274-280), W. Sokel (*loc. cit.*, p. 151-154), H. Tauber (*loc. cit.*, p. 97-100), cf. aussi : M. DENTAN : *Humour et création littéraire dans l'œuvre de Kafka*, Genève-Paris, 1961, p. 70-73.

NOTES

Chapitre premier
ARRESTATION DE JOSEPH K.
CONVERSATION AVEC MME GRUBACH
PUIS AVEC MLLE BÜRSTNER

Page 23.

1. avec une curiosité dont elle ne témoignait pas d'ordinaire, puis,

Page 24.

2. d'abord silencieusement de découvrir

3. pourtant compris de cette manière, car il lui dit : / « Ne voulez-vous pas plutôt rester ici ?

Page 25.

4. de la fenêtre ouverte, avec un livre dont il détacha son regard en voyant entrer Joseph K. / « Vous auriez dû rester dans votre chambre. Franz ne vous l'a donc pas dit ?/ — Mais que me voulez-vous donc ? dit K., en regardant alternativement ce nouveau venu et celui qui était resté sur le pas de la porte et qu'on venait d'appeler Franz. / Par la croisée ouverte, on voyait la vieille femme qui, avec une curiosité vraiment sénile, avait changé de fenêtre pour ne rien perdre du spectacle. / « Il faut

Page 26.

5. dit Franz, combien nous avons dit vrai, et il s'avança sur lui, suivi de son compagnon. / Ce dernier avait bien une tête de plus que K. et lui tapa à plusieurs reprises sur l'épaule. Tous deux regardèrent sa chemise de nuit et déclarèrent qu'il devrait en mettre une

Page 27.

6. ce ne serait pas grand-chose, car le prix ne dépend pas de l'offre, mais seulement du pot-de-vin, et puis, on sait d'expérience que ces sommes diminuent toujours avec les années en passant de main en main. » / K. prêta à peine attention à ces discours ; il accordait peu d'importance au droit qu'il possédait sans doute encore de disposer de son linge ; il lui semblait plus urgent d'obtenir quelque clarté sur sa situation, mais, en présence de ces gens, il ne parvenait même pas à réfléchir ; le ventre du second gardien — ce ne pouvaient être évidemment que des gardiens — venait frotter à chaque instant de la façon la plus cordiale contre lui, mais lorsqu'il levait

7. grand nez déjeté, qui ne convenait pas à ce gros corps et ce visage échangeait des signes d'intelligence avec le second gardien par-dessus la tête de Joseph K. Quels hommes

8. dans un État bien policé. La paix

9. menaçait ; mais ici, il ne lui parut pas que ce fût la conduite à tenir ; sans doute n'était-ce qu'une plaisanterie,

10. compris la plaisanterie, le danger n'était pas bien grand ; sans être de ces gens qui savent tirer profit de l'expérience, il se rappelait certains cas, en eux-mêmes insignifiants, où, à la différence de ses amis, il s'était délibérément conduit avec imprudence et sans se soucier des conséquences possibles, et où l'événement lui avait fait comprendre son erreur. Cela

11. d'une comédie, il y jouerait son rôle. / Pour le moment,

Page 28.

12. la porte d'en face s'ouvrait justement et Mme Grubach s'apprêtait à entrer. On ne la vit qu'un instant,

Page 29.

13. un long regard sans doute significatif, mais dont K. ne comprit pas le sens. Sans que K. l'eût cherché, il y eut entre eux un échange de regards,

14. Vous vous conduisez plus sottement qu'un enfant. Que voulez-vous donc ? Vous figurez-vous que vous ferez avancer la fin de ce grand, de ce maudit procès en discutant

Page 30.

15. erreur là-dedans. L'autorité que nous représentons — dans la mesure où je la connais, et je ne connais que les gens des grades inférieurs — ne va pas à la recherche de la faute au milieu de la population ; mais, comme il est dit dans la loi, elle est attirée par la faute et ne peut faire autrement que de nous déléguer, nous autres

gardiens. C'est la loi ; où y aurait-il là une erreur ? / — Je ne connais
pas cette loi dit K. / — C'est grand dommage pour vous, dit le
gardien.

16. m'éclaireront beaucoup mieux que les plus longs discours de
ces deux-là. » / Il fit

Page 31.

17. comme notre obligeance le méritait,
18. Il se pouvait que ce fût la meilleure solution. / Mais peut-être
aussi les gardiens lui mettraient-ils la main au collet s'il essayait :
c'en serait fini alors de la supériorité qu'à certains égards il
conservait encore sur eux. Il prit donc le parti le plus sûr, qui était
d'attendre le cours des événements ; il retourna dans sa chambre,
sans que ses gardiens ou lui-même eussent prononcé une seule
parole. / Là, il se jeta
19. petit déjeuner. Il n'avait plus rien d'autre à manger, mais
cette pomme, ainsi qu'il s'en convainquit au premier coup de dent,
valait beaucoup mieux que le breuvage qu'il aurait pu faire venir de
quelque gargote sordide par l'entremise de ses gardiens. Il se sentait

Page 32.

20. gardiens, K. était étonné qu'on le renvoyât dans sa chambre
et qu'on l'y laissât seul, alors qu'il aurait eu dix fois la possibilité de
s'y donner la mort. Mais, en même temps,
21. pour se donner du courage, par mesure de précaution
seulement, pour le cas improbable où ce courage serait nécessaire. /
À ce moment, on l'appela de la pièce voisine et il eut une telle peur
que ses dents vinrent heurter le verre. / « L'inspecteur vous
appelle », lui disait-on. / Seul le cri lui avait fait peur, ce cri sec
semblable à un ordre militaire, dont il n'aurait jamais cru que le
gardien Franz fût capable. Quant à l'ordre lui-même, il était le
bienvenu. « Enfin ! », dit-il, et après avoir fermé à clef le petit
placard, il entra vivement dans la pièce voisine. Les deux gardiens
étaient là et le renvoyèrent

Page 33.

22. tout naturel. / « Où vous croyez-vous ? criaient-ils, vous
voulez vous présenter en chemise devant l'inspecteur ? Il vous ferait
donner les verges et à nous aussi par la même occasion. / — Laissez-
moi tranquille, que diable ! s'écria K.
23. — Nous n'y pouvons rien, dirent les gardiens qui, chaque fois
que K. se mettait à crier, conservaient tout leur calme, mais
prenaient un air attristé qui le désorientait et, en même temps, le
ramenait un peu à la raison. / — Quelles ridicules cérémonies »,

24. pourtant pas la grande audience ! » / Les gardiens se mirent à sourire, mais répétèrent : / « Il faut

Page 34.

25. échangé que quelques salutations hâtives. La table

26. de la fenêtre ouverte. Les deux vieillards étaient à nouveau là, affalés à la fenêtre d'en face ; mais leur groupe s'était augmenté ; un homme se tenait maintenant derrière eux, qui les dépassait d'une tête ; sa chemise était ouverte sur sa poitrine et il tiraillait sa barbiche rousse.

27. table de nuit — une bougie, des allumettes, un livre et une pelote à épingles — comme si

Page 36.

28. prendre congé l'un de l'autre en excellents amis. / L'inspecteur reposa

29. les uniformes les plus réglementaires que votre affaire ne serait en rien meilleure. Je ne puis

30. de penser un peu moins à nous et à ce qui va vous arriver, et de penser un peu davantage à vous-même. Et puis, ne faites pas tant de bruit avec votre innocence,

31. ni du motif de son arrestation ni de l'autorité qui l'avait décidée ! / Pris d'une certaine

Page 37.

32. sans rime ni raison ? C'est à y perdre le sens ! Pour commencer, on fait irruption chez moi, on me fait faire de la haute école devant vous ! À quoi rimerait-il

Page 38.

33. et de mettre, à l'amiable, fin à

34. mettre fin à l'amiable à cette affaire ? Non, vraiment, ce n'est pas possible !

Page 39.

35. parlait avec un certain air de défi, car,

36. existence ordinaire. / — La condition d'un homme arrêté n'a donc rien de bien terrible, dit alors K. en se rapprochant de l'inspecteur. / — J'ai toujours

37. faciliter votre retour, pour que votre arrivée passe

Page 40.

38. avec étonnement les trois personnages. Ces jeunes gens insignifiants et anémiques, qu'il ne voyait encore dans son souvenir que groupés autour

39. fût accaparée par l'inspecteur et les gardiens, pour qu'il ne reconnût pas ces trois jeunes gens ! C'étaient bien Rabensteiner, raide comme un I, qui agitait toujours les mains, le blond Kullisch, aux yeux enfoncés dans les orbites, et Kaminer qui était affligé d'un tic nerveux et souriait sans cesse d'une façon exaspérante. / « Bonjour,

40. et avec empressement, comme s'ils

41. le dernier était naturellement Rabensteiner, toujours indifférent, qui s'était contenté de partir élégamment en esquissant un petit trot. Ce fut

Page 41.

42. et tandis qu'il le remettait à K., celui-ci dut faire effort, comme souvent à la banque, pour se rappeler que le sourire de Kaminer n'était pas intentionnel et qu'il lui était même impossible de faire exprès de sourire. Dans le vestibule, Mme Grubach ouvrit la porte à tout le monde ; elle n'avait pas l'air d'une coupable ; les yeux de K. furent attirés, comme ils l'étaient souvent, par le lacet de son tablier serré à l'excès et qui semblait entailler son ventre puissant. En bas, les yeux sur sa montre, il décida de prendre une voiture ; il était déjà en retard d'une demi-heure, il ne voulait pas l'être davantage. Kaminer courut

43. d'apparaître l'homme à la barbiche blonde ; il parut d'abord un peu gêné de se montrer des pieds à la tête, recula et s'appuya

Page 42.

44. Mais il se rassit bientôt, sans avoir même tenté de les chercher des yeux, et s'installa commodément dans le coin de la voiture. Malgré les apparences, c'est maintenant qu'il aurait eu grand besoin d'encouragements, mais

45. au sujet duquel le respect humain interdisait

46. passé très vite à cause d'un travail intense et à cause des nombreuses félicitations, aussi flatteuses qu'amicales, qu'il avait reçues pour son anniversaire — K. décida

47. du matin avaient dû provoquer beaucoup de désordre dans toute la maison de Mme Grubach et que sa présence était nécessaire

48. à redouter ; ils s'étaient à nouveau confondus avec le reste du personnel

Page 44.

49. « Les mains de femmes, pensa-t-il, font en silence beaucoup de bon travail » ; quant à lui, il eût été capable de mettre cette vaisselle en pièces sur-le-champ, mais il ne serait certainement pas parvenu à la remettre à sa place. Il regarda

50. en s'animant un peu et en laissant sur ses genoux le bas qu'elle était en train de ravauder. / — Je veux

Page 45.

51. de savant, ce n'est rien du tout. J'ai été victime
52. par exemple, je suis toujours prêt ; il ne pourrait rien se passer de ce genre ; j'ai un garçon à mon service, j'ai sur ma table le téléphone urbain et le téléphone intérieur. Il y a

Page 46.

53. qu'elle n'aurait pas voulu dire et qui ne venait pas à propos. / « Ne prenez pas les choses tellement au tragique, Monsieur K.
54. poignée de main. / « Je ne les prends pas au tragique », dit K., qui sentait soudain la fatigue et se rendait compte
55. dit Mme Grubach ; et, après cette brève réponse, elle se mit à sourire et à manifester tardivement un peu d'intérêt pour la question de K. Elle est au théâtre. Vouliez-vous lui demander quelque chose ?
56. Monsieur K., vous vous faites des soucis inutiles. Mlle Bürstner n'en sait rien,

Page 47.

57. dans des rues écartées, et chaque fois avec quelqu'un de différent. Il m'est désagréable d'en parler. Je ne le raconte

Page 48.

58. Puis il referma la porte et fit comme s'il n'entendait pas qu'on frappait à coups légers. / Pourtant,
59. à donner congé en même temps que lui. Mais ce procédé lui parut aussitôt excessif et il se soupçonna

Page 49.

60. s'impatientait de voir que son retour tardif apportait encore de l'inquiétude et du désordre à la fin de cette journée.
61. ses frêles épaules. Un instant plus tard, elle serait dans sa chambre, où K. ne pourrait naturellement plus pénétrer après minuit ;
62. On eût dit une prière plutôt qu'un appel. / « Qui est là ? demanda Mlle Bürstner en ouvrant de grands yeux. / — C'est moi, dit K.

Page 50.

63. que l'affaire n'était pas si urgente et qu'on aurait pu en parler plus tard, mais... / — Je n'écoute jamais les entrées en matière, dit Mlle Bürstner.

Page 51.

64. bien volontiers, d'autant plus que je ne trouve pas la moindre trace de désordre. / Elle posa les mains à plat sur ses hanches et fit le tour de la pièce.

Page 53.

65. dit Mlle Bürstner, extrêmement déçue ; il n'était pas indispensable de choisir pour cela le milieu de la nuit. » / Et elle s'éloigna

66. demanda-t-elle. / — C'était terrible », dit K. / Mais il ne pensait pas à cela ; il était fasciné par le spectacle qu'offrait

Page 54.

67. un peu, mais il ne pensait pas à partir.

68. dit K., très excité, comme si

Page 55.

69. le dossier de sa chaise..., un filou comme il n'y en a pas deux. Et maintenant, cela commence vraiment. L'inspecteur appelle, comme s'il voulait me réveiller,

70. à la jeune fille devant laquelle il les mimait. À peine s'était-il ressaisi qu'il bondit vers Mlle Bürstner et lui prit

Page 56.

71. grosse somme. J'accepte d'avance toutes les explications que vous proposerez pour justifier ma présence chez vous, pourvu qu'elles soient vraisemblables, et je me fais fort d'amener Mme Grubach, non seulement à faire semblant d'y croire pour la galerie, mais à y croire vraiment ; rien ne vous oblige à m'épargner, si vous voulez qu'on dise que j'ai fait irruption chez vous, c'est ce que

72. sur son siège, regardait le sol sans mot dire. / « Pourquoi, ajouta K., Mme Grubach ne croirait-elle pas que j'ai fait irruption chez vous ? » / Il voyait devant lui les cheveux de la jeune fille, des cheveux légèrement bouffants et retenus par un ruban, à reflets

Page 57.

73. « Excusez-moi, j'ai été si effrayée quand on a frappé à la porte, pas tellement pour les conséquences

74. dans vos propositions, bien que vos intentions soient sans doute excellentes, j'en conviens ; mais maintenant

75. passait un rayon de lumière — il a allumé et il se moque de nous. / — Je viens, je viens », dit K. / Il passa devant elle, la saisit et l'embrassa sur la bouche,

Page 58.

76. par son prénom, mais il l'ignorait. Elle hocha la tête d'un air las et, déjà retournée à demi, lui donna sa main à baiser, comme si elle ne se rendait compte de rien ; puis elle regagna sa chambre, le dos courbé. / K. ne tarda pas à se coucher ; et il s'endormit vite, mais auparavant il réfléchit

77. l'être davantage ; il se faisait des soucis pour Mlle Bürstner, à cause de la présence du capitaine.

Chapitre II
L'AMIE DE MLLE BÜRSTNER

Page 59.

1. il cherchait à y justifier une fois de plus sa conduite, offrait toutes les réparations imaginables, promettait

2. disait, pour terminer, qu'il resterait chez lui tout le dimanche d'après, attendant de sa part un signe qui lui permettrait d'espérer le succès de sa demande ou lui expliquerait tout au moins les raisons d'un refus, raisons inimaginables, puisqu'il lui promettait de se conformer en tout à ses désirs. Les lettres

3. dans le vestibule tout un remue-ménage qui ne tarda

4. avec Mlle Bürstner. On la vit fourgonner des heures entières dans le vestibule. Elle avait toujours oublié une chemise ou un châle ou un livre, qu'elle devait aller chercher et transporter dans le nouvel appartement.

5. — depuis qu'elle l'avait tant irrité, elle ne confiait plus à la bonne aucun détail du service —, il ne put se retenir de lui adresser la parole, pour la première fois depuis cinq jours : / « Pourquoi aujourd'hui tout ce bruit dans le vestibule ?

Page 60.

6. « Ne pleurez donc pas, madame Grubach », dit K. en regardant par la fenêtre. Il ne songeait qu'à Mlle Bürstner et à l'idée qu'elle allait héberger une étrangère dans sa chambre.

Page 61.

7. — C'est bien cela, monsieur K., dit Mme Grubach, car elle avait le malheur de proférer toujours une maladresse dès qu'elle se sentait un peu soulagée. Je ne cessais

Page 62.

8. l'aider et même demander à la domestique de lui donner un coup de main, mais elle est entêtée, elle a tout voulu déménager elle-

même. Je m'étonne de l'attitude de Mlle Bürstner ; je suis souvent gênée d'avoir Mlle Montag comme locataire, et voilà que

9. pas supporter ces allées et venues de Mlle Montag. Tenez, la voilà qui revient ! / Mme Grubach ne savait que faire. / « Dois-je

10. — Elle doit bien s'installer chez Mlle Bürstner ? dit K. / — Oui,

11. la tête. Ce désarroi muet qui extérieurement avait l'air

Page 63.

12. en faisant dire qu'il venait tout de suite, puis il alla à son armoire pour changer de veste et, comme la propriétaire se lamentait à mi-voix de l'insupportable Mlle Montag, il se contenta, pour toute réponse, de lui demander de remporter la vaisselle du petit déjeuner. / « Mais vous n'avez presque rien mangé ! lui dit-elle. / — Allons, débarrassez quand même », cria K. / Il avait l'impression que Mlle Montag avait touché tous les objets, et tout l'emplissait de dégoût. / En traversant

13. près de l'entrée et allait presque jusqu'à la grande fenêtre, à laquelle il était difficile d'accéder. La table était déjà apprêtée pour

Page 64.

14. Elle avait l'air de s'assurer ainsi d'avance une supériorité sur toutes les paroles qu'il prononcerait. / « Mlle Bürstner

Page 66.

15. ce baisemain en avait fait deux complices qui, avec des airs d'indifférence et de désintéressement, travaillaient secrètement

16. capitaine Lanz. Il se retourna et prêta l'oreille pour savoir si quelqu'un, dans une chambre voisine, pouvait le gêner dans son projet. Mais le calme

Page 67.

17. semblant d'être absente ; il frappa plus fort et, n'obtenant toujours pas de réponse, il ouvrit finalement la porte avec précaution, non sans éprouver le sentiment de commettre une action blâmable et par surcroît inutile.

Chapitre III
PREMIER INTERROGATOIRE

Page 68.

1. on tâcherait de tenir compte de ses désirs, dans la mesure du possible. On pourrait l'interroger de nuit, par exemple, mais K. ne serait pas assez dispos, de sorte qu'on s'en tiendrait

Page 69.

2. sans rien répondre après cette communication ; il s'était décidé tout de suite à y aller le dimanche ; c'était certainement nécessaire ; le procès se mettait en route et il fallait faire face à la situation ; ce premier interrogatoire serait aussi le dernier.

Page 70.

3. excuser un peu sa présence inutile : / « Je viens d'avoir un coup de téléphone ; on m'a dit d'aller quelque part,

Page 71.

4. Par ce matin de dimanche, il y avait du monde à la plupart des fenêtres ; des hommes en bras de chemise étaient là à fumer ou ils tenaient avec précaution et tendresse de petits enfants sur le bord de la fenêtre. Ailleurs, des draps étaient suspendus, au-dessus desquels passait parfois la tête d'une femme toute décoiffée. On s'interpellait d'un côté à l'autre de la rue ; au-dessus de la tête de K., une plaisanterie provoquait un grand éclat de rire. Il y avait tout le long des maisons, à intervalles réguliers, des petites boutiques, auxquelles on accédait en descendant quelques marches et où l'on vendait des comestibles. Des femmes entraient et sortaient, d'autres bavardaient sur l'escalier. Un marchand des quatre-saisons, qui proposait sa marchandise aux gens des fenêtres, faillit par distraction renverser K. avec sa charrette. Au même moment, un gramophone fatigué, racheté sans doute dans des quartiers plus luxueux, se mit à déchirer les oreilles. / K. s'enfonça

Page 72.

5. La maison était assez éloignée, elle avait une façade particulièrement longue, un portail haut et large semblait destiné à laisser passer les charrois des marchandises vers les divers dépôts qui entouraient la grande cour et dont les portes aujourd'hui fermées portaient quelquefois les noms de firmes commerciales que K.

6. entre deux fenêtres, on tendait une corde, sur laquelle du linge à sécher était déjà suspendu ; un homme dirigeait d'en bas le travail, en criant ses instructions. / K. s'avançait déjà vers l'escalier pour se rendre chez le juge d'instruction, quand il s'arrêta

Page 73.

7. attendre un moment qu'une bille ait achevé de rouler ; deux gamins, qui avaient déjà de mauvaises têtes d'escarpes, le retinrent par son pantalon : s'il avait voulu se débarrasser d'eux, il aurait dû leur faire mal et

8. demander la commission d'enquête il inventa

9. Des femmes portant leur nourrisson dans les bras remuaient

10. Des gamines, qui semblaient vêtues seulement d'un tablier, couraient d'un bout à l'autre de la pièce. Les lits étaient encore occupés, tantôt par des malades, tantôt par des dormeurs

11. bien que la commission d'enquête ne se trouvât certainement pas là et que sa question fût dès lors inutile. / Bien des gens

Page 74.

12. quelque appartement éloigné où, à leur avis, quelqu'un de ce nom pouvait habiter en sous-location, ou bien où quelqu'un d'autre saurait mieux qu'eux renseigner K. Finalement, K. n'eut presque plus à poser de questions ; on le promenait ainsi d'un bout à l'autre de la maison. Il finit par regretter la méthode qu'il avait choisie et qui lui avait d'abord

13. et le dos donnant contre le plafond.

14. K. trouvant l'atmosphère peu respirable ressortit

Page 75.

15. les dos de personnages, qui n'adressaient leurs discours et leurs gestes qu'aux gens de leur parti. La plupart

Page 77.

16. et peut-être de le précipiter lui-même en bas de l'estrade. / Mais le juge

Page 78.

17. sur la galerie et adressa de ce côté-là un geste de menace. Ses sourcils, qu'on ne remarquait pas d'ordinaire, se hérissèrent avec fureur. / La moitié

18. peut-être pas plus considérables au fond que ceux de droite, mais leur attitude leur donnait

19. par pitié. Ce n'est que par pitié qu'on peut lui prêter quelque attention. Je n'irai pas jusqu'à dire que c'est une procédure aberrante, encore que j'aimerais assez proposer cette expression à vos méditations. / K. s'interrompit

Page 79.

20. à ce moment la jeune blanchisseuse, qui venait sans doute de terminer son travail ; malgré ses précautions, elle ne put empêcher quelques regards de se porter sur elle. Seule l'attitude du juge d'instruction le réconforta, car il semblait piqué au vif par ses observations. Il avait écouté debout, jusqu'à présent, car il avait été surpris par l'interpellation au moment où il se levait pour apostropher la galerie. Il profita de l'interruption pour s'asseoir peu à peu, comme s'il eût voulu éviter d'être remarqué. / Puis,

21. Continuez à les compulser, monsieur le Juge ; votre livre de

comptes ne me fait vraiment pas peur, bien qu'il soit hors de ma portée, car je ne puis le saisir que du bout des doigts.

Page 80.

22. chercha à le remettre un peu en ordre et le reprit en mains pour continuer sa lecture. C'était

Page 82.

23. pas plus d'importance que si des gamins mal surveillés par leurs parents se livraient à une agression dans la rue. Tout cela ne m'a causé, je le répète, que des désagréments et une irritation passagère, mais les conséquences

24. des gens qui sont dirigés d'en haut. J'ignore

25. applaudissez. » / De gêne ou d'impatience, le juge d'instruction se trémoussait sur son fauteuil. L'homme

Page 83.

26. l'encourager, soit pour lui donner un conseil précis. En bas,

27. du bout du doigt ; d'autres désignaient le juge d'instruction. / Les nuages de fumée dans la salle étaient fort désagréables ; ils empêchaient [...] au fond. Ils devaient

28. juge d'instruction. On leur répondait d'une voix tout aussi basse, en mettant sa main devant la bouche.

29. pas de sonnette. / D'effroi, la tête du juge d'instruction et celle de son assesseur se séparèrent brusquement. / « Cette affaire

Page 84.

30. de l'assemblée — on entendait dans ce silence une sorte de bourdonnement bien plus excitant que les applaudissements les plus frénétiques — n'en doutons pas,

31. sans résultat. Comment éviter, dans un système aussi absurde, la pire vénalité des fonctionnaires ? / « Cela est impossible, Messieurs. Même le juge suprême ne parviendrait pas à se mettre à l'abri. Et c'est pourquoi les gardiens cherchent

Page 85.

32. voir un peu, car le jour trouble donnait un ton blanchâtre aux vapeurs de la salle, qui aveuglait. Le cri venait du côté de la blanchisseuse dans laquelle

33. de la salle ; mais les premiers rangs restèrent impassibles, personne ne bougea et ne voulut le laisser passer.

34. Avait-on fait semblant tant qu'il avait parlé et était-on lassé de feindre, maintenant qu'il en venait aux conclusions ? Quelles têtes

Page 86.

35. Eh bien! vous n'êtes pas venus pour rien : ou bien

Page 87.

36. il entendit le bruit de l'assemblée qui s'élevait à nouveau, sans doute pour commenter les événements, comme l'eussent fait de savants docteurs.

Chapitre IV
DANS LA SALLE VIDE — L'ÉTUDIANT
LES GREFFES

Page 89.

1. jugé très mal après votre départ. / — C'est possible, dit K. en détournant la conversation, mais cela

2. est étudiant et aura probablement beaucoup de pouvoir. Il est

Page 90.

3. du graveur était facile à comprendre, mais il avait

Page 92.

4. peut-être certaines choses d'eux, mais les plus grands services qu'ils pourraient vous rendre

5. de partir en me jugeant si mal ; pourriez-vous

Page 93.

6. cesser l'instruction, ou qu'ils sont sur le point de le faire. Il est possible qu'ils fassent semblant de poursuivre l'affaire

7. nouvelles importantes, qu'aucun des artifices dont ces messieurs ne sont sans doute pas avares ne m'amènera

Page 94.

8. de bas de soie, prétendument pour me remercier de nettoyer la salle

9. regardez — elle allongeait les jambes et relevait ses jupes jusqu'au genou pour les voir elle-même — ce sont de très beaux bas, beaucoup trop beaux pour moi. »

Page 95.

10. petit, il avait les genoux cagneux et il portait

11. le regarda avec curiosité ; c'était la première fois qu'il rencontrait pour ainsi dire sur le plan personnel un étudiant

Page 96.

12. anéantir d'un seul coup tout le tribunal, au moins en ce qui le concernait ? Ne pouvait-il avoir ce minimum de confiance en soi ? Et puis, cette femme lui offrait son aide ; elle paraissait sincère et cette aide n'était peut-être pas négligeable. Et puis, il ne pouvait trouver une meilleure manière de se venger du juge d'instruction et de tous ses acolytes, qu'en leur enlevant cette femme et en la gardant pour lui. Il se pourrait alors qu'un jour, après avoir travaillé péniblement à ses rapports mensongers sur K.,

13. ce grand corps opulent, souple et chaud, dans ses vêtements sombres tissés d'une étoffe lourde et grossière, n'appartiendrait qu'à lui.

Page 97.

14. dû au moins le mettre aux arrêts dans sa chambre

Page 98.

15. l'audace de chercher encore à le provoquer davantage en caressant le bras de la femme de sa main libre et en le pressant contre lui. K. fit quelques pas à ses côtés, prêt à l'empoigner et, au besoin, à l'étrangler, mais la femme lui dit alors : / « C'est inutile ; c'est le juge d'instruction qui me fait chercher ; je n'ai pas le droit d'aller avec vous. Cette petite horreur (et elle caressait de la main le visage de l'étudiant), cette petite horreur ne me lâchera pas. / — Et vous ne voulez pas qu'on vous délivre ! » s'écria K., en posant la main sur l'épaule de l'étudiant. Celui-ci chercha à le mordre.

16. Il se représentait une scène grotesque, comme par exemple ce pitoyable étudiant, ce morveux gonflé de prétention, ce nabot barbu, à genoux devant le lit d'Elsa, la suppliant à mains jointes de lui accorder son pardon. Cette idée lui plaisait tant qu'il décida, si l'occasion se présentait, d'emmener l'étudiant en visite chez Elsa. / Il gagna

Page 99.

17. l'avait trompé, et qu'elle avait menti, en prétendant qu'on l'emportait chez le juge, car le juge ne siégeait certainement pas dans un grenier et ne l'aurait pas attendue là. On avait beau regarder : l'escalier de bois n'expliquait rien. K. remarqua, près du départ de l'escalier, un petit écriteau

18. grenier de cette maison en location ! Ce n'était pas

19. locataires de la maison, déjà fort pauvres eux-mêmes, jetaient leurs objets de rebut. À vrai dire, il était possible aussi qu'on eût assez d'argent, mais que les fonctionnaires en prissent la meilleure part avant qu'il eût pu servir aux besoins de la justice.

20. mais cette gabegie, bien qu'un peu
21. et qu'elle préférait aller l'importuner dans sa propre maison.

Page 100.

22. et il ne pouvait pas demander à son garçon de bureau de lui apporter une femme dans ses bras. Mais il y renonçait

Page 101.

23. par la porte au bureau où l'on m'a envoyé ; je suis si essoufflé que c'est à peine si l'on me comprend ; je continue à courir sur le chemin du retour, mais l'étudiant

Page 102.

24. et ajouta : / « On se révolte toujours. » / Mais l'entretien

Page 104.

25. l'huissier qui marchait quelques pas derrière lui, et il lui dit :
26. tant que les autres ne lui seraient pas venus en aide. L'huissier

Page 105.

27. je suis accusé mais, par le salut de mon âme, je n'ai jamais produit ni requête ni quoi que ce soit. Croyez-vous

Page 106.

28. et partit rapidement, mais à petits pas ; sans doute souffrait-il de la goutte. / K. ne s'inquiéta
29. mais celui-ci restait toujours en arrière. Pour couper
30. dit l'huissier sans la moindre malice. / — Je ne veux

Page 107.

31. attirée sans doute par les bruits de voix, se présenta : « Que désire Monsieur ? » Derrière elle,
32. K. regarda l'huissier ; celui-ci avait pourtant déclaré que personne ne s'occuperait de lui, et voilà qu'ils étaient déjà deux. Bientôt tous les bureaux auraient les yeux sur lui et lui demanderaient les raisons de sa présence ici. La seule explication plausible et intelligible qu'il pût donner était qu'il était accusé et venait s'enquérir de la date du prochain interrogatoire, et c'était ce qu'il ne voulait pas dire, d'abord parce que ce n'était pas vrai, car il n'était venu

Page 108.

33. le regarder comme si, d'un instant à l'autre, quelque grande métamorphose allait se produire en lui, dont ils ne voulaient pas

perdre le spectacle. L'homme que K. avait aperçu de loin se tenait maintenant sur le seuil, appuyé à la traverse de la porte basse et se balançait légèrement sur la pointe des pieds

Page 109.

34. qu'il présente par ailleurs. Les jours d'affluence — c'est-à-dire presque tous les jours — l'air est à peine respirable. Si vous songez aussi que beaucoup de gens font sécher leur linge ici — on ne peut pas complètement l'interdire aux locataires — vous ne trouverez rien d'étonnant à votre petit malaise. Mais on finit par s'habituer très bien à cette atmosphère. Quand vous reviendrez pour la deuxième ou la troisième fois, vous ne vous sentirez presque plus oppressé ; ne vous sentez-vous pas déjà un peu mieux ? »

35. vous gênez le passage. » / K. leva les sourcils comme pour demander quel passage il pouvait bien gêner. / « Je vais vous emmener à l'infirmerie,

Page 110.

36. gilet gris qui s'achevait en deux longues pointes finement découpées — je crois

37. vous-même, l'air est vraiment mauvais. Auriez-vous

38. le vertige et je ne me sens pas bien quand je me lève seul. » / Et il souleva les épaules, pour permettre aux deux autres de le prendre plus facilement

Page 111.

39. — permettez-moi de vous présenter (l'homme donna la permission d'un geste de la main) —

Page 112.

40. fait une collecte — des inculpés y ont contribué aussi. C'est ainsi que nous avons pu acheter ce bel habit que vous voyez et encore quelques autres. Tout irait donc pour le mieux, s'il ne gâchait tout par ce rire, qui effraie les gens. / — C'est comme cela, dit ironiquement

41. il sentit la main du préposé sous l'un de ses bras, et celle de la jeune fille sous l'autre. / « Allons, debout, pauvre homme ! dit le préposé

Page 114.

42. je ne veux pas me reposer ici. » / Il avait parlé avec le plus d'assurance possible, mais il avait en réalité grand besoin de s'asseoir.

43. sur un bateau en pleine houle, il lui semblait

44. vague qui allait déferler sur sa tête ; on eût dit que le couloir

était pris dans un roulis qui jetait les inculpés d'un côté à l'autre et les laissait retomber en cadence.

Page 115.

45. santé ne lui avait jamais réservé des surprises de ce genre. Son corps allait-il se rebeller et l'engager à son tour dans un autre procès, puisqu'il semblait si bien supporter le premier ? Il ne repoussa pas l'idée d'aller voir un médecin à la prochaine occasion. En tout cas,

Chapitre V
LE BOURREAU
[LE FOUETTEUR]

Page 116.

1. il fut pris d'une curiosité si incoercible qu'il se mit littéralement à enfoncer la porte. Il se trouvait,

Page 117.

2. cuir sombre qui dégageait le cou jusque bas sur la poitrine et laissait

3. servir à celui qui a le malheur d'être arrêté ? Évidemment, si celui-ci divulgue l'affaire, on est puni.

Page 118.

4. de la justice ?] Nous avions tous les deux, mais moi surtout, fait correctement notre métier de gardiens pendant des années. Tu avoueras

5. certainement devenus fouetteurs, nous aussi, comme celui-là, qui a eu la chance de ne jamais être dénoncé — car une dénonciation comme celle-là n'arrive que très rarement —

6. à recevoir ces coups qui font horriblement mal. / — Cette verge

7. que brandissait le fouetteur. / — Il va falloir nous mettre tout nus, dit Willem.

8. des coups les rend un peu faibles d'esprit ; ce que raconte

Page 120.

9. Ce que tu dis a une apparence de vérité, déclara le fouetteur, mais je ne me laisserai pas soudoyer. Je suis payé pour fouetter et je fouette. » / Le gardien Franz

10. plus vieux que moi, il est à tous égards moins sensible et il a déjà subi une petite peine

11. attend l'issue de l'affaire ; j'ai honte à en périr. » / Il essuya

12. s'éleva le cri de Franz, un cri immuable et tout d'une pièce ; il ne semblait pas provenir d'un homme mais d'une

Page 121.

13. Les fenêtres étaient déjà obscures, seules les plus hautes reflétaient un rayon de lune. K. s'efforçait de percer du regard l'obscurité d'un angle de la cour, où des voitures à bras étaient encastrées les unes dans les autres.

14. pu empêcher le supplice, mais ce n'était pas sa faute ;

Page 122.

15. évidemment pris l'affaire au sérieux que pour augmenter encore le pot-de-vin,

16. l'intention de le faire, il eût été plus simple de se déshabiller lui-même et de s'offrir en victime à la place des gardiens. Mais le fouetteur n'eût certainement pas accepté cette substitution puisqu'il n'en eût

17. la durée du procès. Peut-être, il est vrai, existait-il pour ce cas des dispositions particulières ? Quoi qu'il en soit, K. n'avait pas pu faire autrement que de fermer la porte ; encore n'était-il pas ainsi tout à fait hors de danger.

Page 123.

18. aider personne, et les garçons de bureau allaient arriver ; en revanche, il se promit de rendre l'affaire publique et, dans la mesure de ses moyens, de faire punir comme ils le méritaient les vrais coupables, les hauts fonctionnaires, dont aucun n'avait encore osé se montrer devant lui.

19. tous les passants, mais nulle part il ne vit une jeune fille en train d'attendre quelqu'un. Quand Franz racontait que sa fiancée l'attendait en bas, ce n'était qu'un mensonge,

20. devant le cabinet de débarras, il l'ouvrit comme par habitude, et ce qu'il aperçut alors au lieu de l'obscurité qu'il s'attendait à trouver, le plongea dans le désarroi. Tout était

21. [derrière le seuil], le fouetteur avec sa verge, les gardiens encore complètement déshabillés, la bougie sur la planchette et les gardiens qui se mettaient à gémir et à crier : / « Maître !

22. dessus comme pour mieux la fermer. Presque les larmes aux yeux, il se rendit dans la pièce où les garçons de bureau travaillaient

Page 124.

23. en croyant se donner ainsi l'air de vérifier leur travail, puis, quand il se fut rendu compte que les garçons de bureau n'oseraient pas s'en aller en même temps que lui, il prit le chemin du retour, recru de fatigue et le cerveau vide.

Page 124.

1. se glissant entre deux garçons au moment où ils apportaient des papiers. K. s'effraya moins de la venue de son oncle qu'il ne s'était effrayé depuis longtemps déjà de la perspective de sa visite. Son oncle allait certainement venir, K. en était sûr depuis un bon mois. À ce moment-là déjà, il l'imaginait, un peu voûté, écrasant son panama de la main gauche, sa main droite tendue de loin à son neveu par-dessus le bureau et, dans sa précipitation, renversant tout ce qu'il trouvait sur son passage. Son oncle était toujours pressé ; il était poursuivi par la malheureuse idée qu'il devait, pendant le seul jour qu'il passait dans la capitale, régler tout ce qu'il s'était proposé de faire, sans laisser échapper pour autant la moindre conversation, la moindre affaire ou le moindre plaisir qui se présentaient à lui. K., qui lui devait

Page 125.

2. devait entièrement se mettre à son service et même le loger pour la nuit. Aussi l'appelait-il le « fantôme de province ». / Dès les premières salutations — l'oncle ne prit pas le temps

3. sur la table en glissant au-dessous de lui, pour être mieux installé, divers papiers qu'il prit au hasard. / K. se taisait ; il savait ce qui allait venir, mais, sortant brusquement d'un travail épuisant, il s'abandonna d'abord à une agréable lassitude, et regarda par la fenêtre de l'autre côté de la rue ; de sa place, on ne voyait qu'un petit triangle, un morceau

4. dit l'oncle, comme pour le mettre en garde, tu as toujours dit la vérité, que je sache. Dois-je voir un mauvais présage dans tes derniers mots ? / — Je devine

Page 126.

5. pas le temps de s'apercevoir qu'on vient de vous faire cadeau d'une boîte de chocolat, et elle a déjà disparu. Mais en ce qui

Page 127.

6. tout cela pour un pur bavardage. Tout de même

7. une petite lycéenne de dix-huit ans pour bavarder avec elle.

Page 128.

8. s'écria l'oncle qui parlait de plus en plus fort. / — Plus je suis calme, mieux cela vaut pour l'issue du procès, dit K. d'un air las ; ne

t'inquiète pas. / — Ce que tu dis là ne me tranquillise pas du tout, s'écria l'oncle ;

9. ce qu'il y aurait à faire ce jour-là en son absence, et lui montra différents papiers. Son oncle le gênait, à rester planté là, en ouvrant de grands yeux et en se mordillant les lèvres ; il n'écoutait pas, à vrai dire, mais

Page 129.

10. ce procès. » / K. prononça quelques phrases anodines, puis, quand ils furent sur le perron, il expliqua

Page 130.

11. se détournèrent effrayés. / « Ces choses-là

12. À la campagne tu reprendras des forces et ce sera une bonne chose, car tu as encore beaucoup d'épreuves devant toi. En outre, tu échapperas ainsi en quelque sorte à la justice. Ici, ils disposent de toutes sortes de moyens, qu'ils appliqueront automatiquement contre toi ; à la campagne, ils devraient envoyer des commissions rogatoires et ne pourraient agir que par courrier, télégraphe ou téléphone. Cela atténue forcément les choses et, si cela

13. ils gardent suffisamment la main sur toi, même

Page 131.

14. voilà que tu perds la tête au plus mauvais moment ; veux-tu

15. ta parenté serait entraînée dans ta honte ou humiliée plus bas que terre. Joseph,

16. dit K., il ne sert à rien de s'énerver, pas plus à moi qu'à toi. Ce n'est pas par l'énervement qu'on gagne les procès ; tiens un peu compte de mon expérience, tu sais bien que je respecte toujours

17. j'y suis mieux placé aussi pour faire avancer mon affaire. / — Fort bien, dit l'oncle sur un ton qui semblait indiquer que leurs points de vue s'étaient enfin rapprochés, je ne te faisais

Page 132.

18. vingt ans que je suis à la campagne presque sans interruption, on perd un peu le sens des affaires pour ces choses-là, on ne sait

19. personnalités peut-être plus compétentes que nous se sont

Page 133.

20. au courant de l'affaire. / K. commença aussitôt à raconter son histoire sans en rien cacher, car une entière franchise était la seule manière qu'il eût de protester contre l'opinion de son oncle pour qui ce procès était une grande honte. Il ne mentionna qu'une fois, et seulement en passant, le nom de Mlle Bürstner ; mais cela ne diminuait en rien sa franchise, car la jeune fille

Page 134.

21. avec étonnement, même quand elle se retourna pour fermer la porte. Elle avait une figure poupine et toute ronde, non seulement ses joues pâles et son menton avaient des contours arrondis, mais aussi ses tempes et les parois de son front. / « Joseph !

Page 135.

22. Je ne pense pas. C'est toujours ta maladie de cœur ; cela passera comme les autres fois. / — C'est possible, fit l'avocat à voix basse, mais c'est pis que jamais. J'ai peine

23. était plus gaie. Et cette petite demoiselle non plus n'a pas l'air bien gai, à moins qu'elle ne joue la comédie. » / La jeune fille

24. de repos ; je ne suis pas triste. » / Il ajouta

Page 136.

25. et venir derrière elle ; et K. n'eût pas été étonné, s'il l'avait attrapée par sa jupe et tirée loin du lit. K. observait tout calmement ; la maladie de l'avocat lui paraissait la bienvenue ; il n'avait pu s'opposer au zèle que son oncle employait pour sa cause, mais il acceptait volontiers que ce zèle soit contrarié sans qu'il y soit pour rien. L'oncle dit alors, peut-être uniquement pour vexer la garde-malade :

26. sursauta-t-il comme piqué au vif. / « Quelle diablesse ! » s'écria-t-il d'une voix étranglée par l'émotion et d'une manière à peine compréhensible. / K.,

27. des deux mains. Heureusement, le malade se redressa à ce moment-là derrière la jeune fille ; l'oncle fit une grimace, comme quelqu'un qui avale une horrible potion, puis

Page 137.

28. indiquer qu'il n'entendait pas négocier plus avant mais qu'il

29. à l'oncle qui, réconcilié lui aussi, s'était rapproché de lui, tu n'es pas venu voir un malade, tu es venu pour parler d'affaires. » / Il semblait

30. n'était derrière la porte, l'oncle revint, non point déçu — car le fait que l'infirmière n'écoutait pas à la porte lui parut une malignité encore plus grande — mais irrité.

Page 139.

31. pas un mot. / — Mais vous travaillez pour la justice du palais de justice et pas pour celle du grenier ? avait-il voulu dire, mais il ne put prendre sur lui de prononcer cette phrase. / — Songez donc,

32. qui explique inutilement et comme entre parenthèses une chose évidente, songez donc

Page 140.

33. nous avons une affaire à traiter en commun et nous pouvons fort bien nous réunir à nouveau...

Page 141.

34. et l'oncle qui tenait le rôle du chandelier — il balançait la bougie sur sa cuisse

Page 142.

35. sur sa main avant même qu'il eût lâché
36. perdue. Il imagina les clients s'approchant à petits pas de l'immense bureau.

Page 143.

37. hâtivement, comme s'il ne fallait pas laisser perdre une minute de cet entretien. / — Volontiers,
38. pas un effronté, je suis plutôt timide et vous-même ne semblez pas être de celles dont on fait la conquête au premier coup d'œil. / — Ce n'est pas cela, dit Leni en posant son bras sur l'accoudoir et en regardant K., je ne vous plaisais pas,
39. dont la dorure ressortait vivement du tableau. Le plus curieux

Page 144.

40. impossible qu'il ait jamais ressemblé à cette image, car il est d'une taille minuscule. Malgré cela, il s'est fait représenter tout en longueur, car il est d'une coquetterie inouïe, comme d'ailleurs tout le monde ici. Moi aussi, je suis coquette, je suis très
41. — Ce n'est pas cela votre défaut, dit Leni.

Page 145.

42. de ses cheveux noirs. / « Je ne peux pas en trahir davantage, répondit Leni,
43. pas si entêté ; on ne peut pas résister à ce tribunal, on est obligé
44. cette justice et les stratagèmes qu'elle exige, dit K.
45. pas m'aider ? essaya-t-il de demander. / « Je recrute des auxiliaires féminins, pensa-t-il, presque étonné ;
46. comme si c'était la seule place qui lui convienne. » / « Non,
47. Avez-vous une maîtresse ? demanda-t-elle

Page 146.

48. au cabaret où elle servait ; sa jupe volait autour d'elle à grands plis, elle avait posé ses mains sur ses hanches robustes et regardait de côté en riant, le cou tendu ; on ne pouvait pas voir sur l'image à

qui s'adressait ce rire. / « Elle a un corset serré, dit Leni en lui montrant l'endroit où ce détail était visible ; elle ne me plaît pas ; elle est maladroite et vulgaire. Mais peut-être

49. pas beaucoup à elle, dit Leni ; elle n'est donc pas votre maîtresse ? / — Si, dit K., je ne retire pas le mot. / — Soit, répondit Leni, elle est votre maîtresse, mais vous ne la regretteriez

Page 147.

50. s'écria K. / Et, en regardant toute la main, il ajouta : / « La jolie petite griffe que voilà ! » / Avec une sorte de fierté, Leni regardait K., qui, étonné, ne cessait

51. finalement, il posa sur eux un baiser furtif avant de les lâcher. / « Oh !

Page 148.

52. voulait l'y clouer. / « Ah ! garnement, s'écria-t-il, comment as-tu pu faire cela ? Tu as terriblement porté préjudice à ton affaire, qui était justement en bonne voie ! Tu vas

Page 149.

53. contribué à la ruine de sa santé, tu as précipité

Chapitre VII
L'AVOCAT.
L'INDUSTRIEL ET LE PEINTRE

Page 150.

1. comme il l'avait fait, en disant ensuite si, en fonction de ses opinions actuelles, il approuvait ou désapprouvait sa conduite d'alors, en avançant les raisons sur lesquelles il fondait son jugement. Les avantages d'un tel rapport sur la simple défense, telle que la pratiquait son avocat, n'étaient pas douteux. D'autant que cet avocat n'était pas sans reproche. K. ne savait pas

2. jamais eu l'impression, au cours des consultations précédentes, que cet homme pût faire beaucoup pour lui. Il ne lui avait presque jamais posé de questions et cependant, il y en avait tant à poser ! Ces questions étaient l'essentiel. K. avait le sentiment qu'il aurait su poser lui-même les questions nécessaires. Mais l'avocat parlait, au lieu de questionner, ou bien restait

3. peut-être où K. s'était trouvé avec Leni. De temps à autre il faisait à K. quelque exhortation vide, comme on en fait aux enfants. Discours aussi inutiles qu'ennuyeux pour lesquels K. se proposait bien de ne pas payer un sou au moment

4. bien des procès qui, sans être en réalité aussi difficiles que celui-là, n'en paraissaient

Page 151.

5. jusqu'à la fin, on la lisait d'ordinaire à peine, ainsi qu'il était revenu aux oreilles de l'avocat. Tout cela était certes regrettable, mais non sans justification. K. ne devait pas perdre de vue que la procédure n'était pas publique, qu'elle pouvait le devenir

6. l'acte d'accusation, restaient-ils inaccessibles à l'accusé et à son avocat, de telle sorte qu'on ignore généralement, ou qu'on ne sait que de façon très imprécise sur quoi doit porter la première requête ; ce n'est donc que tout à fait par hasard qu'elle peut contenir des éléments utiles au procès. Les requêtes vraiment précises et probantes ne pouvaient se faire que plus tard, quand le cours des interrogatoires permettait de faire apparaître ou de laisser deviner les chefs d'accusation et leur motivation. Naturellement,

Page 152.

7. et très pénible. Mais cela aussi est voulu. La défense n'est pas, en effet, expressément permise ; elle est seulement tolérée par la loi ; encore dispute-t-on pour savoir si cet article du code doit être interprété comme une tolérance. Aussi n'y a-t-il

Page 154.

8. La pièce ne reçoit le jour que par une petite lucarne si haute que, pour passer la tête par là — ce qu'on ne peut faire qu'en respirant la fumée d'une cheminée voisine et en se barbouillant le visage de suie — il faut d'abord un confrère pour vous faire la courte échelle. Dans le plancher de cette pièce — pour donner une idée de son délabrement —, il y a depuis plus d'un an un trou par lequel un homme ne peut peut-être pas passer, mais qui est suffisamment grand tout de même pour qu'on puisse s'y prendre la jambe. Or cette salle des avocats se trouve au deuxième étage du grenier ; quand on tombe dans le trou, la jambe pend au premier, au beau milieu du couloir où attendent les inculpés. Les avocats n'exagèrent donc pas quand ils qualifient cette situation de honteuse. Les réclamations à l'administration ne donnent jamais le moindre résultat. Et il est strictement interdit aux avocats de rien modifier à leurs propres frais. Mais même ce traitement infligé aux avocats a ses raisons. On cherche à éliminer le plus possible la défense ; on veut que tout dépende de l'accusé lui-même. Au fond, ce point de vue n'est pas mauvais ; mais rien ne serait plus erroné que d'en conclure que les avocats sont inutiles à l'accusé devant ce tribunal. Bien au contraire, nulle part ils ne peuvent lui être plus utiles, car en général les débats ne sont pas seulement secrets pour le public, ils le

sont aussi pour l'accusé : dans la mesure, naturellement, où il est possible de garder le secret. L'accusé en effet n'a pas droit de regard sur les dossiers, et il est très difficile de savoir, d'après les interrogatoires, ce qu'il peut y avoir dans ces dossiers, surtout pour l'accusé qui est pris par son affaire et dont l'attention est distraite par toutes sortes de soucis. C'est là que la défense intervient. Généralement, les avocats n'ont pas le droit d'assister aux interrogatoires ; aussi doivent-ils interroger l'accusé le plus tôt possible après sa comparution, et tâcher de démêler ce qu'il peut y avoir d'utile pour la défense dans ces rapports souvent très confus. Mais ce n'est pas le plus important, car on ne peut pas apprendre grand-chose de cette façon, encore qu'un expert y trouve plus de choses qu'un autre. Le principal, ce sont les relations personnelles de l'avocat ; c'est là le grand intérêt de la défense. K. doit bien avoir constaté d'après ses propres expériences que l'organisation de la justice laisse à désirer dans les grades inférieurs, qu'on y trouve des employés négligents ou vénaux ; il y a là de sérieuses brèches dans l'édifice. C'est vers ces brèches que se précipitent la plupart des avocats ; c'est là qu'ils soudoient, qu'ils écoutent aux portes ; il s'est même produit, du moins dans le passé, des vols de documents. Il est indéniable que, sur le moment, on atteint quelquefois des résultats étonnamment favorables à l'accusé : c'est de quoi ces petits avocats tirent vanité et se servent pour attirer de nouveaux clients ; mais, pour la suite du procès, cela ne signifie rien, ou du moins rien de bon. Seules comptent d'honnêtes relations personnelles avec d'importants fonctionnaires — d'importants fonctionnaires des grades inférieurs, bien sûr. C'est seulement ainsi qu'on peut agir sur l'évolution du procès, d'une manière d'abord imperceptible, mais qui devient ensuite de plus en plus visible. Naturellement, peu d'avocats y parviennent. C'est là que le choix de K.

9. Ceux-là ne s'inquiètent pas, il est vrai, de la société qui hante la salle des avocats ; ils n'ont rien à voir avec ces gens. Leurs relations n'en sont que plus

Page 155.

10. l'opinion qu'on leur proposait. Évidemment il ne fallait pas trop s'y fier. Il arrivait qu'après avoir formulé nettement leur nouvelle opinion favorable à la défense, ils courent dans leur cabinet et donnent pour les débats du lendemain

11. précisément sans témoin et n'entraînaient pas de conséquences ; ce qui n'empêchait pas que la défense devait continuer à essayer de se concilier leurs bonnes grâces. Il fallait

12. judiciaire fondée dès l'origine sur une procédure secrète. Les fonctionnaires manquaient de contact avec la population ; pour les procès

13. relations humaines, et cela leur faisait défaut dans ces cas-là. Ils venaient alors demander conseil aux avocats, suivis d'un greffier, porteur des documents d'habitude si secrets. À la fenêtre que voilà, on aurait pu rencontrer souvent beaucoup de ces messieurs, même parmi ceux dont on l'eût le moins attendu, à regarder dans la rue, en plein désarroi, tandis que l'avocat, assis à sa table, compulsait les dossiers

Page 156.

14. les obstacles que leur nature même les empêche de surmonter. / Leur situation, ajoutait l'avocat, n'est d'ailleurs pas facile ; il ne faut pas les accuser à tort ; non, leur situation n'est pas facile. La hiérarchie de la justice comprend des degrés

15. peine à se retrouver. Or, la procédure devant les tribunaux est en général secrète pour les petits fonctionnaires également ; ils ne peuvent donc jamais suivre jusqu'au bout les affaires qui leur sont soumises ; les causes arrivent sous leurs yeux sans qu'ils sachent d'où elles viennent et repartent sans qu'ils sachent pour quelle destination. Aussi ignorent-ils les enseignements

16. à l'endroit des accusés — chacun en avait fait l'expérience — de la façon la plus blessante. Tous les fonctionnaires sont irrités, même quand ils semblent sereins. Naturellement, les petits avocats ont beaucoup à en souffrir. On raconte à ce sujet une anecdote qui a toute apparence de vérité : Un vieux

Page 157.

17. tous les avocats qui voulaient entrer. Les avocats se réunirent au pied de l'escalier pour discuter de la conduite à tenir ; d'une part ils n'ont aucun droit à exiger d'être admis, ce qui les empêche d'entreprendre légalement quoi que ce soit contre le fonctionnaire et doivent se garder, comme on l'a déjà expliqué, de dresser contre eux l'administration. Mais, d'autre part, toute journée qu'ils ne passent pas au tribunal est perdue pour eux ; ils tiennent beaucoup à être admis. Finalement, ils sont unanimes à penser qu'il faut fatiguer le vieux fonctionnaire. On envoyait sans cesse un nouvel avocat en ambassade ; celui-ci montait les marches, offrait passivement toute la résistance qu'il pouvait et se laissait jeter ensuite au bas de l'escalier, où ses collègues le recueillaient. Cela dura

18. mission de regarder s'il n'y avait vraiment plus personne derrière la porte. C'est seulement alors qu'ils se hasardèrent à entrer et il est vraisemblable qu'ils n'osèrent même pas protester, car les avocats

Page 158.

19. Même s'il était possible d'améliorer certains détails — mais ce n'était qu'une illusion absurde — on n'aurait pu obtenir de

résultats, dans l'hypothèse la plus favorable, que pour des cas futurs, et on se serait nui à soi-même de façon considérable en attirant sur soi l'attention d'une administration toujours rancunière. Surtout, ne jamais attirer l'attention! se tenir tranquille, même si cela vous coûte! Essayer de comprendre que tout ce grand organisme de la justice est, en quelque sorte, toujours en équilibre instable; qu'en voulant modifier quelque détail de son propre chef, on ne fait que scier la branche sur laquelle on repose et risquer d'être projeté sur le sol — tandis que le grand organisme se remet aisément de ce petit dérangement, cherche un dédommagement ailleurs — car tout se tient — et reste finalement inchangé, sinon même plus cohérent, plus attentif, plus sévère, plus méchant. Le mieux est donc de laisser faire l'avocat au lieu de le déranger.

Il ne sert pas à grand-chose de faire des reproches, surtout quand on ne veut pas en faire comprendre les motifs dans toute leur ampleur, mais

20. il faisait intentionnellement la sourde oreille à toutes les allusions au procès. Les fonctionnaires

Page 160.

21. rire sans grand motif et vous réconciliât avec eux de la façon la plus surprenante. Le commerce avec eux était à la fois très compliqué et très facile, il n'y avait pas de règle. / On s'étonnait parfois, dans de telles conditions, que la vie moyenne d'un homme pût suffire à lui faire admettre qu'on pouvait agir en ces matières avec quelque chance de succès. Il y a bien, évidemment, de ces heures mélancoliques, comme tout le monde en connaît, où l'on croit n'avoir rien obtenu, où il semble que seuls les procès destinés dès l'origine à une issue heureuse, auraient abouti même sans secours du dehors, alors que tous les autres procès échouent en dépit de toutes les démarches, de tous les efforts et de tous ces petits succès apparents, qui vous avaient fait tant de plaisir dans l'instant. Il semble, à ces moments-là, que plus rien ne soit sûr et que des procès, en eux-mêmes bien engagés, n'ont été détournés de leur cours que par une intervention extérieure. Il y a dans ce sentiment une sorte de confiance en soi, mais c'est la seule chose qui subsiste. Ces crises — car ce ne peuvent être naturellement que des crises — menacent les avocats surtout quand on leur retire des mains un procès qu'ils ont déjà mené assez loin et de manière satisfaisante. C'est la pire chose qui puisse arriver à un avocat. Ce n'est pas l'accusé qui leur retire son procès; cela ne se produit jamais; un accusé qui a choisi un avocat doit le conserver, quoi qu'il advienne. Comment d'ailleurs pourrait-il subsister seul après s'être fait assister? Cela n'arrive donc jamais, mais il se produit quelquefois que la procédure prenne une tournure telle que l'avocat n'a plus le droit de la poursuivre. Le

procès, l'accusé, tout lui est retiré à la fois ; les meilleures relations ne servent plus à rien, car les fonctionnaires eux-mêmes sont tenus dans l'ignorance. Le procès vient d'entrer dans une phase où on ne peut plus apporter de secours ; il se trouve entre les mains de cours de justice inaccessibles, et l'avocat lui-même ne peut plus entrer en contact avec l'inculpé. Un beau jour, en arrivant chez soi, on découvre sur sa table toutes les requêtes qu'on avait rédigées avec tant de zèle et d'espoir ; elles vous sont renvoyées, parce qu'elles ne peuvent plus servir dans la nouvelle phase du procès. Ce ne sont plus que des chiffons de papier. Cela ne signifie d'ailleurs pas que le procès soit perdu. Il n'y a du moins aucune raison impérieuse d'admettre cette hypothèse ; il se trouve simplement qu'on ne sait plus rien de son procès et qu'on n'en entendra plus jamais parler. De tels cas ne sont heureusement que des exceptions et même si le procès de K. devait jamais être un cas de cette espèce, il était provisoirement encore très éloigné de ce stade. Les avocats avaient encore fort à faire et K. pouvait être sûr

22. pour le moment, de mener les pourparlers préliminaires avec les autorités compétentes, et la chose était déjà faite. Avec un succès variable, il fallait l'avouer. Il valait mieux provisoirement ne pas révéler de détails qui ne pourraient avoir sur K. qu'une mauvaise influence en lui donnant

Page 161.

23. de la même façon, et seule l'évolution ultérieure faisait apparaître la valeur de ces préliminaires. En tout cas

24. regarder l'avocat qui, penché sur sa tasse avec une sorte de convoitise, versait son thé et le buvait, tandis qu'elle laissait K. saisir subrepticement sa main. Il régnait

Page 162.

25. d'un procès d'une importance semblable à celle qu'il prêtait à celui de K. Mais ces relations personnelles avec les fonctionnaires, qu'il faisait toujours valoir, étaient suspectes ; ne les utilisait-il

26. pour obtenir telle évolution du procès, qui serait nuisible

27. de ses services, car il était de leur intérêt de lui conserver

Page 163.

28. Hélas ! leur attitude n'était guère douteuse. C'était déjà un signe que la première requête n'ait toujours pas été envoyée, alors que le procès durait depuis des mois ; on n'en était encore qu'au début, d'après ce que disait l'avocat ; tout cela était propre à endormir l'accusé et à lui lier les mains, pour le surprendre tout à coup par la décision finale ou tout au moins par l'avis que l'enquête

lui était défavorable et que l'affaire était renvoyée devant une instance supérieure.

29. matinée d'hiver où toutes ces idées s'agitaient vainement dans sa tête, que cette conviction s'imposait à lui. Le mépris dans lequel il avait d'abord tenu son procès n'existait plus ; s'il avait été seul au monde il aurait pu le négliger, mais qui lui eût, dans ces conditions, intenté un procès ? Mais maintenant

30. refuser le procès ; il était jeté en plein milieu et il s'agissait de se défendre. S'il était las de se battre, il était perdu. / À vrai dire, rien ne justifiait encore son inquiétude. Il était parvenu à la banque, en un temps relativement court, à une situation élevée ; il avait su

Page 164.

31. de le représenter, et si possible ce soir même ; c'était peut-être, comme cet homme le lui avait dit, une chose inouïe et un geste sans doute très blessant, mais K. ne pouvait pas admettre de se heurter dans son procès à des obstacles peut-être provoqués par son propre avocat. Une fois

32. sous le banc. Lui-même, ou les femmes, ou quelque autre messager, devraient journellement harceler les employés, les contraindre à s'asseoir à leur table de travail et à étudier

33. surveiller parfaitement. Pour une fois, la justice se heurterait à un accusé qui savait défendre son droit. Mais, si K. se faisait fort d'exécuter ce programme,

Page 165.

34. pour essayer d'esquisser le plan d'une requête de ce genre et la remettre éventuellement à son balourd d'avocat,

35. pénible à K., bien que le directeur adjoint n'ait pas ri de la requête, dont il ignorait tout, mais d'une plaisanterie de boursiers qu'on venait de lui raconter ; il fallait un dessin

36. à passer ses longues journées d'oisiveté. Mais maintenant que K. avait besoin de recueillir toutes ses idées pour son travail,

Page 166.

37. Et pourquoi — devaient-ils se demander derrière la porte fermée — pourquoi K., cet employé si sérieux, gaspillait-il

38. d'un ton si manifestement faux que l'industriel

Page 167.

39. une autre banque était prête à de grands sacrifices pour s'en occuper, et se tut enfin pour avoir

40. de l'industriel ; il s'était lui-même intéressé un moment à cette importante affaire mais, hélas ! pas pour longtemps ; il avait rapidement cessé d'écouter

41. de l'industriel — qui, visiblement, s'apprêtait à réfuter toutes les critiques — qu'il fallait

41 bis. pas exacts, peut-être n'avaient-ils qu'une importance secondaire ; quoi qu'il en soit, il posa la main sur les papiers et reprit

Page 168.

42. lui apparut, comme derrière un voile. Il ne réfléchit pas davantage, ne pensant qu'à l'effet immédiat de cette intervention, qui lui parut heureux. En effet, l'industriel, s'étant levé d'un bond, s'était porté à la rencontre du directeur adjoint. Mais K. aurait voulu qu'il fût encore dix fois plus prompt, tant il redoutait que le directeur adjoint ne disparût à nouveau. Sa crainte

43. négociaient au-dessus de sa tête son propre destin ; il leva

44. K. lui lança un regard dépité, mais le directeur

Page 170.

45. la marche de son affaire, mais il pouvait toujours s'en abstraire quand bon lui semblait. Mais maintenant,

46. pas nécessairement qu'il se tînt à l'écart de tout le reste ? Saurait-il supporter cette épreuve ? Et pourrait-il y parvenir à la banque ? Il ne s'agissait

47. la carrière de K. ! / Et c'est dans ces conditions qu'il devait travailler pour la banque ? Il jeta un coup d'œil sur son bureau.

Page 171.

48. N'était-ce pas un supplice approuvé par le tribunal en liaison avec son procès et destiné à en accompagner le déroulement ? Tiendrait-on seulement compte à la banque, pour apprécier son travail, de cette situation particulière ? Jamais de la vie. Son procès n'y était pas complètement ignoré ; mais il était impossible de savoir qui était au courant et ce que chacun en connaissait. On pouvait espérer, en tout cas, que la rumeur n'était pas encore parvenue aux oreilles du directeur adjoint ; sinon, on aurait vu de quelle manière il s'en serait servi contre K., sans la moindre trace d'humanité ni de solidarité entre collègues. Et le directeur ?

49. qui exploitait d'autre part le mauvais état de santé du directeur pour fortifier son propre pouvoir. Que pouvait donc espérer K. ? Peut-être ces réflexions ne faisaient-elles qu'user

Page 172.

50. lui dit alors l'industriel, vous supportez sans doute mal le temps qu'il fait ? Vous avez l'air déprimé. / — Oui,

51. ma communication n'est peut-être pas sans intérêt. » / K. n'avait pas

52. pourrait-il le savoir ? / — Et vous-même ? demanda K.

Page 173.

53. du monde ; mais, une fois que ses visites étaient devenues trop fréquentes, je le lui ai

54. Ce fut alors qu'il me parla du tribunal. Vous êtes

Page 174.

55. façon d'approcher les gens influents. Et quand bien même ses conseils ne seraient pas d'un grand poids, ils pourraient, entre vos mains, prendre de l'importance. Car vous êtes

56. D'ailleurs, ce n'est pas parce que je vous donne ce conseil que vous êtes obligé

Page 175.

57. n'était-il pas possible et même probable qu'il côtoyât d'autres périls sans s'en douter ou qu'il donnât dedans tête baissée ? Il n'aurait pas toujours quelqu'un à ses côtés pour le mettre en garde. Et c'était

Page 176.

58. la banque avait envers eux assez peu d'égards pour leur faire perdre

Page 177.

59. les trois messieurs ; ils formèrent un cercle autour de K.

Page 178.

60. son bureau avec une grosse liasse de papiers qui contenait non seulement la copie du contrat, mais bien d'autres documents aussi.

Page 179.

61. se donner pour quelque temps entièrement à ses problèmes. / Il prit

62. dans un faubourg tout à l'opposé de celui où se trouvaient les bureaux du tribunal. C'était un quartier encore plus pauvre, avec des maisons encore plus sombres et des rues pleines d'une boue qui coulait lentement sur la neige

Page 181.

63. Leurs visages et aussi cette façon de former la haie exprimaient

64. avancer plus vite. / Ils n'étaient pas encore en haut, que le peintre ouvrit grande sa porte et invita K. à entrer, en faisant une profonde révérence. En revanche, il repoussa les gamines et n'en laissa entrer aucune, malgré leurs supplications et malgré les

tentatives qu'elles faisaient pour pénétrer de force, puisqu'elles ne pouvaient le faire avec son autorisation. La petite

Page 182.

65. que tout cela se déroulait dans une sorte de connivence. Les gamines, sur le seuil de la porte, tendirent le cou l'une après l'autre et lancèrent

66. tout en tenant à bout de bras la petite bossue.

67. à la ceinture par une courroie, dont les extrémités pendaient le long de son corps. / « Ces petites horreurs sont une vraie plaie », poursuivit-il

Page 183.

68. c'est la raison qui explique ma tenue et le désordre

Page 184.

69. dit le peintre en jetant la chemise sur le lit, comme il avait fait de la lettre.

70. alors que celui-ci était un pastel aux couleurs pâles et imprécises. Mais tout le reste

Page 185.

71. et la Victoire. / — C'est une combinaison discutable, déclara K. en souriant. La justice doit être immobile, sinon la balance

Page 186.

72. du costume et du fauteuil, le pastel ne convient pas très bien à ce genre de tableau. / — En effet,

73. de parure ou d'emblème. En revanche,

74. autour de la figure de la justice ; elle en prenait

Page 187.

75. Il vaut mieux dire tout de suite la vérité, déclara-t-il. Vous êtes venu pour que je vous parle de la justice, comme il est dit dans votre lettre de recommandation, et vous commencez, pour gagner mes bonnes grâces, par me parler

76. d'exagérer son importance et de se rendre ainsi en quelque sorte inaccessible ; aussi demanda-t-il : / « Est-ce là

Page 188.

77. invitation du peintre lui parut la bienvenue. L'air de la pièce lui était devenu oppressant ; il avait déjà regardé souvent avec étonnement un petit poêle de fonte dans le coin

78. d'autant plus qu'il s'adressait à une personne privée et n'engageait donc aucune

Page 189.

79. qui se disait l'homme de confiance de la justice

80. finit par dénicher une lourde faute là où

81. je n'en sais guère que ce que j'en ai entendu dire, par des personnes, il est vrai, très différentes. Mais j'ai trouvé

Page 190.

82. laid ! » / Des cris d'approbation se firent entendre au milieu d'un tumulte confus. Le peintre

83. — on vit les mains jointes des gamines, tendues vers lui d'un air suppliant — et dit :

84. qu'il voudrait. Il continua à rester immobile, quand Titorelli

Page 191.

85. sur sa sellette et dit, moitié par plaisanterie, moitié en guise d'explication : / « Tout le monde appartient à la justice ! / — Je ne m'en suis pas encore aperçu », fit brièvement K. / Cette réflexion générale enlevait tout caractère inquiétant à la remarque du peintre au sujet

86. sur le plancher). Mais puisque vous êtes innocent, vous n'avez pas besoin de la connaître. Je pourrai vous en tirer tout seul.

87. que la justice est inaccessible aux preuves ? / — Inaccessible seulement aux preuves que l'on soumet au tribunal,

Page 192.

88. dans cet atelier. / Ce que le peintre expliquait maintenant ne semblait plus à K. si invraisemblable : cela ressemblait beaucoup à ce que d'autres lui avaient dit. C'était même très rassurant. Si les juges se laissaient facilement influencer par leurs relations personnelles, ainsi que son avocat le lui avait dit, alors les relations que le peintre entretenait avec ces magistrats vaniteux pouvaient être très importantes ; il ne fallait pas les sous-estimer. Le peintre pouvait prendre rang parmi les auxiliaires que K. réunissait petit à petit autour de lui. / On avait une fois vanté à la banque ses talents d'organisateur. Ici, où il ne pouvait compter que sur lui-même, l'occasion était bonne de les mettre à l'épreuve. Le peintre

89. demanda K., qui voulait gagner la confiance du peintre, avant de l'engager vraiment à son service. / — De la façon la plus simple, répondit le peintre. J'ai hérité de ces relations. C'est toujours une situation héréditaire. On n'a que faire de nouveaux venus dans ce métier. Pour peindre les différents grades, il existe, en effet, des règles si différentes,

90. J'ai par exemple dans ce tiroir les cahiers de mon père, que je ne montre à personne. Seul celui qui connaît ces règles est habilité à faire le portrait des juges. Même si je perdais ce cahier, j'en connais

Page 193.

91. déjà à trouver agaçante cette perpétuelle allusion à son innocence. Il lui semblait parfois que le peintre faisait d'une issue heureuse du procès la condition de sa collaboration, qui devenait par là même inutile. Mais, malgré ses doutes, il ne l'interrompit pas.

92. s'offrait avec plus de candeur et de franchise. / Le peintre

93. réel. Seule décide ici sans doute l'innocence de l'accusé. Puisque

Page 194.

94. de personne. / K. resta d'abord pantois devant cet exposé méthodique, mais il reprit ensuite, à voix aussi basse que le peintre : / « Je crois

95. que la justice était inaccessible aux preuves, puis vous avez restreint la portée de cette affirmation à la justice officielle,

96. s'obtenir par influence personnelle ; c'est votre

97. est acquitté, mais il n'est pas dit qu'on peut influencer les juges. Or, l'expérience m'a montré tout le contraire ;

Page 195.

98. j'ai assisté à d'innombrables procès dans leurs phases décisives ; je les ai suivis aussi loin qu'il est permis et, je dois l'avouer,

99. dit K., comme s'il s'adressait à lui-même et à ses espoirs.

100. n'a-t-on conservé sur les vieux procès que des légendes. Celles-ci parlent presque toujours de véritables acquittements ; rien n'empêche de les croire, mais on ne peut rien prouver. Il ne faut

Page 196.

101. avant d'aborder ce sujet ? Vous devez avoir chaud ? / — C'est vrai, dit K., qui n'avait pris garde jusqu'alors qu'aux explications du peintre, mais qui, dès qu'on lui eut rappelé la chaleur, se mit à transpirer à grosses gouttes. C'est presque

102. respirer même le brouillard à pleins poumons. La sensation d'être ici complètement isolé de l'air libre lui donnait le vertige.

Page 197.

103. devant la porte. Le juge, par exemple, dont je fais le portrait en ce moment, entre toujours par la porte derrière le lit. Je lui ai donné

Page 198.

104. — Ah ! voilà ! » dit K., peu égayé par cette remarque, car, même en manches de chemise, il ne se sentait pas beaucoup mieux

qu'auparavant. / Il demanda d'un ton presque hargneux :
« Comment

105. illimité un effort minime, mais constant. Parlons

106. à l'endroit de K. qui l'obligeait à assumer une pareille
garantie.

Page 199.

107. gagnée, surtout si je vous explique à l'avance la façon dont il
faut vous comporter avec ce juge-là. Ce sera moins facile avec ceux
qui m'évinceront tout de suite, et le cas se présentera. Bien que je
sois décidé à renouveler plusieurs fois la tentative, il nous faudra
renoncer à ceux-là ; nous pourrons le faire, d'ailleurs, car quelques
juges isolés ne suffisent pas à emporter la décision. Quand j'aurai

108. fera certainement par obligeance pour moi et pour quelques
amis, après avoir réglé certaines formalités. Quant à vous, vous
sortez du tribunal et

Page 200.

109. entre parenthèses, nous ne tenons pas à le savoir. Nos juges
n'ont pas le grand privilège de laver l'inculpé d'une accusation, mais
ils ont le privilège de l'en décharger. C'est-à-dire

110. la différence entre l'acquittement véritable et l'acquittement
apparent se traduit extérieurement dans les règlements de justice.
Dans l'acquittement réel, toutes les pièces doivent être mises à
l'écart, elles disparaissent totalement de la procédure ; non seulement l'accusation est anéantie, mais encore le procès et même
l'acquittement : tout est anéanti. Il en va autrement

111. la procédure se poursuit. Le document est acheminé vers les
instances supérieures, ainsi que l'exige la circulation incessante qui
règne dans les bureaux de la justice ; on le renvoie vers les instances
subalternes ; il continue ainsi à faire la navette, avec des oscillations
plus ou moins amples et des arrêts plus ou moins grands. Ces
cheminements sont imprévisibles. À voir la situation

112. sont perdus et que l'acquittement est définitif. Mais les
initiés savent qu'il n'en est rien. Aucun papier ne se perd, la justice
n'oublie jamais. Un beau jour, quand personne ne s'y attend, un
juge quelconque regarde l'acte d'accusation de plus près, s'aperçoit
qu'il est toujours en vigueur et ordonne

Page 201.

113. trouve déjà des préposés qui l'attendent pour l'arrêter à
nouveau. Alors évidemment, c'en est fait de la liberté.

114. apparent ; il faut à nouveau ramasser toutes ses forces et ne
jamais renoncer. » / Peut-être le peintre avait-il dit ces derniers
mots, en voyant K. affaissé sur lui-même. / « Mais, demanda K.

115. révélations que le peintre s'apprêtait à lui faire, le deuxième

116. peut-être que les juges sont prévenus contre l'accusé par la seconde arrestation ? Il n'en est rien. Les juges ont déjà prévu cette seconde arrestation au moment de l'acquittement. Cette circonstance n'intervient donc pas. Mais leur humeur peut avoir changé pour d'innombrables raisons, ainsi que leur appréciation juridique de l'affaire ; il faut donc

117. en général autant d'efforts que le premier. / — Et ce deuxième acquittement n'est cependant pas définitif non plus ? dit K., en faisant lui-même un signe de dénégation. / — Évidemment non, dit le peintre,

Page 202.

118. sur son siège ; la chemise grande ouverte, il avait passé la main par-dessous et se caressait la poitrine et les flancs.

119. il faut aller chez le juge compétent à intervalles réguliers, y retourner en de certaines occasions et chercher par tous les moyens à se conserver ses bonnes grâces ; si on ne le connaît pas soi-même, il faut agir sur lui par l'intermédiaire d'autres juges que l'on connaît sans renoncer pour autant aux entretiens directs. Si on ne néglige

120. aussi sûr d'éviter la condamnation que s'il était en liberté. L'atermoiement illimité présente sur

Page 203.

121. moins incertain ; il est à l'abri de la crainte d'une arrestation subite ; il n'a pas à craindre d'être soudain obligé d'assumer les efforts et les émotions qu'exige toujours la recherche

122. En effet, le procès ne peut être interrompu sans au moins quelques motifs apparents. Aussi faut-il qu'extérieurement le procès continue. On doit donc

123. à l'intérieur du petit cercle dans lequel on l'a artificiellement maintenu. Cela comporte

124. oui », dit K. à qui l'effort qu'il avait fait pour écouter avait donné la migraine. / Malgré

Page 204.

125. réel, dit K. à voix basse, comme s'il était honteux d'avoir reconnu ce détail. / — Vous avez compris l'essentiel de la chose », dit le peintre

126. son veston. Il aurait préféré faire un paquet de tout et sortir dans la rue ; les gamines elles-mêmes ne purent le décider à se rhabiller, bien qu'elles eussent prématurément annoncé à grands cris qu'il était déjà en train de repasser ses vêtements. Le peintre, qui tenait à trouver une interprétation

127. Les avantages et les inconvénients sont subtils. Il faut

Page 205.

128. se glissa sous le lit et demanda d'en dessous : / « Une seconde encore ! Ne voudriez-vous pas voir

129. l'invitation ; il se fit montrer le tableau, bien qu'il brûlât d'impatience de quitter l'atelier. Le peintre

130. sur la première, la poussière tourbillonna un moment devant les yeux de K., qui en eut la respiration coupée.

131. la moindre différence ; c'étaient les mêmes arbres, la même herbe, le même coucher de soleil.

Page 206.

132. dit-il en lui coupant la parole, le garçon de bureau viendra

133. à monter sur le lit ; tous ceux qui viennent ici en font autant. » / Même sans cet encouragement, K. l'aurait fait sans scrupule ;

Page 207.

134. surprendre, de ne pas regarder étourdiment à droite quand le juge vous attendait à gauche ; or, c'était justement cette règle d'or qu'il ne cessait d'enfreindre. / Un long couloir s'étendait devant lui, l'atmosphère y était telle qu'en comparaison l'air de l'atelier semblait rafraîchissant. Des bancs étaient posés de chaque côté,

135. extrémité du couloir. K. grimpa sur le lit, suivi par le peintre qui portait les toiles. Ils ne tardèrent pas à rencontrer un huissier — K. les reconnaissait au bouton doré qu'ils portaient sur leur costume civil au milieu des boutons ordinaires —, le peintre le chargea d'accompagner K. avec les tableaux ; K. titubait

Page 208.

136. débarrassé de l'huissier dont le bouton doré ne cessait de l'éblouir, bien qu'il fût probablement le seul à l'apercevoir. L'huissier voulut pousser l'obligeance jusqu'à monter sur le siège du cocher, mais K. l'en fit partir. Il était midi largement passé, quand la voiture

Chapitre VIII
M. BLOCK LE NÉGOCIANT
K. SE SÉPARE DE SON AVOCAT

Page 208.

1. *En titre :* K. se sépare de son avocat.

2. K. s'était tout de même décidé à retirer sa cause à son avocat.

Page 209.

3. sur ses hésitations. Cette décision avait beaucoup diminué son ardeur au travail ; le jour où il résolut de se rendre chez son avocat, il travailla lentement, dut rester longtemps au bureau et il était déjà dix heures passées

4. très pénible. Finalement, il préféra cependant l'entretien personnel : avec les autres formes de congé, l'avocat, ou bien ne répondrait rien du tout ou bien lui opposerait une formule toute faite,

5. dans ses réactions, même si l'avocat était avare de paroles. Il n'était même pas impossible que K. se laissât convaincre qu'il était préférable de laisser la défense entre ses mains et qu'il revînt sur sa décision.

6. déjà bien beau que les autres habitants de la maison, l'homme en robe de chambre ou quelque autre locataire n'interviennent pas, comme ils avaient coutume de le faire. Tout en poussant

7. « C'est lui », et ouvrit alors tout grand. / K. poussait

Page 210.

8. aussi, quand on ouvrit, se précipita-t-il dans l'antichambre, ce qui lui permit

9. de la main l'habillement sommaire du personnage. « Oh ! excusez-moi, dit l'homme

10. mains croisées. La grosse pelisse qu'il portait lui donnait déjà une supériorité sur ce petit homme maigre. / « Oh ciel ! fit celui-ci, épouvanté en levant la main devant son visage. / — Non, non,

Page 211.

11. il arrêta le négociant en le retenant par ses bretelles :

Page 212.

12. le négociant que K. poussait toujours de la main et dirigeait vers la porte. / Quand ils furent

13. immense et très bien équipée : à lui seul

14. « C'est un homme pitoyable, un pauvre

Page 213.

15. fit-il avec quelque retard. / — Je ne le vois

Page 214.

16. et elle versa le bouillon dans une assiette. « Il y a seulement à craindre qu'il ne s'endorme trop tôt ; il s'endort dès qu'il a fini de manger. / — Ce que je lui

17. Il voulait laisser Leni lui poser des questions la première ; ensuite seulement il lui demanderait conseil. Mais elle

Page 215.

18. K. la suivit des yeux ; il était maintenant tout à fait décidé à donner congé à l'avocat ; il valait mieux qu'il n'en eût rien dit à Leni ; elle ne connaissait pas assez l'ensemble de son affaire et elle le lui eût certainement déconseillé ; peut-être K. se serait-il laissé convaincre une fois encore ; il eût continué à rester dans le doute et dans l'inquiétude, pour se décider quelque temps plus tard à mettre son projet à exécution, car il avait de trop bonnes raisons pour le faire. Plus vite il le réaliserait, plus il éviterait les dégâts. Peut-être le négociant d'ailleurs serait-il de bon conseil. / K. se tourna

19. répondit l'autre. Dans les affaires professionnelles — j'ai un commerce de grains —

Page 217.

20. mais qui reprit un peu confiance après la réflexion de K. Ce n'est pas permis. Il est surtout interdit, quand on s'est engagé avec un avocat proprement dit, de faire appel à des avocats marrons.

21. aujourd'hui, je me contente d'une petite pièce sur la cour où je travaille avec un simple apprenti. Cette régression n'est naturellement pas due seulement au fait que j'ai retiré mon argent, mais plus encore à la diminution

Page 218.

22. où vous y êtes passé. / — Quel hasard ! s'écria K. tout ému et oubliant complètement le ridicule du négociant. Ainsi, vous m'avez vu ! Vous étiez

Page 219.

23. « Vous avez l'air de ne pas encore bien connaître les gens de là-bas et vous risquez de mal me comprendre. Vous ne devez pas oublier qu'au cours de ces longues procédures, on parle souvent de bien des choses pour lesquelles la raison ne suffit plus ; on est tout bonnement trop fatigué et trop distrait ; alors, on se rejette sur la superstition.

Page 220.

24. peu d'intérêts en commun. Si parfois, dans un groupe, on croit en découvrir un, on ne tarde pas à voir qu'on s'est trompé. On ne peut engager aucune action en commun contre le tribunal. Chaque cas est

25. Mais moi j'ai réfléchi d'innombrables fois à ces choses ; elles sont devenues tout évidentes pour moi.

Page 221.

26. n'eût pas aimé la voir revenir, car il avait

27. il était irrité de la voir, bien qu'il fût là, rester si longtemps auprès de l'avocat, beaucoup plus longtemps qu'il n'était nécessaire pour lui donner son bouillon. / « Je me rappelle encore, fit le négociant — et K. lui prêta aussitôt toute son attention —, je me rappelle

Page 222.

28. néglige honteusement. / Si la requête n'est pas encore terminée, cela peut être dû à différents motifs, peut-être très justifiés, dit le négociant. En ce qui concerne les miennes, la suite a montré qu'elles n'avaient

29. et puis des invocations générales au tribunal, ensuite

30. de l'avocat, un éloge dans lequel il s'humiliait devant la justice avec une odieuse servilité, et enfin l'examen de vieux cas d'autrefois qui, paraît-il, ressemblaient au mien.

31. progrès tangibles, il aurait fallu qu'on vît tout cela s'acheminer vers la fin ou du moins progresser régulièrement. Mais, au lieu de cela, il y avait des interrogatoires qui se ressemblaient tous. Je pouvais préparer mes réponses comme une litanie ;

Page 223.

32. que personne ne pouvait avoir d'influence sur la date des débats, qu'il était inimaginable d'essayer, par une requête, de hâter la décision, comme je l'avais souhaité, que cela ne s'était jamais vu et ne pourrait que ruiner ma cause et la sienne en même temps. Je pensais

Page 224.

33. Je n'en sais rien, et il est sans doute tout à fait impossible de les rencontrer. Je ne connais pas un seul cas où l'on puisse affirmer avec certitude qu'ils y aient joué un rôle. Il y a des gens dont ils prennent la défense, mais l'accusé ne peut rien obtenir par sa propre volonté ; ils ne défendent que ceux qu'ils veulent ;

34. l'assistance des autres si odieux et si inutiles qu'on préférerait tout abandonner, rentrer chez soi, se mettre au lit et ne plus entendre parler de rien, ce qui serait

Page 225.

35. le négociant, qui non seulement était petit, mais encore courbait l'échine, obligeait K.

36. cria K., comme pour renvoyer Leni ; la main qu'il tenait toujours posée sur celle du négociant se mit à trembler d'impatience. / — Il a voulu

Page 226.

37. sa maladie. Tu en viens à trouver naturel tout ce que tes amis font pour toi. Enfin, ils le font volontiers, moi du moins. Je ne veux

Page 227.

38. être déjà dans une mauvaise passe, et l'avocat doit avoir encore plaisir à s'en occuper. Cela changera par la suite. / — Oui, oui, dit Leni et elle regarda le négociant en riant. Voyez-moi ce bavard ! Il ne faut pas croire un mot de ce qu'il dit, tu sais, ajouta-t-elle en se tournant vers K. Il est gentil, mais il est surtout bavard.

39. perdu et il faut tout recommencer. C'est pourquoi j'ai permis à Block de coucher ici, car il est déjà arrivé que l'avocat le fasse appeler au milieu de la nuit. Aussi

40. que l'avocat, quand il s'aperçoit que Block est là, revienne sur sa décision de le recevoir. » / K. regarda

Page 228.

41. — C'est Leni qui a bien voulu me la laisser, répondit Block, c'est très commode. » / K. le regarda

Page 229.

42. Je vais de ce pas donner son congé à l'avocat. / — Il va lui donner son congé ! » s'écria

43. le rattrapa. Il avait presque fermé la porte derrière lui, mais Leni la tenait ouverte en mettant le pied contre le battant ; elle saisit K. par le bras et chercha à le ramener en arrière. Mais il lui serra si violemment le poignet qu'elle fut obligée de le lâcher en gémissant. Elle n'osa

44. il regarda K. dans les yeux. K. dit au lieu de s'excuser : / « Je ne vais pas tarder à partir. » / L'avocat, qui n'avait pas prêté attention à cette remarque, se contenta

Page 230.

45. Quand on sait regarder comme il faut, on trouve souvent, en effet, que les accusés sont beaux. C'est un phénomène curieux, qui relève en quelque sorte de l'histoire naturelle. L'accusation ne provoque

Page 231.

46. non plus leur juste châtiment qui les embellit, puisque tous ne sont pas punis ; cela ne peut donc tenir qu'à la procédure elle-même qu'on a engagée contre eux et qui est, en quelque sorte, attachée à leur personne. À vrai dire, si tous sont beaux, certains sont particulièrement beaux. Mais tous sont beaux, même ce misérable

Block. » / Quand l'avocat eut terminé, la décision de K. était devenue inébranlable ; il avait même

47. avec la question, à le distraire et à détourner son attention de l'essentiel, à savoir des progrès qu'il avait fait accomplir à son affaire. L'avocat dut

Page 232.

48. le mot « nous » comme s'il n'avait pas l'intention de rendre sa liberté à K. et comme si, même s'il devait cesser d'être son représentant, il entendait bien rester son conseiller. / « Ce n'est pas une décision précipitée, dit K.

49. pas à en rougir. » / Ces propos sentimentaux du vieillard importunaient K., car ils le contraignaient à de longues explications qu'il aurait préféré éviter, elles le troublaient un peu — il devait bien l'avouer —, sans toutefois remettre en cause sa décision. / « Je vous remercie, dit-il, de vos bons sentiments, je reconnais que vous vous êtes occupé

Page 233.

50. de me représenter et je l'ai fait pour lui complaire. On aurait dû attendre que le procès me parût encore moins pesant, car, si l'on prend un avocat, c'est bien pour se décharger sur lui d'une partie de ses soucis. Mais c'est

51. avec un défenseur, tout semblait organisé pour que quelque chose se produise, j'attendais sans cesse votre intervention avec une impatience toujours plus grande ; mais il ne se passait rien. Vous m'avez

52. me suffire alors que, de jour en jour, le procès prend littéralement davantage possession de moi. » / K. avait écarté

Page 234.

53. s'humiliait devant K. ! Il ne tenait plus aucun compte de l'honneur professionnel, qui devait être cependant particulièrement chatouilleux sur ce point. Et pourquoi agissait-il ainsi ? Il semblait

54. jamais exclure — auprès de ses amis de la justice ? Son attitude ne laissait rien deviner, bien que K. l'observât sans ménagement. On aurait

Page 235.

55. ces travaux sans risquer de manquer à ma clientèle et aux devoirs que j'avais assumés. Mais ma décision de tout faire par moi-même a eu les conséquences qu'elle devait avoir : j'ai dû refuser les demandes de presque tous ceux qui venaient me prier de les représenter et je n'ai pu céder qu'à ceux qui me touchaient de près ; sans aller chercher loin, on trouve pas mal de gens qui sont prêts à se

ruer sur les moindres miettes que je leur abandonne. Je suis tout de même

Page 236.

56. qu'on vous a traité avec trop de nonchalance, avec une apparente nonchalance, s'entend. Je ne parle pas sans raison : il vaut souvent mieux être enchaîné que d'être libre. Je voudrais vous montrer comment on procède avec les autres accusés ; peut-être en tirerez-vous une leçon.

57. à s'instruire. Mais pour se mettre à l'abri de toute éventualité, il demanda encore : / « Vous avez bien noté que je vous retire

Page 237.

58. et avec beaucoup de ménagements. / K. essaya de l'en empêcher en saisissant sa main qu'elle finit par

Page 238.

59. ici ? » demandait-il. / Block s'était déjà avancé dans la chambre ; ce fut comme s'il avait reçu un coup en pleine poitrine, puis un autre dans le dos ; il tituba, s'arrêta en courbant l'échine et déclara :

60. plus le lit ; ses yeux fixaient un coin de la chambre ; il ne les levait que de loin en loin, comme s'il était ébloui par la vue de son interlocuteur. Il ne lui était

61. croire que l'avocat, au lieu d'exaucer le désir de son client, l'avait menacé du bâton, car Block se mit à trembler de tous ses membres. / « Je suis allé

Page 239.

62. Ce n'était pas un geste amoureux, aussi se mit-elle à gémir en cherchant à dégager sa main. / Ce fut Block

Page 240.

63. rappelle le vieux dicton : « Pour un suspect, le mouvement vaut mieux que le repos », car celui qui se repose peut toujours, sans le savoir, se trouver sur un plateau de la balance et être pesé avec tous ses péchés. » / K. ne dit rien ; il restait là, tout étonné, devant cet égaré. Que de changements s'étaient produits en moins d'une heure ! Était-ce le procès qui le ballottait ainsi de droite et de gauche, au point qu'il ne distinguait plus amis et ennemis ? Ne voyait-il

64. ou s'il craignait Me Huld au point que sa clairvoyance ne lui servait plus à rien, comment pouvait-il rester assez malin ou assez hardi pour tromper son avocat et lui dissimuler qu'il avait engagé d'autres confrères en dehors de lui ? Et comment

65. dangereux secret ? Mais ce risque ne lui suffisait pas encore ; il se dirigea vers le lit de l'avocat et se mit à se plaindre de K. :

Page 241.

66. immédiatement, par des gestes pressants mais muets, de s'entremettre

67. se pencha sur lui ; on aperçut les belles formes de son corps, tandis qu'elle s'inclinait sur le visage de l'avocat et lui caressait ses longs

Page 242.

68. Un vieux négociant, un homme avec une grande barbe, suppliait une jeune fille de plaider pour lui. Quelles que fussent ses arrière-pensées, rien ne pouvait le justifier aux yeux de ses semblables. [K. ne comprenait pas

69. à elle seule aurait suffi ;] elle était dégradante, même pour le spectateur. C'est donc à cela qu'aboutissait la méthode de l'avocat —, à laquelle K. fort heureusement n'était pas resté longtemps exposé ; le client finissait par oublier le monde et n'espérait plus rien que de se traîner jusqu'à la fin de son procès sur ces chemins abjects. Ce n'était

70. lui avait commandé de ramper sous le lit comme dans une niche et de se mettre à aboyer, il l'aurait fait avec joie. / Comme s'il avait reçu la mission d'enregistrer exactement ce qui se disait ici pour en référer en haut lieu. K. écoutait tout, comme un arbitre ou un juge. / « Qu'a-t-il fait

Page 243.

71. que j'ai regardé, il poussait des soupirs, comme si cette lecture lui donnait beaucoup de mal. Les écrits

Page 244.

72. raconter de lui quelque chose de glorieux, qui dût faire impression sur K. Il semblait avoir repris espoir ; ses mouvements dénonçaient plus d'aisance ; il se remuait un peu sur ses genoux. On le vit plus nettement encore quand l'avocat reprit la parole. / « Tu fais sa louange, disait l'avocat, et c'est bien cela qui m'empêche de parler. Car le juge

73. que le juge avait pourtant prononcées beaucoup plus tôt. / « Non,

74. vilaines manières, et il est sale ; mais, du point du vue de son procès, il est irréprochable. En disant irréprochable, j'exagérais exprès. Mais il m'a répondu : Block n'est qu'un malin.

Page 245.

75. un peu détaillée. Il regardait d'un œil les moitié dans le vide,

76. Que veux-tu donc ? Tu vis encore. Tu restes sous ma

protection. À quoi bon cette peur absurde ? Tu as lu, je ne sais où, que le jugement final intervenait dans bien des cas à l'improviste, formulé par le premier venu, au moment où on s'y attend le moins. À de nombreuses réserves près,

77. s'accumulent dans une procédure au point de devenir inextricables. Ce juge,

Chapitre IX
À LA CATHÉDRALE

Page 246.

1. K. reçut la mission de montrer quelques monuments artistiques à un Italien, un important client de la banque, qui venait

2. qu'autrefois. Bien des heures se passaient pour lui à faire à peine semblant de travailler ; son inquiétude.

Page 247.

3. pur effet du hasard — on pouvait toujours imaginer, si flatteuse que pût être cette mission, qu'on cherchait seulement à l'éloigner afin de contrôler son travail ou tout au moins qu'on estimait pouvoir facilement se passer de lui. Il aurait d'ailleurs pu sans grande difficulté refuser ces missions, mais n'osait pas, car, même si ses craintes étaient fondées, un refus eût signifié qu'il reconnaissait avoir peur. Aussi se donnait-il

4. À la veille d'un voyage fatigant, qui devait durer deux jours, il avait même dissimulé une grosse grippe pour ne pas risquer d'être remplacé. Et c'est lorsqu'il était revenu de ce voyage avec de violents maux de tête qu'on lui avait dit qu'il était désigné pour accompagner le client italien.

5. que par des succès dans son travail ; s'il n'y parvenait pas, tout le reste était sans importance, même si, contre toute attente, il devait faire la conquête de cet Italien ; il ne voulait pas être éloigné un seul jour de son lieu de travail, car sa crainte de n'être plus repris était trop grande ; il reconnaissait fort bien que cette crainte était exagérée, mais elle l'angoissait malgré tout.

6. sa connaissance de l'italien était suffisante ; et surtout on savait à la banque que K. possédait quelques notions d'histoire de l'art, dont, à vrai dire, on exagérait beaucoup l'importance, mais il avait été un moment, surtout d'ailleurs pour des raisons d'affaire, membre du comité

Page 248.

7. pour l'escorter. / Il faisait un temps de pluie et d'orage lorsque K., ce matin-là, arriva au bureau, agacé de la journée

8. un peu de travail avant que son visiteur ne lui prenne tout son temps. Il se trouvait

9. qu'en pleine nuit. Le garçon avait sans doute voulu le prier également de se rendre au salon, mais il n'avait trouvé personne. / Lorsque K.

Page 249.

10. presque tenté de s'approcher pour respirer l'odeur de plus près. Quand ils furent

11. la plupart du temps il parlait d'abondance et secouait la tête, comme s'il se réjouissait de la rapidité de son débit. Quand il parlait à cette vitesse, il mêlait régulièrement à son langage un dialecte qui n'avait

12. et il se contenta de l'observer d'un air maussade ; il était installé profondément, mais avec aisance, dans son fauteuil, en tiraillant fréquemment son petit veston collant et en essayant une fois, en levant les bras et en agitant ses mains aux poignets souples, de représenter

Page 250.

13. Finalement K., qui restait là inoccupé à suivre machinalement des yeux les péripéties du discours de l'Italien, se sentit repris par la fatigue et, à son grand effroi, il se surprit assez distrait pour être sur le point de se lever, de tourner le dos et de s'en aller ; heureusement il se ressaisit juste à temps. Mais l'Italien,

14. Le directeur, qui devait lire dans les yeux de K. la détresse où le plongeait ce langage incompréhensible, se mêla alors à la conversation avec tant de finesse et de délicatesse qu'il eut l'air de ne donner que de rapides conseils, alors qu'en réalité il résumait brièvement à K.

15. affaires à régler, qu'il disposait d'ailleurs de peu de temps et que, plutôt que de voir à la hâte toutes les curiosités de la ville, il préférait — si du moins K. était de cet avis, la décision lui appartenait — s'en tenir à la cathédrale, qu'il souhaitait visiter à fond.

16. qu'érudit — c'était K. qu'il désignait ainsi, lequel essayait seulement de ne pas l'écouter

17. des deux hommes ; il leur tournait déjà le dos à moitié, mais

18. s'excuser auprès de lui ; ils étaient debout à côté l'un de l'autre comme des intimes et le directeur lui dit qu'il avait eu

Page 251.

19. pas très bien au début, il ne devait pas s'en effaroucher, il ne tarderait

20. d'affaire. Sur quoi le directeur prit congé de K. Celui-ci passa

21. avait besoin pour guider l'étranger dans la cathédrale.

22. mais ne repartaient pas avant qu'on leur ait répondu ; quant au

Page 253.

23. Le directeur se serait-il trompé sur l'heure ? Il faut dire que cet homme-là n'était pas facile à comprendre. De toute façon, K. était obligé d'attendre une bonne demi-heure.

Page 254.

24. d'explorer quelques tableaux centimètre par centimètre avec la lampe de poche de K.

25. deux croix dorées en métal creux qui se touchaient

Page 255.

26. semblaient être retenues prisonnières dans la pierre ; K. mit sa main dans l'un des creux et la promena avec précaution ; il ne s'était

27. sur son cheval. / « Un vieillard retombé en enfance ! pensa K., il lui reste tout juste assez de bon sens pour assurer le service

Page 257.

28. Avait-il voulu diriger K. vers le prédicateur, ce qui en effet n'était pas inutile, dans une église aussi déserte ? Mais n'y avait-il pas aussi, devant une statue de la Vierge, une vieille femme, qui aurait dû venir également ? et, s'il devait y avoir un sermon, pourquoi n'entendait-on pas les orgues ? Mais les orgues restaient silencieuses et elles étaient placées si haut qu'elles ne brillaient qu'à peine au milieu des ténèbres. / K. se demanda

29. pas maintenant il n'avait aucune chance de le faire pendant le sermon ; il serait obligé de rester jusqu'à la fin, et ce serait beaucoup de temps perdu pour le bureau ; il ne se sentait plus tenu d'attendre

30. onze heures. Mais allait-on vraiment prêcher ? K. pouvait-il représenter à lui seul toute la communauté ? Et s'il n'était qu'un touriste de passage, qui voulait visiter l'église ? Au fond, il n'était pas autre chose. Il était absurde de penser qu'on allait prêcher maintenant, un jour de semaine, à onze heures, par ce temps abominable. L'abbé —

Page 258.

31. K. avait reculé d'un grand pas ; il appuyait les coudes sur le premier banc. Il vit confusément, quelque part dans l'église, le bedeau

32. dans cette cathédrale ! Mais K. allait le troubler ; il n'avait

33. et que les voûtes répercutaient faiblement mais de manière

ininterrompue le bruit de sa marche en multiples échos. / Il se
sentait

34. sur le point de s'éloigner des rangées de bancs

35. puissante, exercée à la parole. Comme elle

Page 259.

36. et s'échapper par les trois petites portes de bois sombre, à
quelques pas de lui.

37. Si le prêtre l'avait appelé une seconde fois, K. serait

38. Comme tout maintenant se passait franchement, il se dirigea
à grands pas vers la chaire — à la fois par curiosité et pour abréger
l'aventure. Il s'arrêta

39. Depuis quelque temps, il lui en coûtait de le prononcer ; et
maintenant, des gens qu'il rencontrait pour la première fois
connaissaient son nom.

Page 260.

40. si violemment qu'il s'ouvrit en tombant et que ses pages
froissées traînèrent un moment sur le sol.

Page 261.

41. pas d'un seul coup ; c'est la procédure qui se change peu à peu
en verdict. / — C'est donc ainsi, dit K.

42. Ne t'aperçois-tu pas que le vrai secours n'est pas là ? /
— Parfois, dit K.,

Page 265.

43. Avant sa mort, toutes les expériences qu'il a faites se pressent
dans sa tête et se réunissent en une question

44. Le gardien doit se pencher très bas vers lui, car leur différence
de taille s'est beaucoup modifiée au détriment de l'homme. « Que
veux-tu

45. pour atteindre son oreille, qui est devenue faible, il se met à
hurler : « Personne

46. évident, dit K., et ta première interprétation était exacte. Le
gardien n'a révélé l'essentiel que quand cela ne pouvait plus servir à
rien. / — Il n'avait pas

Page 266.

47. un caractère méticuleux, le grand nez pointu et la barbe noire
à la tartare, longue et rare. Peut-on trouver

Page 267.

48. ait pu outrepasser son devoir en faisant allusion à une
possibilité future. On ne saurait nier en effet que ce portier ne soit un

peu simple d'esprit et — ce qui en découle dans une certaine mesure — un peu vaniteux. Même si ses déclarations au sujet de sa puissance et de celle des autres gardiens, dont il dit qu'il ne pourrait lui-même soutenir la vue, peuvent être exactes, le ton

49. d'admettre que cette présomption et cette naïveté, même si elles ne se manifestent que d'une manière tout à fait anodine, diminuent l'efficacité de la surveillance ; ce sont des défauts dans le caractère

50. comme aussi les petits interrogatoires auxquels il se livre, les présents qu'il accepte et l'élégance avec laquelle il permet à l'homme de maudire le hasard malheureux qui a placé le gardien à son côté. Tous les gardiens n'auraient pas agi ainsi. Et finalement ne se penche-t-il pas vers l'homme

Page 269.

51. de la Loi, il sert seulement pour cette unique entrée, donc uniquement pour cet homme, auquel cette entrée

Page 270.

52. le gardien a dû attendre longtemps avant que ne se réalise le rôle qui lui était destiné ; il a dû attendre jusqu'à ce qu'il plaise à l'homme de venir, puisque celui-ci est venu librement. Même la fin de son service est déterminée par la mort de l'homme ; il lui reste donc

Page 271.

53. s'il est trompé, son illusion doit nécessairement se transmettre à l'homme. Le gardien

54. inférieur à l'homme. Être lié par son service, ne serait-ce qu'à l'entrée de la Loi, vaut incomparablement mieux que de vivre libre dans le monde. L'homme s'achemine seulement vers la Loi, le gardien s'y trouve déjà. Il est au service de la Loi ; douter de la dignité

55. dit K. Le mensonge devient l'ordre du monde. »

Page 272.

56. Il était trop las pour embrasser du regard toutes les conséquences de cette histoire, et elle entraînait sa pensée sur des voies inaccoutumées ; c'étaient des choses irréelles, mieux faites pour servir de sujet de conversation aux gens de justice que pour lui.

57. l'oublier ; et l'abbé, qui le traitait maintenant avec beaucoup de ménagements, le laissa faire ; il accepta sa réflexion sans mot dire, bien qu'elle ne s'accordât certainement pas avec

58. un moment à marcher en silence ; K. se tenait au côté de l'abbé, sans savoir où il se trouvait. La lampe

59. d'un saint ; mais l'éclat de l'argent ne tarda pas à se perdre à nouveau dans l'ombre. Afin de ne pas s'en remettre entièrement à l'abbé,

Page 273.

60. rapprochant de lui. / Son retour à la banque n'était plus aussi urgent qu'il l'avait dit ;

Chapitre X
[FIN]

Page 273.

1. du soir, à l'heure où les rues sont silencieuses — deux messieurs
2. pâles et gras, avec des hauts-de-forme qui semblaient vissés sur leur tête. Il y eut quelques formalités à la porte de l'appartement, chacun voulant laisser passer l'autre le premier ; les mêmes formalités reprirent de plus belle devant

Page 274.

3. dans l'attitude de quelqu'un qui attend des invités et enfilait lentement des gants
4. Les messieurs firent signe que oui ; chacun tenant son haut-de-forme à la main désignait l'autre de la tête. K. dut s'avouer qu'il s'attendait à une autre visite. Il se dirigea
5. l'un des messieurs, en soulevant les commissures des lèvres : il semblait demander conseil à l'autre. / L'autre se comporta
6. voulurent le saisir par les bras, mais il leur dit : / « Dans la rue seulement, je ne suis

Page 275.

7. marchait entre eux tendu de tout son long ; ils formaient maintenant à eux trois un tel ensemble qu'on n'aurait pu écraser l'un d'entre eux sans écraser les deux autres. C'était un ensemble homogène, qu'on ne peut guère obtenir qu'avec
8. reprises, bien que ce fût assez difficile à cause de la proximité, de voir ses compagnons mieux qu'il n'avait pu le faire dans la pénombre

Page 276.

9. Bürstner. Il comprit aussitôt l'inutilité
10. J'ai toujours voulu agir sur le monde comme si j'avais vingt bras et, en outre, dans un dessein

Page 277.

11. mouvements. Quand il fit mine de se tourner vers le parapet, ils se mirent en ligne aussitôt en face de la rivière.

12. si le sergent de ville ne les suivit pas ; mais dès qu'ils eurent tourné un coin de rue, il se mit à courir et les messieurs furent obligés d'en faire autant, bien qu'ils fussent très essoufflés. / Ils arrivèrent

Page 278.

13. politesses pour décider lequel d'entre eux devait se charger des premières opérations — les messieurs

14. comme des objets dont on pourra encore avoir besoin dans un avenir indéterminé. Pour ne pas

15. une pierre détachée se trouvait là. Les messieurs assirent K. sur le sol, l'appuyèrent contre la pierre

*Chapitres inachevés
ou marginaux*

LE PROCUREUR

Page 282.

1. le procureur Hasterer surtout, qui était ordinairement assis à côté de K., aimait à faire rougir ces jeunes gens. Dès qu'il étalait sur la table, les cinq doigts écartés, sa grande main velue et qu'il se tournait vers le bout de la table, tout le monde dressait l'oreille. Et quand un des clercs essayait de répondre, ou bien il n'avait pas compris le sens de la question, ou bien il gardait les yeux baissés sur son verre de bière, ou bien, au lieu de parler, il restait là, la bouche ouverte, ou bien — et c'était le pire — il défendait une opinion inexacte ou non admise dans un flot irrésistible de paroles, alors les vieux messieurs se retournaient sur leurs sièges en souriant et semblaient éprouver un sentiment de bien-être. Eux seuls avaient le monopole des conversations sérieuses et professionnelles. / K. avait été

2. considérés et, en un certain sens, puissants, dont la distraction consistait à se donner beaucoup de mal pour résoudre des problèmes qui n'avaient que des rapports lointains avec l'existence ordinaire. S'il ne pouvait lui-même que rarement intervenir, il trouvait là la possibilité

3. Il ne tarda pas à être tenu pour un homme expert en affaires et son opinion en ces matières passait, parfois non sans quelque ironie, pour irréfutable. Il n'était pas rare, quand deux personnes jugeaient

différemment d'un point de droit commercial, qu'on lui demandât son avis sur la question, et son nom revenait dans les arguments des uns et des autres, même quand la discussion prenait un tour abstrait, que K. ne pouvait plus comprendre. À vrai dire,

Page 283.

4. conseil qui ne tarda pas à se lier avec lui d'amitié.

5. ils finirent pas être si liés qu'on oubliait toute différence

6. mais K., son sens pratique se laissait rarement prendre en défaut, car il s'appuyait sur une expérience directe qu'il est difficile d'acquérir du haut du tribunal. / Cette amitié

7. si le droit qu'avait K. de figurer ici avait dû un jour être mis en doute, il aurait pu hautement se réclamer d'Hasterer.

Page 284.

8. ne pouvait convaincre l'adversaire, il s'arrangeait pour l'épouvanter. L'adversaire semblait oublier qu'il était là au milieu de collègues, de bons amis, qu'il ne s'agissait que de théorie et que, de toute façon, il ne pouvait rien lui arriver; il restait coi; hocher la tête était déjà une marque de courage. C'était un pénible spectacle, quand l'adversaire était assis très loin et que Hasterer comprenait qu'à cette distance il serait impossible de se mettre d'accord; il repoussait son assiette pleine et se levait lentement pour marcher à sa rencontre. Ses voisins, dans ces occasions, se penchaient en arrière pour observer ses traits. Ces incidents étaient relativement rares. Il ne s'enflammait guère d'ailleurs qu'à propos de questions juridiques et surtout à propos de celles qui touchaient des procès qu'il avait lui-même dirigés ou qu'il dirigeait à ce moment-là. S'il s'agissait d'un autre sujet, il était calme et amical, son rire aimable, et ses seules passions étaient le boire et le manger. Il arrivait même qu'il ne participât pas à la conversation générale, se tournât vers K.,

Page 285.

9. toutes les nuances de la hiérarchie et traiter chacun de ces messieurs selon son rang. À vrai dire, Hasterer ne cessait de lui enseigner ces nuances, et c'était le seul code que lui-même ne violât jamais dans l'emportement des pires disputes. Il ne tenait jamais aux jeunes gens du bas bout — qui étaient encore presque sans grade — que des propos d'ordre général, comme s'il ne s'agissait pas d'individus, mais d'un bloc

10. et continuait évidemment à la tenir quand K. quittait la salle à la suite d'Hasterer. Les premiers temps, K. accompagnait Hasterer un bout de chemin ou Hasterer l'accompagnait, mais

11. à lire un roman-feuilleton, sans s'occuper de la conversation des messieurs. C'était seulement quand il se faisait tard qu'elle

s'étirait, se mettait à bâiller et, quand elle ne pouvait attirer autrement l'attention, lançait sur Hasterer un des fascicules qu'elle était en train de lire. Hasterer se levait

Page 286.

12. Hasterer jaloux, en témoignant à K. une préférence marquée. C'était par détresse et non par malice qu'elle s'appuyait sur la table en dévoilant un dos gras et dodu et qu'elle rapprochait

13. d'affaires, fit à K. la remarque qu'il croyait l'avoir rencontré la veille au soir. Sauf erreur, K. se promenait

14. si curieux qu'il désigna même — cela correspondait d'ailleurs à sa précision habituelle — l'église à côté de laquelle,

Page 287.

15. bureau du directeur. Sans doute était-ce un bon moyen pour s'attacher, grâce à un sacrifice de deux minutes, de précieux employés pour des années entières. Mais, dans ces moments-là, K. était subjugué par le directeur.

16. manifestation d'une sollicitude ou si, en de tels instants, la simple possibilité d'une sollicitude de ce genre n'eût suffi à l'envoûter. Il reconnaissait

POUR L'ÉPISODE ELSA
[ELSA]

Page 288.

1. tentative. Qu'il agisse à sa guise, mais qu'il sache bien que la haute-cour ne pouvait accepter qu'on se moque d'elle. / [Or,] K. avait

2. se justifier ainsi de ne pas comparaître, encore qu'il ne pût pas faire état de cette justification, et qu'il se fût

Page 289.

3. il regardait autour de lui l'animation de la rue. Il se disait avec satisfaction que le tribunal

[LA SOIRÉE AU THÉÂTRE]

Page 290.

1. ma tante si je suis obligé dans peu de temps de te demander de revenir à la ville. / — Ton affaire,

COMBAT AVEC LE DIRECTEUR ADJOINT
[CONFLIT AVEC LE DIRECTEUR ADJOINT]

Page 291.

1. l'œil ne pouvait embrasser

2. qu'ensuite on pourrait arracher le tout et le mettre aisément en pièces. Cet état inhabituel l'incita même à inviter

3. plusieur mois. / Il arriva, aussi tranquillement qu'aux temps anciens de leur rivalité quotidienne,

4. sur le ton de la camaraderie ; et la seule chose qui troubla K. — mais fallait-il nécessairement y découvrir une intention ? — fut que rien ne pouvait détourner son attention de l'essentiel des problèmes, qu'il se montrait tout à fait disponible pour aller jusqu'au fond des questions, alors que les pensées de K., devant ce modèle de conscience professionnelle, se mirent

Page 292.

5. au directeur adjoint. Un moment, les choses s'aggravèrent au point que K. aperçut seulement que le directeur adjoint venait brusquement de se lever et de retourner à son bureau sans mot dire. Il ne savait pas ce qui était arrivé ;

6. lui en eût fait prendre une et qu'il

7. nuire à K. / On ne revint d'ailleurs pas sur l'incident ; K. ne tenait pas à en évoquer le souvenir et le directeur adjoint n'en souffla mot. Il ne semblait pas que l'affaire eût entraîné des conséquences. K., en tout cas, n'avait pas été intimidé par cet incident ;

8 Il n'espérait plus qu'un succès rapide et décisif pourrait le délivrer d'un seul coup de tous ses soucis et rétablir leurs relations

Page 293.

9. il risquait de ne plus pouvoir repartir en avant. Il ne fallait pas que le directeur adjoint pût croire que K. était anéanti ; le directeur adjoint ne devait pas rester tranquillement dans son bureau avec cette conviction ; il fallair aller le tarabuster. Il fallait lui rappeler le plus souvent possible que K. était toujours en vie et que, comme toute personne vivante, il pouvait resurgir un jour ou l'autre avec de nouvelles forces, même s'il paraissait inoffensif pour le moment. K. se disait bien parfois qu'avec cette méthode il ne cherchait qu'à sauver l'honneur, car il ne pouvait espérer aucun bénéfice à s'opposer

10. son attitude ; il se faisait des illusions sur lui-même ; il pensait que le moment était venu pour lui de se mesurer

Page 294.

11. comme toujours, avec promptitude et presque sans réfléchir, comme un élève modèle qui répond avant qu'on ait fini de poser la question. K., cette fois-là, se montra de force à faire face ; il le réfuta plusieurs fois avec succès ; mais la pensée des maux de tête du directeur adjoint ne cessait de le gêner, comme s'ils eussent été pour le directeur adjoint non un handicap, mais une supériorité. Comme il supportait ces souffrances, comme il savait les dominer ! Il lui arrivait

12. que d'habitude, d'apporter à la banque quelques innovations dont le maintien réclamerait ensuite des soins

Page 295.

13. encastrée et cherchait à y remédier, en tapotant sur la balustrade avec l'index. K. fit mine d'interrompre son rapport, mais le directeur adjoint le pria de continuer, car il avait, disait-il, tout entendu et tout compris. Mais, tandis que K. ne pouvait lui arracher aucune remarque technique, la balustrade, en revanche, semblait exiger de sa part des mesures

14. dans son rapport une proposition toute nouvelle, dont il se promettait beaucoup d'effet sur le directeur adjoint, et lorsqu'il en arriva à ce point de sa lecture, il ne put pas s'arrêter, tant il était pris par son rapport ou plutôt tant il était heureux de retrouver le sentiment, devenu rare pour lui, de représenter encore quelque chose à la banque et d'avoir dans sa pensée assez de force pour le justifier. Peut-être même cette façon de plaider pour lui-même était-elle

Page 296.

15. même si elle en avait un, il était en ce moment plus important et aussi plus convenable d'écouter que de procéder à des réparations. Mais, comme il arrive aux gens de tempérament vif dont le travail est seulement intellectuel, cet ouvrage

16. ne réussit pas. K., dans sa lecture entrecoupée de commentaires, n'avait que vaguement aperçu que le directeur adjoint venait de se lever.

17. il avait pensé que ce mouvement devait avoir quelque rapport avec son texte et il s'était levé à son tour, en mettant un doigt sous un chiffre et en tendant le papier au directeur adjoint. Mais celui-ci venait

18. mais l'une d'elles se brisa dans la violence du choc,

19. à un endroit. / « Ce bois ne vaut rien », dit le directeur adjoint avec irritation.

LA MAISON

Page 297.

1. avec le sourire qu'il réservait toujours aux projets secrets,
qu'on ne soumettait pas à son appréciation, en expliquant que ce
n'était qu'un organe de transmission et l'instance la moins importante de la Haute-Chambre des mises en accusation, à laquelle les
parties n'avaient jamais accès. Si donc on désirait obtenir quelque
chose de cette Chambre des mises en accusation — on avait toujours
mille choses à désirer, mais il n'était pas toujours sage de les
exprimer — , il fallait s'adresser, bien entendu, au service subalterne
en question, mais on ne parviendrait jamais soi-même jusqu'à la
Chambre d'accusation et on ne pourrait jamais y acheminer sa
demande. / K. connaissait

Page 298.

2. Il eut l'impression, qu'il avait eue déjà ces derniers temps, que
Titorelli ne le cédait en rien à l'avocat en fait de tracasserie. La seule
différence était que K. dépendait moins de lui et qu'il aurait pu se
débarrasser de lui s'il en avait eu envie ; d'autre part, Titorelli était
extrêmement loquace et même bavard, encore qu'il l'eût été
davantage les premiers temps ; enfin K. était en mesure de
tourmenter Titorelli à son tour. / C'est ce qu'il fit en cette occasion ;
il parlait de la maison comme s'il en savait beaucoup plus long,
comme s'il avait déjà noué des relations avec ce service, mais pas
assez cependant pour qu'on puisse les évoquer sans danger ; puis, si
Titorelli essayait d'en apprendre davantage, il détournait la conversation et n'y revenait plus pendant longtemps. Ces petits succès lui
faisaient plaisir ; il avait l'impression de mieux comprendre maintenant ces gens de l'entourage de la justice, de pouvoir déjà jouer avec
eux, de s'insinuer presque parmi eux, d'avoir acquis, pour quelques
instants du moins, ce point de vue supérieur que leur donnait en
quelque sorte leur position sur la première marche de l'escalier de la
justice. Que lui importait, au bout du compte, qu'il perdît sa place
ici-bas ? Il restait là-haut une autre possibilité de salut ; il lui suffisait
de se glisser parmi eux ; s'ils n'avaient pas pu l'aider dans son procès
à cause de leur peu d'importance ou pour toute autre raison, ils
pouvaient du moins l'accueillir et le cacher ; ils ne pourraient même
pas s'empêcher, si K. agissait avec assez de discernement et de
discrétion, de lui venir en aide de cette manière, Titorelli surtout,
dont il était devenu un intime et un bienfaiteur. / K. ne se nourrissait
pas chaque jour de tels espoirs ; en général, il gardait son discernement et se gardait

3. encouragement dans les incidents les plus minimes et d'ailleurs les plus équivoques de la journée. Il était généralement couché sur le divan

4. une heure sur le divan — il alignait ses observations par la pensée. Il ne les

Page 299.

5. d'un tribunal ; même les plus stupides avaient le menton sur la poitrine, les lèvres retroussées et le regard fixe des gens qui se sentent responsables. Les locataires de Mme Grubach se présentaient sans cesse sous ses yeux : un groupe compact, tête contre tête et la bouche grande ouverte, comme un chœur d'accusateurs. Il y avait beaucoup d'inconnus parmi eux, car il y avait déjà

6. de tous ces inconnus il éprouvait une sorte de malaise à s'occuper de ce groupe de gens, mais il était pourtant obligé de le faire quand il cherchait Mlle Bürstner. Il promenait son regard sur eux et voyait soudain

7. son attention. Il ne trouvait pas Mlle Bürstner, mais quand il essayait à nouveau pour éviter toute erreur, il la trouvait au beau milieu du groupe, les bras passés derrière deux messieurs qui se tenaient à ses côtés. Cela lui faisait très peu d'impression, d'autant que cette image n'avait rien de neuf pour lui : ce n'était que le souvenir indélébile d'une photo sur la plage

8. Mlle Bürstner. Ce spectacle malgré tout éloignait K. du groupe et, avant de revenir vers lui, il se mettait à parcourir

Page 300.

9. avec cet homme. K. comprenait que, si la percée était possible, c'était ici et nulle part ailleurs. Il ne se laissa pas troubler par le rire

Page 301.

10. K. se leva ; il sentait naturellement la solennité de cet instant ; mais Titorelli ne voulait plus de solennité ; il lui passa le bras derrière le dos et l'entraîna en courant. En un instant, ils furent au tribunal ; ils escaladèrent l'escalier, ils ne montaient pas, ils volaient en tous sens, sans effort, légers comme un esquif

11. et tout à coup une cataracte éblouissante de lumière surgit devant lui. K. leva les yeux, Titorelli lui adressa un signe de tête et lui fit faire demi-tour. K. se retrouva

12. trouva en tas ses anciens vêtements, sa jaquette noire, son pantalon aux raies strictes et par-dessus, sa chemise, dont les manches tremblaient.

VISITE DE K. À SA MÈRE

Page 302.

1. ce jour-là auprès d'elle. Mais il venait de manquer deux fois de suite à cette promesse. Cette fois, au lieu d'attendre l'anniversaire, qui n'était pourtant éloigné que d'une quinzaine de jours, il décida de partir tout de suite. Il se disait bien qu'il n'avait pas de raison particulière ; au contraire, les nouvelles qu'il recevait régulièrement tous les deux mois d'un cousin qui tenait un commerce dans cette petite ville et qui administrait l'argent que K. envoyait à sa mère, étaient plus rassurantes que jamais. La vue de sa mère était bien près

2. Cela tenait peut-être, selon le cousin, au fait que, dans les dernières années — K. en avait déjà observé avec déplaisir les premiers signes à sa dernière visite — elle était devenue d'une très grande piété. Le cousin avait vivement décrit dans une lettre comment cette vieille femme, qui ne faisait jusqu'alors que se traîner péniblement, sortait maintenant bravement à son bras

Page 303.

3. il avait constaté récemment chez lui, parmi d'autres symptômes désagréables, une humeur maussade, une tendance irrésistible à céder à tous ses désirs : pour une fois, cette mauvaise habitude servirait une bonne cause. / Il s'approcha

4. de son absence, en s'irritant à peine, cette fois, de le voir, avec sa grossièreté habituelle, écouter

5. avait à faire et n'acceptait ses instructions que comme une sorte de cérémonie ; et pour finir

Page 304.

6. remplies d'invitations pressantes de la part de sa mère, mais

7. des doutes que des tiers eussent cherché à lui inspirer, il sortit soudain de sa rêverie, confirmé dans son intention

8. dans son bureau ; il évinça le directeur adjoint, qui était venu se renseigner sur la cause de ce voyage, en lui adressant à peine la parole, et, dès qu'il fut

9. commencée, à propos de laquelle il désirait sans doute des instructions. K. lui fit de la main signe de s'en aller, mais Kullich, avec sa lenteur d'esprit habituelle, se méprit sur le sens de ce signe ; on le vit descendre l'escalier quatre à quatre avec sa grosse tête blonde, et se précipiter derrière K. en brandissant son papier. K. en conçut

Page 305.

10. depuis des années. Il ne baisserait pas dans son estime, malgré tous les dommages que sa réputation avait déjà soufferts.

11. d'un employé qui entretenait des relations avec la justice, et la déchirer sans avoir à s'excuser et sans se brûler les doigts. / ... À vrai dire,

12. pâles de Kullich. D'un autre côté, il vaut naturellement mieux que K. ne l'ait pas fait, car K. déteste Kullich,

13. Ce sont des employés de bas niveau et d'une totale médiocrité ; ils n'avanceront

Page 306.

14. devait intervenir en leur faveur ; mais, par exception, le directeur adjoint, dans ce cas-là, veut bien tout ce que veut K.

UN RÊVE

Page 306.

1. des allées aux formes compliquées et qui serpentaient bizarrement, mais il se mit à glisser sur l'une d'elles, comme sur un courant rapide, en planant dans un équilibre

Page 308.

2. plus aussi belle, l'or surtout semblait manquer, le trait était pâle et incertain mais la lettre que l'artiste dessinait était très grande.

3. léger courant. Mais, tandis qu'il plongeait, le cou encore tendu, son nom, accueilli déjà par ces profondeurs insondables, se dessina soudain en immenses arabesques

Impression Maury-Eurolivres
45300 Manchecourt
le 7 septembre 2005.
Dépôt légal : septembre 2005.
1ᵉʳ dépôt légal dans la collection : mai 1987.
Numéro d'imprimeur : 116535.
ISBN 2-07-037840-3. / Imprimé en France.

Impression Maury-Imprimeur
45330 Malesherbes
N° 7 septembre 200.

Dépôt légal : septembre ...
Imprimé ...